海外漢文古醫籍精選叢書·第三輯

2011—2020年國家古籍整理出版規劃項目

2018年度國家古籍整理出版專項經費資助項目

中國中醫科學院「十三五」第一批重點領域科研項目

——我國與「一帶一路」九國醫藥交流史研究（ZZ10—011—1）

蕭永芝◎主編

名家灸選三編

初編〔日〕和氣惟亨 撰

二編〔日〕平井庸信 撰

三編〔日〕平井庸信 撰

27

北京科學技術出版社

圖書在版編目（CIP）數據

名家灸選三編/蕭永芝主編．—北京：北京科學技術出版社，2019.1
（海外漢文古醫籍精選叢書．第三輯）
ISBN 978－7－5714－0009－5

Ⅰ．①名…　Ⅱ．①蕭…　Ⅲ．①灸法　Ⅳ．①R245.8

中國版本圖書館 CIP 數據核字（2018）第295424號

海外漢文古醫籍精選叢書·第三輯·名家灸選三編

主　　編： 蕭永芝
策劃編輯： 李兆弟　侍　偉
責任編輯： 吕　艷　周　珊
責任印製： 李　茗
出 版 人： 曾慶宇
出版發行： 北京科學技術出版社
社　　址： 北京西直門南大街16號
郵政編碼： 100035
電話傳真： 0086-10-66135495（總編室）
0086-10-66113227（發行部）　0086-10-66161952（發行部傳真）
電子信箱： bjkj@bjkjpress.com
網　　址： www.bkydw.cn
經　　銷： 新華書店
印　　刷： 北京虎彩文化傳播有限公司
開　　本： 787mm×1092mm　1/16
字　　數： 402千字
印　　張： 33.5
版　　次： 2019年1月第1版
印　　次： 2019年1月第1次印刷
ISBN 978－7－5714－0009－5/R·2564

定　　價： **880.00元**

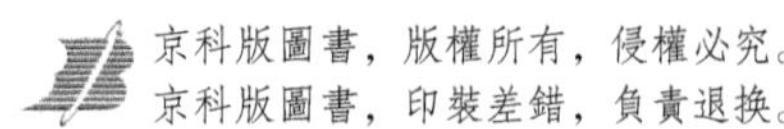

海外漢文古醫籍精選叢書·第三輯

名家灸選三編

初編 〔日〕和氣惟亨 撰

二編 〔日〕平井庸信 撰

三編 〔日〕平井庸信 撰

内容提要

《名家灸選三編》(總書名),包括和氣惟亨編著的《名家灸選》(初編)、平井庸信續編的《續名家灸選》(又名《名家灸選二編》)與《名家灸選三編》(子書名)三種書,是日本江户後期灸療專著的代表之作。三書廣收中日兩國醫籍記載的特效灸法,以及日本古傳、俗傳或名家所傳的各種灸法治驗,總計收載行之有效的灸法四百餘條,其中近一半是流傳於日本本土的灸療治驗,具有較高的臨床參考價值。

一 作者與成書

《名家灸選》正文首葉題「朝議郎通事舍人越後守和氣惟亨著/門人平安澀谷貞光/和州三村道光校」。書首日本文化二年(一八〇五)平井庸信序中載:「在昔,本邦針灸之傳大備。然貴權豪富,或惡熱,或恐疼,惟安甘藥補湯,是以針灸之法寢以陵遲。今世艮山後藤氏盛唱灸法,人稍知其驗,而尚古傳奇輸試驗妙穴,家秘户藏,不得廣濟博施。南皋先生勤摭古傳,普采諸家并祖傳之秘法,既已自試之,撰奇驗適實者,著《名家灸選》,希庸信補正焉。」和氣惟亨在《名家灸選》總論中言:「吾本邦古昔和、丹兩家，各承家伎(技)，世守舊職。於其醫籍，則有《醫心方》《大同類聚方》《頓醫方》《金蘭方》等大備。然至於今，散佚不可得者多矣。惟亨家世守其職，僅有存其禁書若干，亦足見其餘緒耳。竊閲其書，有據經絡取孔穴者，或有以寸量不拘經輸者，皆莫非救民之妙術。而古傳泯然，適有在草醫間者，然各私淑其説，秘其點法，而奏其效者亦不鮮，其術簡易而切治病者也。於是不拘新故，不選雅俗，勉取其有效驗者，聊輯録之爲小册子，示之子弟而已。」書後文化二年(一八〇五)小泉立策跋中載：「我南皋先生，襲和氣之流，其得古經逸書不少，加之其學之博，資源《素》《靈》，揚波長沙，又屢涉晉唐而濡足宋元矣。是以汾涵未易測，其緒論亦津津乎有味矣。近日少閑，著《名家灸選》。其爲書也，原采和、丹金櫝之秘藏，旁及諸家試驗，乃徵諸古，驗諸今，瞭然有效。」

可知，《名家灸選》爲和氣惟亨於日本文化二年(一八〇五)編著。當時的灸法因受疼痛、熱燙等困擾而備受排斥，運用逐漸減少。雖有後藤艮山等倡導灸法，但很多行之有效的灸法仍秘而不傳，不得廣濟博施。於是和氣惟亨輯録載於中日古醫籍中的名灸，以及名家所秘、世人未知的經驗灸法尤其是特效灸法，廣收日本和氣、丹波兩大家族古傳的灸法及民間俗傳灸療治驗，撰成此書，欲以傳揚灸治之術。

和氣惟亨(一七六〇——一八二六)，日本京都人，原名山田元倫(後改名玄助)，又稱淺井惟亨，名惟亨(一爲惟良)，字子元(一爲子顯)，嗣古方醫家龜井南溟(一七四三——一八一四)之後，號南圃、南皋，爲日本名醫世家和氣氏家族的後人。文化二年(一八〇五)，編纂《名家灸選》一書。其他著作有《名家方選》(一七八一)、《黴瘡約言》(一八〇〇)、《黴瘡秘録標記》(一八〇八)、《養生録》(一八一七)等。

《續名家灸選》，又名《名家灸選二編》，正文首葉題「丹波平井主善庸信撰/石原子固房貞校」。書首三序，文化三年（一八〇六）馬杉主一序中載：「平井子謹氏，竊有戒懼之心，於是索前哲之隱，補其師之闕，以編書一卷，名曰《續名家灸選》。」書首總論載：「吾南皐先生，采摭本邦古遺法，選名家灸法。予又仿擘，輯録其逸漏者，以續貂尾，示之子弟輩矣。」

《名家灸選三編》，正文首葉題「丹州醫王嶺麓平井主善庸信選/門人足助一庵美文校」。書首二序，日本文化十年（一八一三）和氣惟亨序中載：「丹州平子謹善此舉，博搜懇索，而遂作《續編》，得濟其美焉。爾來得良援奇者甚多，遂亦作《三編》。」書首另一序亦載：「《名家灸選三編》者何？初編所遺，二編所隱，皆無不詳且盡之也。」

可知，《名家灸選》二編、三編均爲平井庸信所著。平井庸信，生卒年不詳，丹州（今屬日本京都府、兵庫縣）人，名庸信，字子瑾，通稱主善。平井庸信最初從美濃（今屬日本岐阜縣）的河田岐山學習脉學，後尊和氣惟亨爲師，爲完成惟亨集成名灸的夙願，繼《名家灸選》之後，拾初編所遺、二編所隱，先後於文化四年（一八〇七）、文化十年（一八一三）完成續作二部，即《續名家灸選》《名家灸選三編》。

二 主要内容

本次收録的《名家灸選三編》由和氣惟亨《名家灸選》（初編）、平井庸信《續名家灸選》《名家灸選三編》三部分構成。據《續名家灸選》總論中載：「凡例從初編，故不贅於此。」可知，平井庸信編著二編、三編時，沿襲了和氣惟亨《名家灸選》（初編）的體例。因此，儘管《名家灸選》初、二、三編著者不同，但編撰體例相近。

《名家灸選》(初編)，正文將疾病分爲上部病、中部病、下部病、緩治病、急需病、瘡瘍病、婦人病、小兒病、雜證計九類，書末附録數灸法。在疾病類下再分病門，如中部病分腹痛、積聚癥瘕、疝氣三門；病門下記述具體疾病灸法。如腹痛門下記載「治久腹痛及喘急法」「治陰寒腹痛法」「治陰寒冷極，手足冰冷，腎囊縮入，牙關緊急欲死法」三條灸法治驗。在記載灸法治驗時，依次述其治療病證、治驗出處、施灸腧穴或部位、取穴或定位方法、艾灸壯數、灸法操作、治療效果、作者按語、灸圖等多項內容。如上部病牙齒門載：「○治牙齒疼痛甚者法《蘇沈良方》 隨左右患處，肩尖近後骨縫中，小舉臂取之，當骨解陷中。灸五壯。予親見灸數人皆愈，灸畢項大痛，良久乃定，永不發。△肩頭穴灸牙疼法，隨左右所患，肩尖微近後骨縫中，小舉臂取之，當骨解陷中。灸五壯。灸畢項大痛，良久乃定。予親病齒痛，百方治不驗，用此瘥。」并附灸圖一幅。其中「○」「△」代表意義爲「凡新更端者，皆用○也；别發經驗愚按者，皆用△也。」其書小字注中引用了一八○三年由日本原昌克所編《經穴彙解》一書中的部分內容，如「《經穴彙解》云：心痛，冷氣上，灸龍頷百壯，在鳩尾頭上行一寸半，不可刺。」

《續名家灸選》乃繼《名家灸選》之後編著而成，如本書之首和氣惟亨序中載：「予深憾其傳之不廣焉，是以客歲遍采廣索，選名家灸法，以公於世。丹州平子謹，深善其舉，今又輯其散佚，拾其遺漏，以作續編。」本書正文前由序言、總論構成，正文延續《名家灸選》的疾病分類法，亦由上部病、中部病、下部病、緩治病、急需病、婦人病、小兒病、瘡瘍病、雜證九類構成，編寫體例同《名家灸選》，書末附録雷火神針等灸法。

《名家灸選三編》同樣沿用《名家灸選》的編撰方式，正文前有序言、總論，正文仍將所治病證分爲上部病、中部病、下部病、緩治病、急需病、瘡瘍病、婦人病、小兒病、雜集共九類，編寫特點同初、續兩編。本編的總論較有特點，引録了後藤椿庵所著《艾灸通説》的相關内容，云：「椿庵後藤氏所著《艾灸通説》……頗解世醫之鹵莽。然其中不免有矯左枉反右枉者。間嘗探故紙中得一小册，題曰《醫事大要》，亦後藤氏之所著也。選述温泉、艾灼、肉食、藥治之大要，而其艾灼，采摘通説十條爲一篇。今引括其全文而不能無疑者，拆以鄙言，换之總論。」主要引述了後藤椿庵在施灸禁忌、艾灸壯數、定穴法、探椎骨法與背部取穴法、據灸後反應判斷預後、灸泡應針刺破黑水、灸瘡宜自發自愈、艾炷大小等方面的見解。

《名家灸選》全三編，均分爲九類記載灸法主治病證。三書記載的病證大致如下：上部病（眼目、鼻、牙齒、咽喉、頭痛眩暈、咳嗽喘哮、噦逆、膈噎、吞酸翻胃、臂痛等），中部病（心腹痛、心腹脹滿痞氣、積聚癥瘕、腰痛、疝氣等），下部病（遺尿、下痢、便毒、五痔下血脱肛、脚氣、淋疾、陰病、遺精、轉胞小便閉、大便失禁、大便閉、偏墜氣等），緩治病（中風、勞瘵、注夏病、癲癇狂、痰飲、瘰癧、水腫并鼓脹、腫滿、黄疸、虚勞骨蒸等），急需病（傷寒、血證、救急、卒厥青筋中惡、霍亂、卒中風、中寒、瘧疾、中惡卒死卒中病等），婦人病（經閉血塊、帶下病、崩漏、産科、乳癰、經行不調、求嗣等），小兒病（急慢驚風、疳病、小兒雜證等），瘡瘍病，雜證。書中收録大量治療上述疾病行之有效的灸法，是一部中日兩國名家灸法的治驗集。

三　特色與價值

在《名家灸選》三部書中，輯録大量載於中日兩國古醫書中的有效灸法，以及爲諸名家所秘、世人未知的經驗秘灸，并收集了大量流傳於日本本土的獨特灸法，堪稱江戶後期灸療專著的代表之作。下文將從獨具特色的灸法理論和灸法治驗來源兩方面來分析此書。

第一，灸法理論。

《名家灸選》三部書中記載的灸法理論特色有以下幾方面。

多取奇俞(輸、腧)，專尚經驗，常常選載灸治有特效經驗者，若尋常灸穴主治，古今灸焫書所載者，則省略不録，僅擇其奇驗明徵者載之。如《名家灸選》例言載：「此集取奇輸經驗以載之，若夫尋常灸穴主治，古今灸焫書所載也，故盡省之」「此集專尚經驗，故有奇驗明徵者，雖非奇輸，間有載之者也。」

重視經絡腧穴定位，注重療效。所載灸法均以臨床療效爲依據，「須取其有效驗者，自徵治病而已」；取穴也多爲奇俞，但仍强調不可廢經絡之説而獨重腧穴。和氣惟亨《名家灸選》借助稻稗定穴；平井庸信所著二編、三編，多借助臘繩定穴，如續編總論載：「若此編所輯最多，繩子度量之法，依體之拳縮，其差何惟毫厘乎哉，殊要令平正。」

附灸法取穴圖，《名家灸選》例言載：「凡灸法有用寸量無穴名者，及孔穴所在，難以辭諭者，各作小圖，便考索孔穴；的實明白者，不俟圖而已。」初編有三十四條，二編見四十條，三編計三十二條灸法治驗之後附有取穴圖。

對於灸法的禁忌，和氣惟亨在《名家灸選》總論中提出：「《内經》未嘗論，但勿刺大勞、大怒、大饑、大醉之言，灸法亦宜忌也。其他風雨雷震、日月薄蝕及人身多熱惡寒、多忙勞力，前後三日，勿犯房欲之類，是宜避忌而已，然亦是等灸平穩緩證之禁法也。若臨倉卒急證，則無一禁忌，必勿論時日。

若夫天明氣朗，起居飲食如故，則灸之萬全矣。」

主張陰血枯燥之人不可灸之。和氣惟亨在《名家灸選》總論中指出：「大凡病人脉狀見浮滑洪大諸數，煩躁口渴，咽痛面赤，火盛陰虛内熱，黴瘡、疥癬、金瘡，及大病瘥後未全復，新産、亡血等之類，皆陰血枯燥之人，誤灸之則使火毒内攻，灾害并至，慎不可灸也。」平井庸信在此基礎上指出平日可艾灸部分腧穴養生，「本邦之俗稱養生，灸寒暑之交，或時時灸背俞及足三里……須量其宜，時時灸之，散寒邪，除陰毒，開鬱破滯，助氣回陽，以防其未然，則治未病之一端也。」

灸之多少，無固定壯數，亦不拘泥於書中所載壯數，唯以取效爲適。「能灸者，隨疾病之淺深多少增減，唯效是適可也。」「凡壯數多寡，須因丁壯羸弱消息之，不可膠柱守株。灸久病者，或一二臘，或至一二月。若厭壯數多者，初灸之，起自八九壯，日增二三壯，漸至三四十壯又復初，此法尤良矣。」

有關特殊灸法，據《名家灸選》凡例所載：「凡灸穴有用統名者，如八曜梅花是也。其他皆言治某病，從傳説也。」書中記載瘡瘍八處灸法、九曜灸、五條灸法、日本四花穴灸法等，部分爲日本本土特色灸法，出自《灸焫鹽土傳》等書。

重視施灸發瘡，并根據灸瘡來判斷病情。如續編總論載：「《資生》曰：凡着艾，得瘡發，所患即瘥；若不發，其病不愈。蓋灸之四邊紅暈，灸痂蒼蠟光澤，如好痘痂，二三日少發瘡者，是内無甚病，爲佳兆矣。若老灰色，無紅暈者，必不發瘡，或發水泡，隨乾枯，皆内有痼滯之候；或每灸大發瘡，經久不愈者，是濕熱内蓄之候，皆宜預藥餌，以防未病矣。」

臨證灸腹背穴時，常灸足三里五七壯以引火下行。平井庸信《續名家灸選》例言中記載：「《明堂》曰：凡灸，先灸上，後灸下。凡先陽後陰，是灸法當然之理也。古法灸四花患門者，灸足三里瀉火。予擴此法，凡灸腹背諸穴者，皆灸足三里五七壯，以使引火氣於下，不上衝，是試驗之良法也。」《名家灸選》全三編均將疾病分爲九類，即按身體部位分爲上部病、中部病、下部病，按病勢緩急分爲緩治病、急需病，按醫學專科分爲婦人病、瘡瘍病、小兒病，并附雜證。這種分類法與中國宋金元明醫書中記載的疾病分類方法不同，具有獨特之處，突破了當時沿自李朱醫學的疾病分類法。如和氣惟亨「名家灸選例言」中載：「凡疾病分類，古今不一，此册專尚簡易，欲以便搜索也，故今新立九類綱之，百般疾病目之。」

書中載有數條針刺、方藥治法内容。如續編的「卒厥青筋中惡」載：「△卒厥青筋腹痛，煩悶不省人事，或肩强引胸痛欲死者是也。兼刺肩井、曲池、尺澤三穴，出血妙。尤甚者，以快刀輕割肩背出血，不然則卒死不起。」三編之「瘡瘍病」載：「〇治疔腫法《百一方》，以針刺四畔，用石榴皮末着瘡上，調麵圍四畔灸之，痛爲度。調末傅上急裹，經宿連根自出。」又載：「〇治瘰癧，用益氣養榮湯，其癧皆消。惟一二個不消者，用癩蝦蟆一個，剥取皮，蓋瘰癧上，用艾灸皮上七壯，立消。」説明和氣惟亨、平井庸信臨證治病時，在施灸之外也會配合針刺、方藥等其他治療方法。

書中的多數經驗灸法均載有「親試效」「親見灸效」之説。如初編雜證類「灸狐魅法試效」條下載：「△《神應經》《類經圖翼》鬼哭穴，治一切邪祟，妙妙。」又如婦人類下産科門「治産後陰下脱法試效」條下載：「△或以此灸法救婦人淋漓疼痛甚者，三壯而驗，妙不可言。」由此可知，該書所載灸治經驗多爲作者臨證親驗確實有效者，故具有較高的臨床實用價值。

三部書中所載灸法治驗逐步補充、修訂、完善。如二編中載：「〇治中風口眼喎斜不正者法《本事方》：於耳垂下，麥粒大，灸三壯，左引右灸，右引左灸。△此穴乃治牙齒痛，又治口喎，其理一矣。初編已引《醫學入門》云灸耳垂珠者，又是此穴，則恐人訛認，故亦載之。」三編中載：「〇治風齒疼痛法《千金》：以綫量手中指至掌後横紋，折爲四分，量横紋後當臂中，灸三壯愈，灸之當隨左右。即掌後肘中内廉，此法已出初編，今改正出焉。」「〇治久漏瘡法《準繩》：灸足内踝上一寸六壯。如在上者，灸肩井、鳩尾。△所載續編附子餅灸法，殊妙。」「〇治憂思鬱結，心腹諸病，痞積煩痛者法。試驗。即崔氏四花穴，除骨上二穴，惟灸兩旁二穴，與初編所載梅花五灸并用，殊驗。」「〇治赤白帶下妙灸。古傳……此法與初編治帶下腰痛之法有少异，而此穴極效。」

第二，灸法治驗來源。

在《名家灸選》三部書中，絶大多數灸治經驗後均注明了出處，或標注古醫籍名，或標注某傳，或標注「試效」「俗傳」「古傳」等。和氣惟亨「名家灸選例言」中載：「奇輸或因古，或采今，是以唐宋以下方論，至本邦古籍、古醫傳，盡取其當有效驗者以載之，故或録書名，或記所傳。如先師傳來，及愚按經驗孔穴，則注以試效。稱其古傳者，多出和、丹兩家也，蓋明其所原而已。」

《名家灸選》(初編)記載灸法治驗一百三十三條，其中僅有二條治驗未標明出處。在其餘一百三十一條治驗中，有六十二條後標注醫書名稱(多爲書籍簡稱)，四十條標注「試效」，十二條標注「古傳」，六條標注「俗傳」，十一條標注某人傳。標注出的醫書共有二十一種，以《五蘊鈔》出現次數最多，爲十二次，《救急易方》九次，《回春》六次，《得效方》五次，《醫心方》四次，《救急方》《蘇沈良方》《醫綱本紀》《醫學綱目》四書各三次，《救急良方》《入門》二書各二次，《本事方》《赤水》《丹溪心法》《綱目》《千金方》《千金翼方》《醫鑑》《易老方》《準繩》《資生》十書各一次。十一條標注某人傳，分别爲俗人傳、一老醫傳、紀州兒玉氏傳、江州太醫傳、家傳(二次)、備中太醫傳、江州民家傳、江州一醫纍代傳、信州异人傳、築州太醫傳。

《續名家灸選》(續編、二編)記載灸法治驗一百二十四條，正如本書目次後所載「通計百二十四法」。此外，本書附録中記載雷火神針、温臍種子方、灸疔瘡法等治驗五條。在本編一百二十四條灸法治驗中，有十條未標明具體文獻出處。其餘一百一十四條治驗，五十七條後標注醫書名稱，八條標注「試效」，十條標注「古傳」，九條標注「俗傳」，三十條標注某人傳。標注出的醫書共有十七種，以《灸焫鹽土傳》出現次數最多，爲十次，《明堂灸經》《千金》二書各六次，《金鑑》《千金翼》《醫綱本紀》三書各五次，《類經圖翼》《聖功方》二書各四次，《梅花無盡藏》《聖效方》(《聖效》)各二次，《本事方》《古今醫統》《和漢三才圖繪》《類經》《外臺》《血氣形志篇》《肘後方》七書各一次，《千金》及《翼方》一次。在標注傳人的三十條灸法治驗中，德本八條，味岡三伯四條，一醫家傳(一醫傳)三條，香月牛山、見宜堂(古林見宜)、石原氏傳各二條，田中知新、岡本一抱子、道三、中山三柳、中條流傳、獨立禪師傳、家秘法各一條。其中，《灸焫鹽土傳》爲三宅意安所撰灸法專著，成書於一七五八年，書中將歷代灸法總括爲六十七條，包括日本四花灸法、五花灸法、五别灸法、鬼哭灸法、九曜灸法、五條灸法、八華灸法、後藤五極灸法等日本民間的灸法，極大地豐富了灸法的内容。

《名家灸選三編》記載灸法治驗一百四十一條，其中僅五條治驗未標明出處。在其餘一百三十九條治驗中，八十六條後標注醫書名稱，十三條標注「試效」(包括《千金》試效、《類經圖翼》試效各一條)，三條標注「試驗」，二十條標注古傳(「古傳」十二條、「眼科古傳」三條、「竹田家古傳」五條)，十七條標注某人傳。所標注出的醫書共有十七種，以《備急千金要方》(《千金》)出現次數最多，爲三十三條，《壽世保元》(《壽世》)十三條，《外臺》九條，《類經》八條，《千金翼方》(《千金翼》)五條，《肘後方》

《準繩》二書各四條，《金鑑》《救死三方》《本草綱目》《斗門方》《一本堂》《啞科秘傳》《百一方》七書各一條。在某些治驗之下，同時標明出自二至四種文獻，涉及《醫學入門》及《類經》一條，《準繩》與《聖惠》一條，《外臺》《古今録驗方》《肘後》《千金》一條。如：「療熱結小便不通利法。《外臺》《古今録驗方》《肘後》《千金》同。」在標注傳人的十七條灸法治驗中，標記一醫家傳或醫家傳者五條（一條爲一醫家傳，出自龔氏），德本、俗傳、近藤氏傳各二條，北尾春圃、井上傳、師傳、石原氏傳、園部井上氏傳、張氏各一條。

綜上所述，《名家灸選三編》（初、二、三）三書引用的中國醫書主要有《肘後方》《古今録驗方》《備急千金要方》《千金翼方》《外臺秘要》《太平聖惠方》《蘇沈良方》《普濟本事方》《針灸資生經》《明堂灸經》《世醫得效方》《醫學綱目》《救急易方》《丹溪心法》《古今醫統》《赤水玄珠》《醫學入門》《古今醫鑑》《本草綱目》《萬病回春》《證治準繩》《壽世保元》《類經》《類經圖翼》《醫宗金鑑》《救急方》《救急良方》等近四十種。參考日本醫書包括《醫綱本紀》《醫心方》《梅花無盡藏》《聖功方》《針灸五蘊鈔》《和漢三才圖繪》《一本堂灸選》《灸焫鹽土傳》等約十種。所出人名主要有紀州兒玉氏、德本（多賀）、味岡三伯、香月牛山、田中知新、岡本一抱子、道三、石原氏、中山三柳、中條流、獨立禪師、北尾春圃、檜山驛近藤氏、園部井上氏、張氏等十五位。可見，《名家灸選三編》集中日兩國灸法治驗於一體，涵納了大量具有日本本土特色的灸法治驗。

總之，《名家灸選三編》具有自身獨特的灸法理論特色，集録中日古醫籍中的效驗灸法和名家秘而不傳的灸法、民間特效灸法以及作者試效灸法治驗四百餘條，其中約半數是流傳於日本本土的獨特灸法，具有較高的臨床實用價值，值得今人深入發掘和學習借鑒。

四　版本情况

《名家灸選》全三編最初是分别刊行的：《名家灸選》（初編），刊於日本文化二年（一八〇五）；《續名家灸選》，刊於日本文化四年（一八〇七）；《名家灸選三編》，刊於日本文化十年（一八一三）。諸本現藏於日本國立國會圖書館（初、二編）、京都大學圖書館富士川文庫、東京大學圖書館鶚軒文庫（初編）、東北大學圖書館狩野文庫（一册）、廣島大學圖書館、廣島市立淺野圖書館小田文庫（初編）、岩瀨文庫（初、二編）、市立刈谷圖書館（三編）、豐橋市立圖書館（二編）、神宫文庫等處。天保七年（一八三六），日本彙集三本刊爲《名家灸選大成》行世，此本現藏於大阪府立圖書館石崎文庫、無窮會神習文庫等處。❶近年來，由於著名灸師深谷伊三郎著《名家灸選釋義》解説本書并强調其價值，故流傳甚廣。中國中醫科學院圖書館藏本爲一九七八年日本盛文堂據自文化十年（一八一三）觀宜堂藏本的覆刻本。

本次影印《名家灸選》（初編）所用底本，爲日本京都大學醫學圖書館富士川文庫所藏文化十年癸酉（一八一三）刻本。此本藏書號爲「富士川/メ3」，不分卷一册。書皮題「名家灸選」，書脊題「名家灸選　完」，無扉葉。書首依次爲序、總論、例言、目次，其中「名家灸選序」爲「文化龍集乙丑端午日丹陰處士平井庸信」撰；「名家灸選例言」爲「越後守和氣惟亨」撰。四周單邊，無界格欄綫。版心白口，無魚尾，自上而下依次刻「名家灸選」書名、葉碼、「觀宜堂藏」。正文處每半葉七行，行十五字，注雙

❶〔日〕國書研究室．國書總目録：第七卷［M］．東京：岩波書店，一九七七：六五八．

行。書後有「名家灸選跋」，爲「文化二歲次乙丑秋八月/門人尾張小泉立策」撰。跋後有「聚寶閣藏版醫書之部」書目，計有包括《名家灸選》《續名家灸選》在内的醫書十三種。書末有「觀宜堂藏板/文化十年癸酉十一月/京師書林西村吉兵衛」的牌記。

本次影印《續名家灸選》采用的底本，爲京都大學醫學圖書館富士川文庫所藏文化四年丁卯（一八〇七）序刊本。此本藏書號爲「富士川/メ4」，不分卷一册，四眼装幀。書皮及書脊均題「名家灸選二編」，無扉葉。書首三序，依次爲：「續名家灸選序」，爲「文化三年丙寅冬十一月/丹波園部文學平安馬杉主一」撰；「續名家灸選序」，爲「文化歲在丁卯四月/抱印堂主人」撰；「續名家灸選叙」，爲「文化四年丁卯五月/典藥寮醫員/朝議郎大藏大録和氣惟亨志」。序後是平井庸信所撰「總論/題言」以及「續名家灸選目次」。四周單邊，無界格欄綫。版心白口，無魚尾，自上而下依次刻「名家灸選續」書名、葉碼、「觀宜堂藏」。正文處每半葉七行，行十五字，注雙行。書末無跋。末葉大尾題「續灸選終」。

本次影印《名家灸選三編》所用底本，爲京都大學醫學圖書館富士川文庫所藏文化十年癸酉（一八一三）刻本。此本藏書號爲「富士川/メ5」，不分卷一册，四眼装幀。書皮題「名家灸選三編」，書脊題「名家灸選三編 完」，無扉葉。書首二序，分別爲：「名家灸選三編叙」，爲「文化十年秋七月/長門守和氣惟亨」撰；佚名氏「序」，撰於「文化十年癸酉中秋」。序後爲平井庸信撰寫的「總論」。「總論」之後爲「名家灸選三編目次」。四周單邊，無界格欄綫。版心白口，無魚尾，自上而下依次刻「名家灸三編」書名、葉碼、「觀宜堂藏」。正文處每半葉七行，行十五字，注雙行。書後一跋，爲「文化歲次癸酉夏五月/門人丹州松本光美」撰。

綜上所述,《名家灸選三編》輯録中日古醫書所載行之有效的灸法,以及流傳於日本本土的獨特灸法,且形成了自身獨特的灸治理論,具有較高的臨床實用價值,值得今人學習借鑒。本次影印出版該書,一方面可爲研究日本灸法提供珍貴的文獻資料,使更多的讀者可以接觸到日本特色灸法;另一方面,也可爲治療部分疾病提供一些簡便有效的治療方法,希望醫者能學習借鑒本書記載的四百餘條灸法治驗,將它們應用於灸治臨床,以擴大灸法的適應證範圍。

韓素杰　蕭永芝　管琳玉　王文娟

名家灸選

名家灸選 完

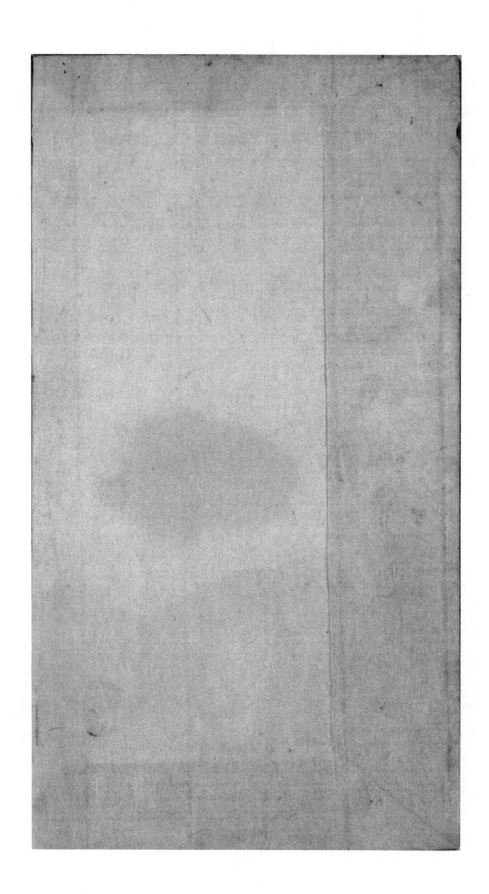

名家灸選序。

夫醫斡旋造化。燮理陰陽。以贊天地之化育也。蓋人之有生。惟天是命。而所以不得盡其命者。疾病職之由。聖人體天故其中。鍼艾治其外。此三者。乃其大者。已內經之所載。服餌僅一二。而灸者三四。鍼刺十居其七。蓋上古之人。起居之常。寒暑知避。精神內守。雖有賊風虛邪。無能深入。是以惟治其外。病隨已。自茲而降。風化愈薄。適情任欲。病多生於內。六淫之易中也。故方劑盛行。而鍼灸若存若亡。然三者。各有

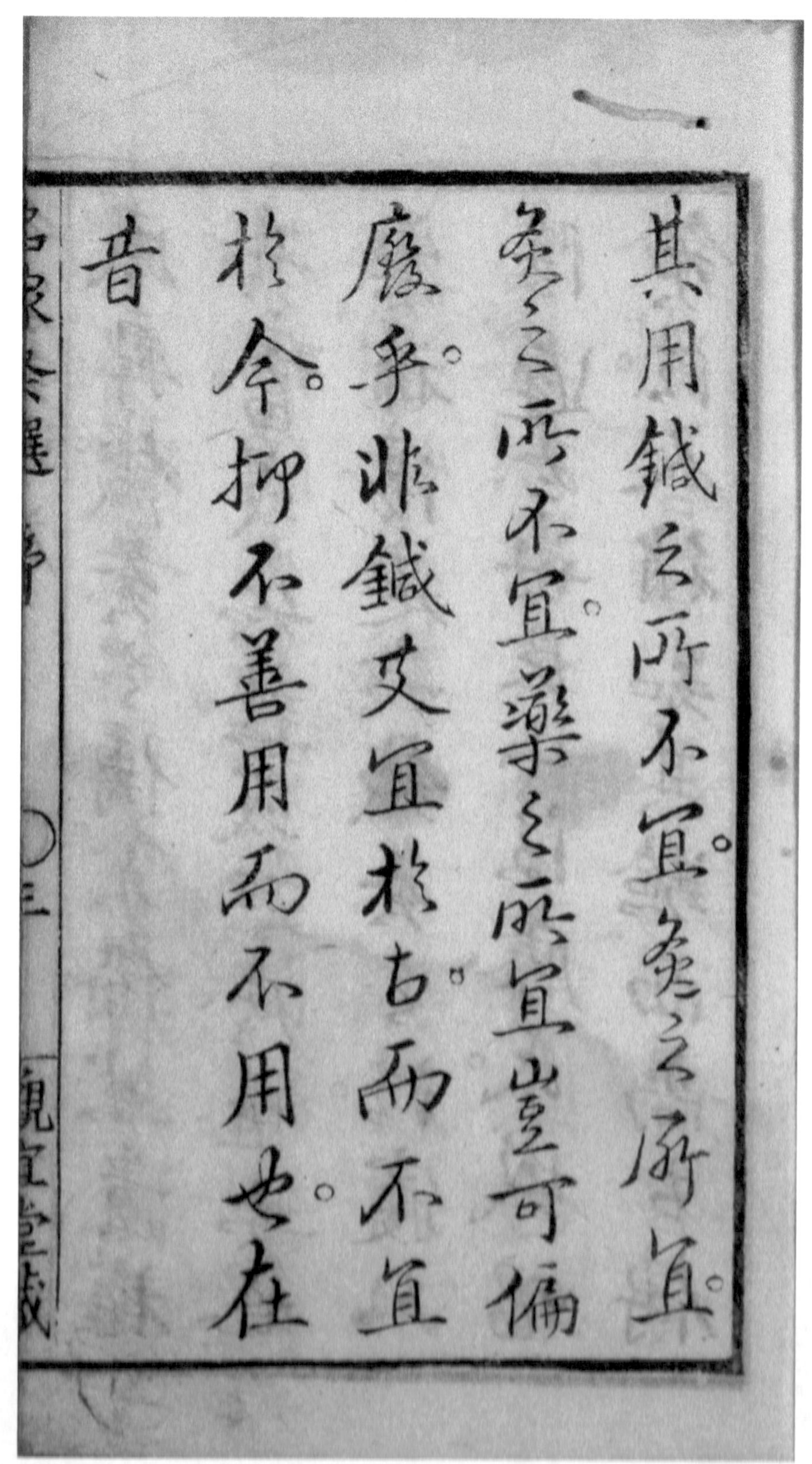

其用鍼之所不宜灸之所宜灸之所不宜藥之所宜豈可偏廢乎非鍼艾宜於古而不宜於今抑不善用而不用也在音

名家灸選序　三　觀宜堂藏

本邦。鍼灸之傳。大備。然貴權豪富或急熱。或恐疼。惟安甘藥補湯。是以鍼灸之法。寢以陵遲。今世艮山後藤氏。盛唱灸法。人稍知其驗而尚古傳

奇輸試驗妙究家秘戶藏不得廣濟博施南皐先生勤摭古傳普採諸家并祖傳之秘法既已自試之擬奇驗適實著著名家灸選奈庸信補正

觀宜堂藏

焉嗚乎。先生善用三法。而其鍼刺補瀉迎奪隨濟之法全存干心手。蓋非其人。則不可傳也。灸法。惟在因證取穴。不失毫毛。尚易爲傳。蓋此舉也。

特傳其易傳而已矣余深喜古傳再明於今。秘法博傳於世。而助氣回陽之功大補於生化。回急困陋漫題數言。以為之叙云。于時

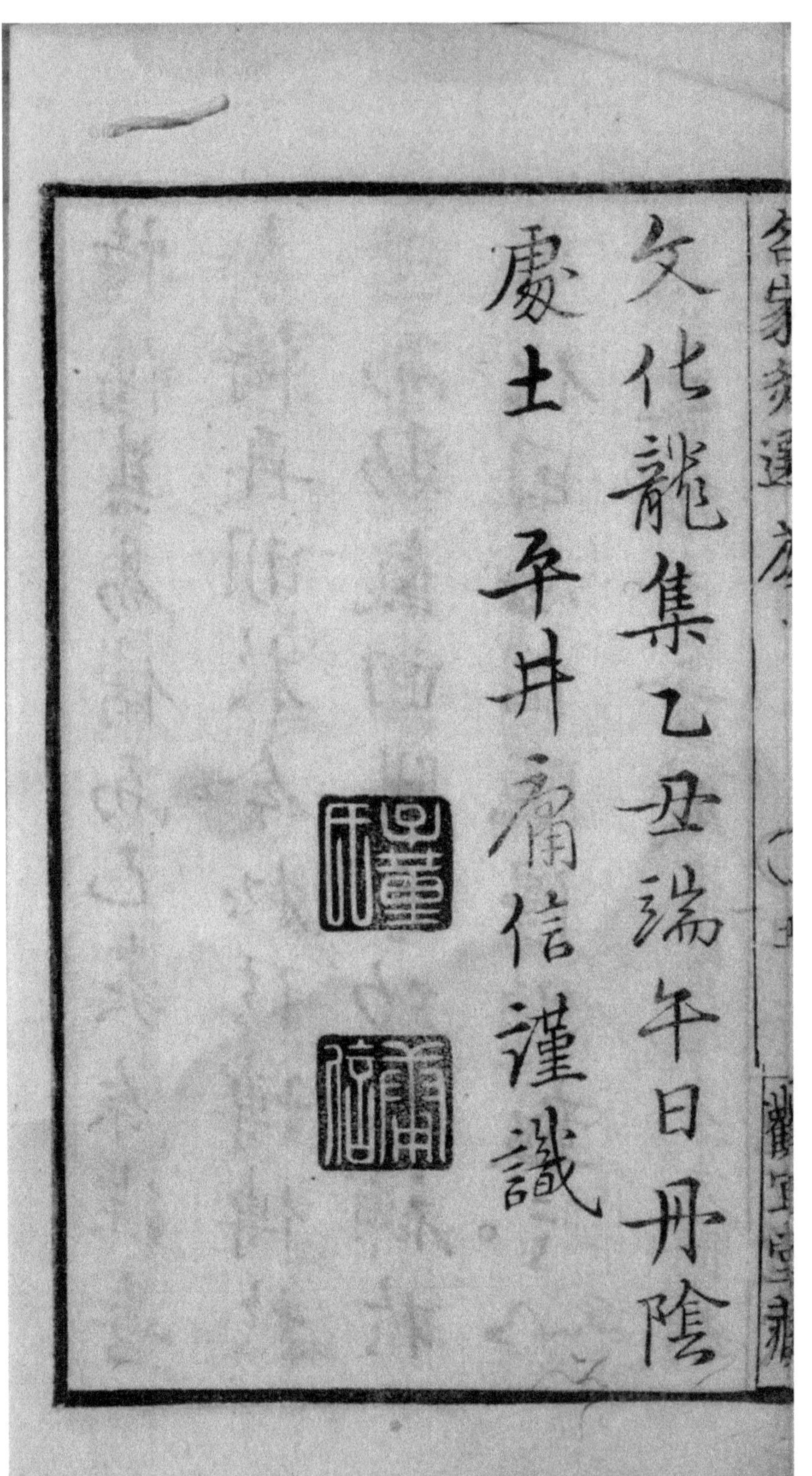

文化龍集乙丑端午日丹陰
處士平井庸信謹識

總論

一按内経甲乙以来説鍼灸輸穴之書何啻数十家而已哉然専據経絡榮俞之説或拘骨度分寸之論不能徴治疾病者夥矣吾

本邦古昔和丹両家各承家伎世守舊職於其醫籍則有醫心方大同類

聚方頓醫方金蘭方等大備然至于今散逸不可得者多矣惟亨家世守其職僅有存其禁書若干亦足見其餘緒耳竊閱其書有據經絡取孔穴者或有以寸量不拘經輸者皆莫非救民之妙術而古傳泯然適有在草醫間者然各私淑其說祕其點法而

奏其効者亦不尠其術簡易而切治病者也於是不拘新故不選雅俗勉取其有効驗者聊輯録之為小冊子示之子弟而已

一或問如子之言則経絡之説不可據乎予云経絡府輸陰陽會通者習醫之大本曷可廢乎且徵病位病候者

經絡是據無稽之狡兒或廢不由固未足與議治法耳夫經絡也者人身之基礎猶土地之有山河逕路也孔穴也者治病府會也猶郡縣之有都會廳舍也須取其有効驗者自徵治病而已

一或問甲乙明堂資生皆曰灸何箇壯

大畧不過七八壯千金及翼方間或曰二三百壯或千壯何壯數之多寡大異乎將隨何法予云沉痾痼疾之成也非一朝一夕之漸也灸之不至多則何解沈寒於骨髓何碎癖塊於腹裏何破積毒於藏府何生陽氣於經隧能灸者隨疾病之淺深多少增

蔵唯効是適可也

一或問灸法之書大率皆説時日禁忌與人神所在盡可據乎予云内経未嘗論但勿刺大勞大怒大饑大酔之言灸法亦宜忌也其他風雨雷震日月薄蝕及人身多熱悪寒多忙勞力前後三日勿犯房慾之類是宜避忌

而已然亦是等灸平穩緩症之禁法也若臨倉卒急症則無一禁忌必勿論時日若夫天明氣朗起居飲食如故則灸之萬全矣

一論曰微數之脉慎不可灸因火為邪為煩逆誠乎斯言矣大凡病人脉状見浮滑洪大諸數煩燥口渇咽痛面赤

火盛陰虛內熱黴瘡疥癬金瘡及大病差後未全復新產亡血等之類皆陰血枯燥之人誤灸之則使火毒內攻災害並至慎不可灸也

経穴彙解云治自縊死灸四肢大節陷大指本文名曰地神灸七壯

名家灸選例言

一凡疾病分類古今不一此冊專尚簡易欲以便搜索也故今新立九類綱之百般疾病目之

一此集取奇輸經驗以載之若夫尋常灸穴主治古今灸焫書所載也故盡省之

名家灸選　五　觀宜堂藏

一奇輸或因古或採今是以唐宋以下方論至本邦古籍古醫傳盡取其當有効驗者以載之故或錄書名或記所傳如先師傳來及愚按経驗孔穴則註以試効称其古傳者多出和丹両家也蓋明其所原而已

一凡灸穴有用統名者如八曜梅花是

也其他皆言治其病從傳說也

一此集專尚經驗故有奇驗明徵者雖非奇輸間有載之者也

一凡灸法有用寸量無穴名者及孔穴所在難以辞諭者各作小圖便考索孔穴的實明白者不俟圖而已

一凡灸壯多寡宜量疾淺深而多少增

減然古傳有壯數者從其舊規載之

一凡新更端者皆用○也別發經驗愚按者皆用△也

越後守和氣惟亨誌

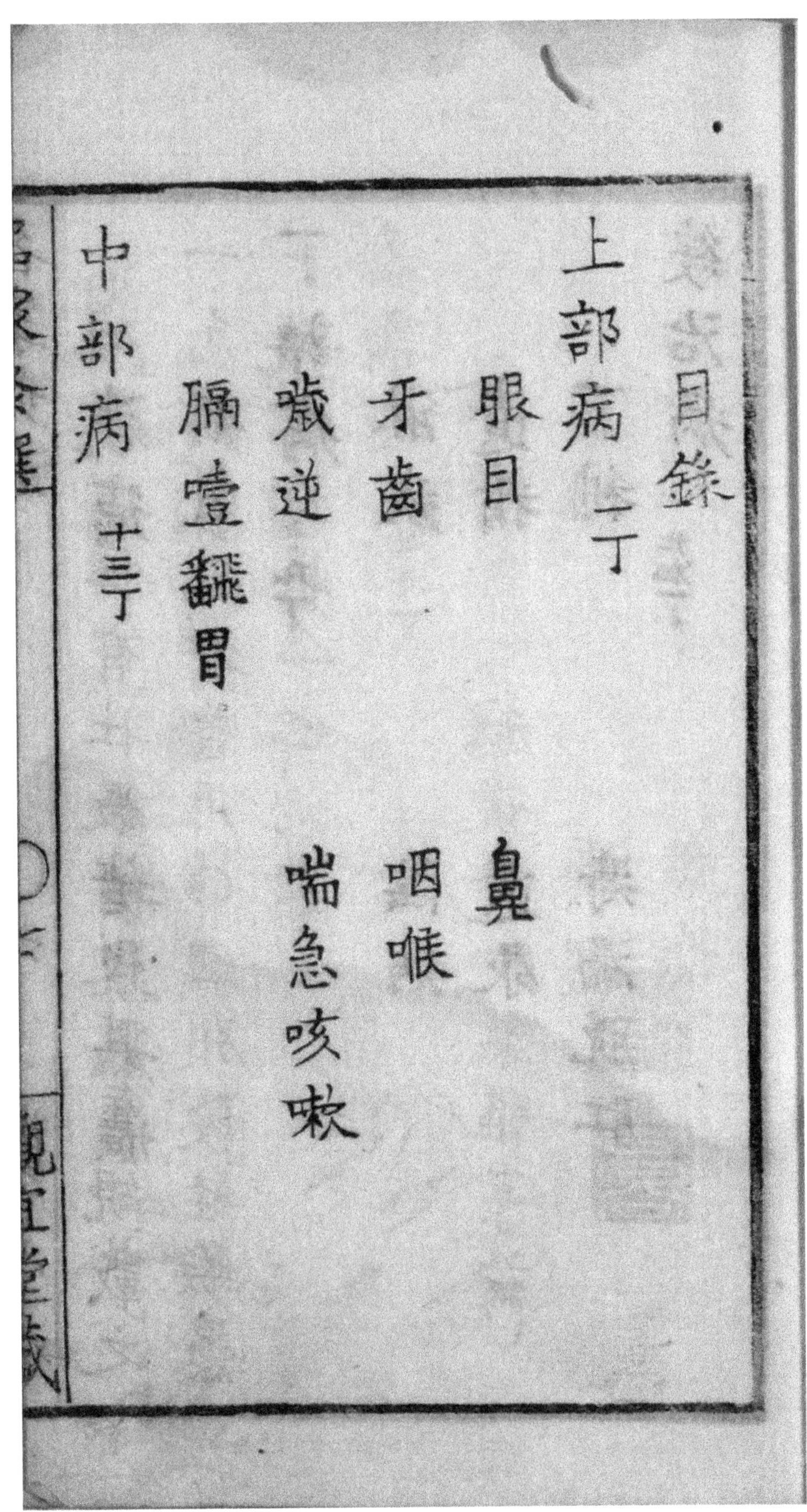

目錄

觀宜堂藏

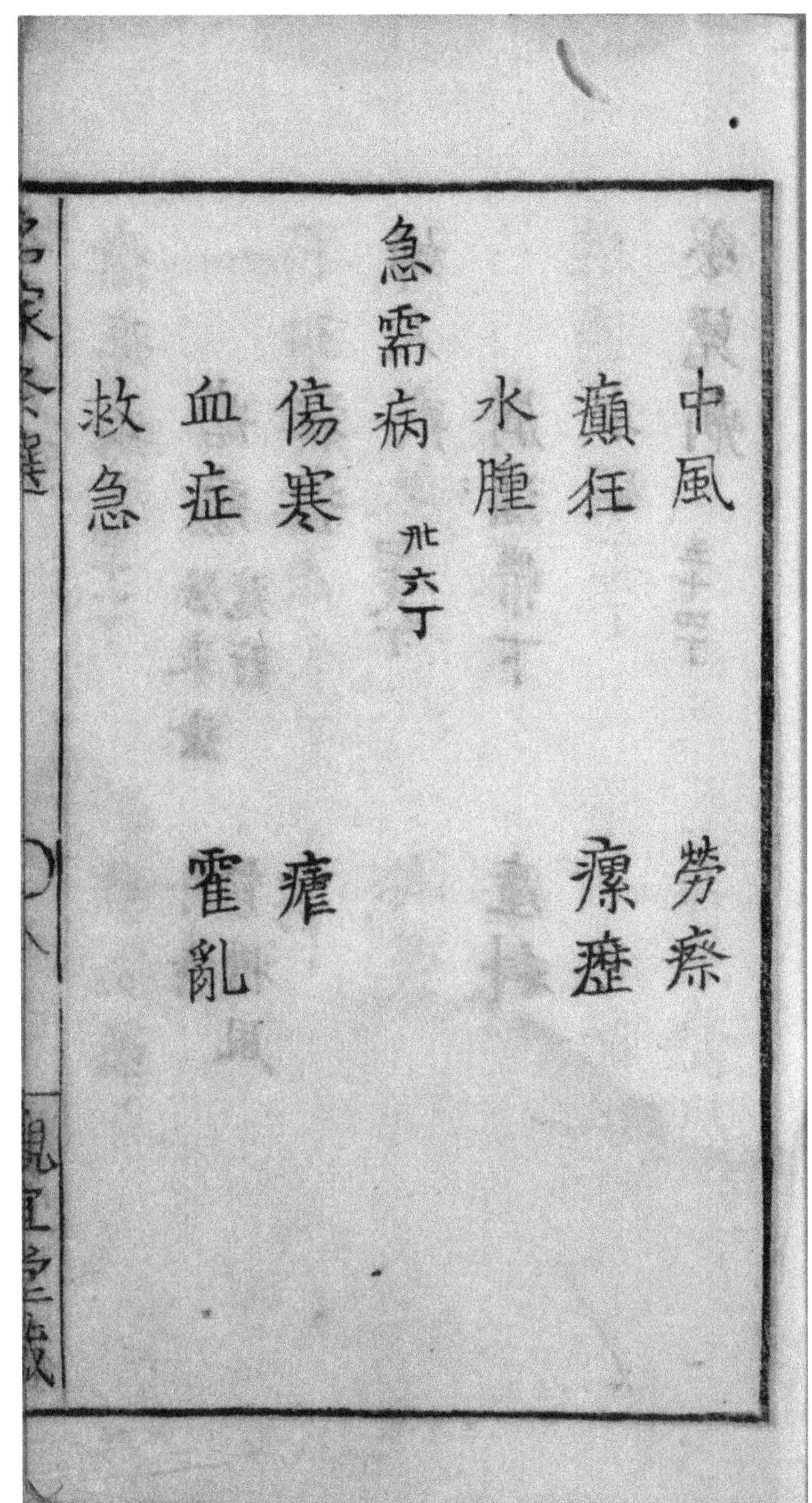

中風　勞瘵

癲狂　瘰癧

水腫

急需病　卄六丁

傷寒　癰

血症　霍亂

救急

名家灸選

觀宜堂藏

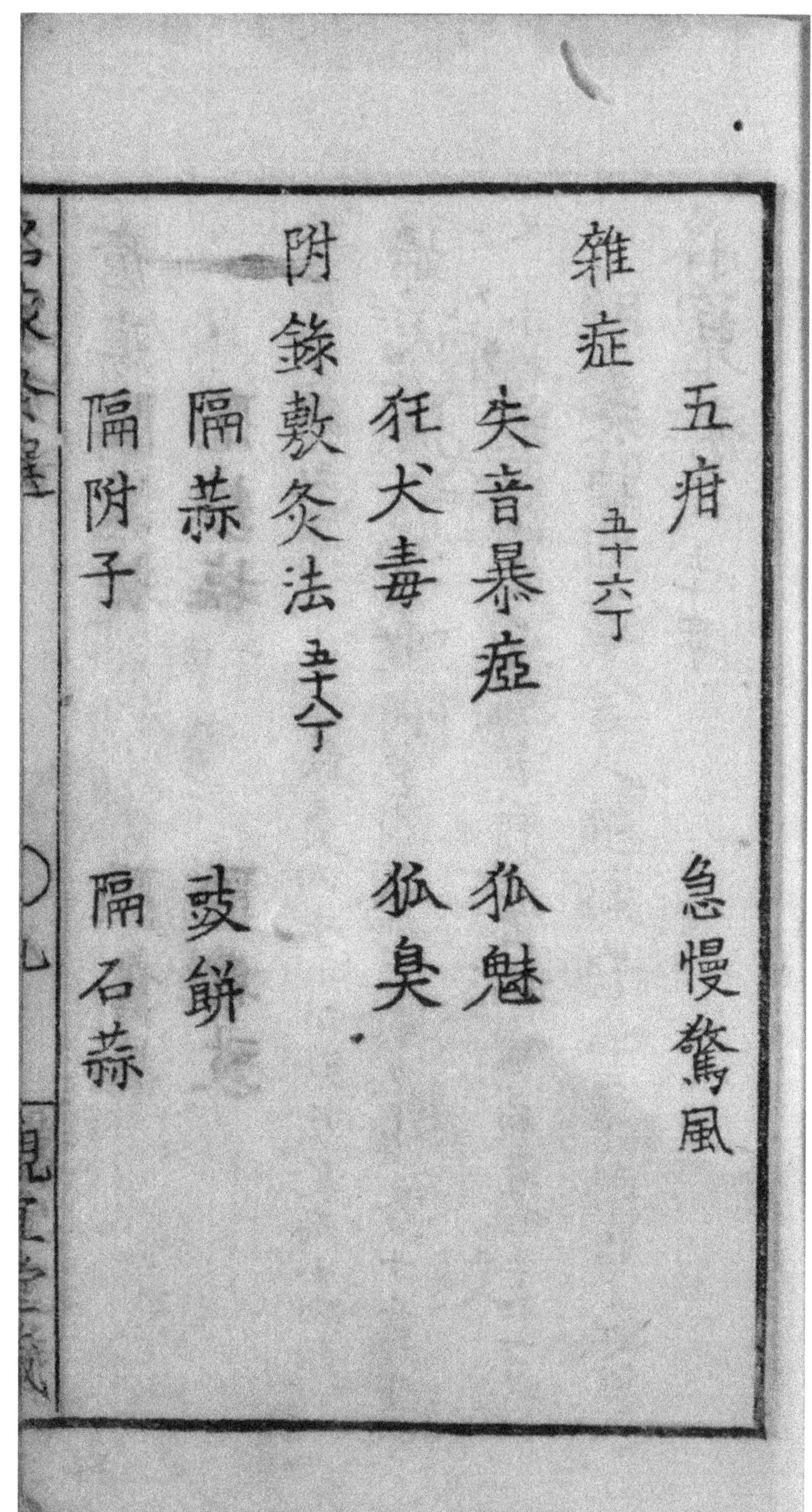

隔黑糖

隔炒塩

隔舊茄

隔樂豉

經穴彙解云　消渴小便數灸兩手小指頭及足兩小趾頭

又　小兒痢下赤白脫肛每廁肚疼不可忍者灸十二椎下節間一壯

又　小腸泄痢膿血灸魂舍百壯穴在俠臍兩邊相去各一寸

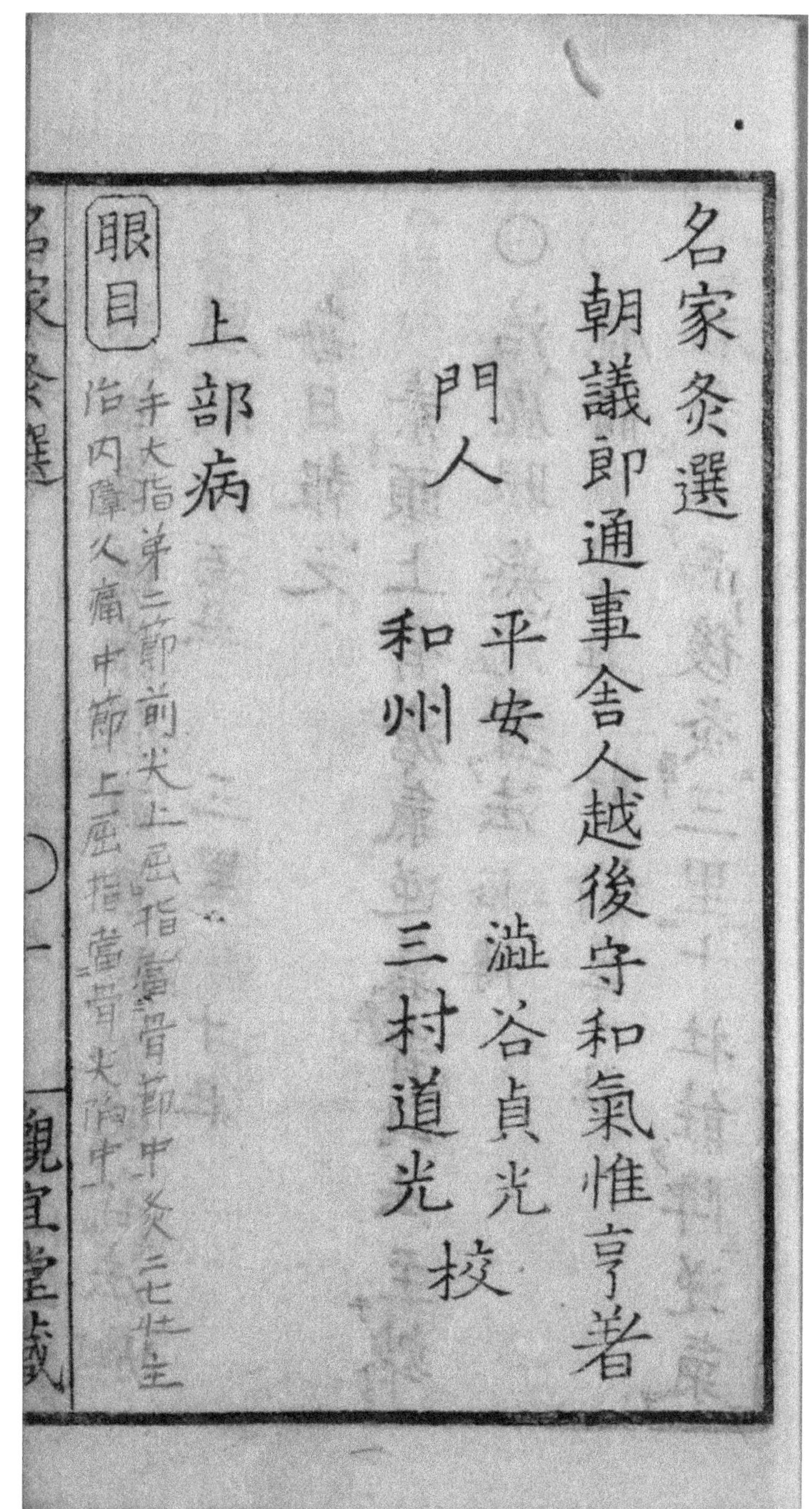

名家灸選

朝議郎通事舍人越後守和氣惟亨著

門人　平安　澁谷貞光

和州　三村道光　校

眼目

上部病

手大指第二節前尖上屈指當骨節中灸二七壯主治内障久痛中節上屈指當骨尖陷中

○治因氣逆赤眼或昏暗不明者法 試効
風門 百壯　三里 十壯
每日報之
素頭上有瘡氣逆氣者此法至妙
○治虛眼無光者法 俗傳
肝俞 五十壯　腎輸 三十壯
右灸畢而後灸三里十壯能降逆氣

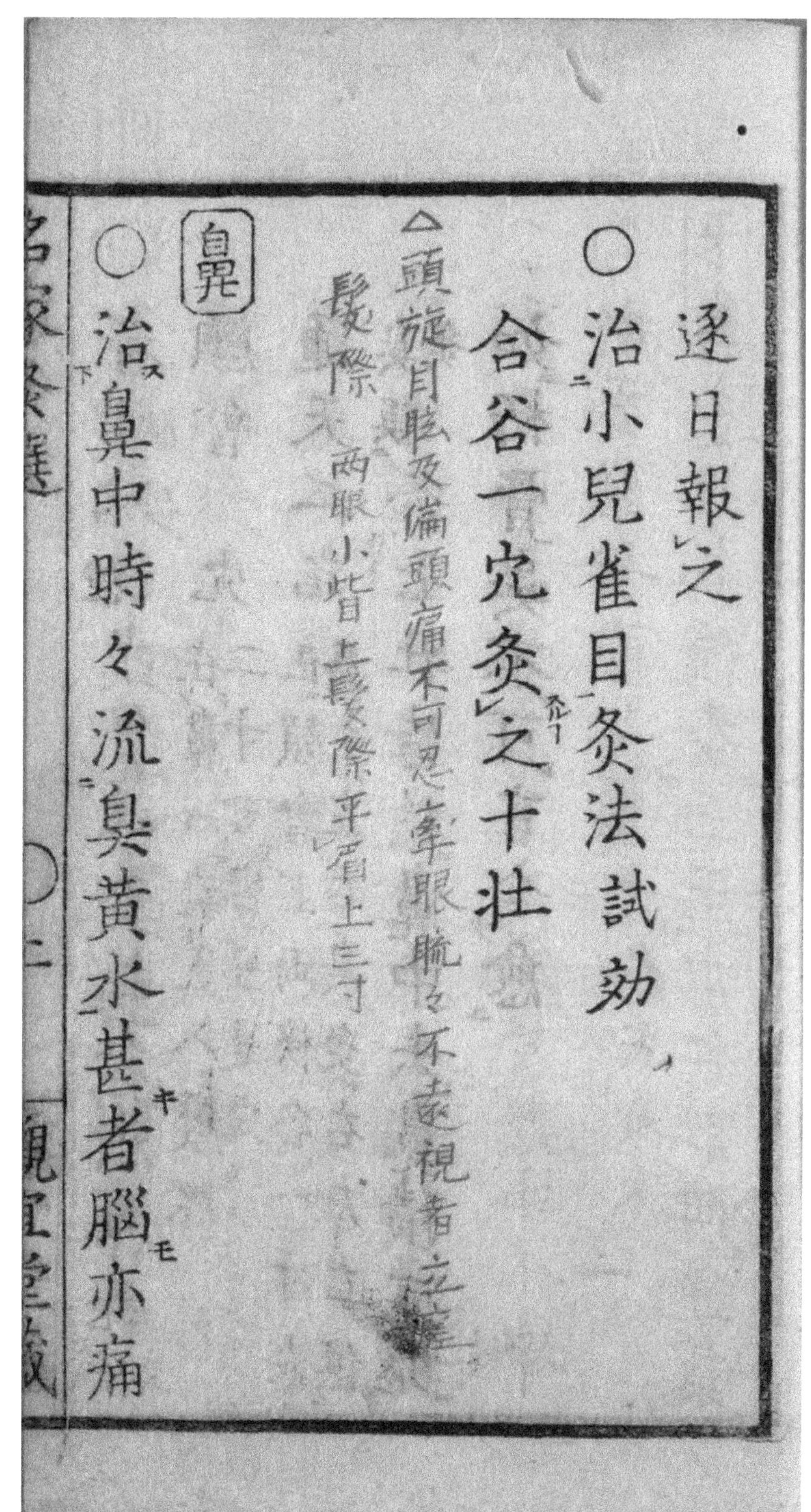

逐日報之

○治小兒雀目灸法試効

合谷一穴灸之十壯

△頭旋目眩及偏頭痛不可忍牽眼䀮々不遠視者灸

髮際　兩眼小眥上髮際平眉上三寸

鼻

○治鼻中時々流臭黄水甚者腦亦痛

者俗名腦砂控或鼻出臭氣者法準繩

顖會一穴在鼻心直上入髮際二寸可容豆是穴

通天二穴在顖會上兩傍各一寸半臭灸左右臭灸右左右俱臭灸俱灸七壯皆於鼻中去鼻積一塊

如朽骨臭不可言全愈

牙齒

○治牙齒疼痛甚者法 蘇沈良方
隨左右患處肩尖近後骨縫中小舉
臂取之當骨解陷中灸五壯予親見
灸數人皆愈灸畢項大痛良久乃定
永不發△肩頭穴灸牙疼法隨左右所患肩尖微
近後骨縫中小舉臂取之当骨解陥中
灸五壯灸畢項大痛良久乃定予親病
歯痛百方治不驗用此差

灸圖

○治牙齒血出不止或咽喉腫痛或齦腫痛法五蘊抄

以稈從大椎至肩髃後骨斷之又分折中分大椎以盡處點灸之各一七

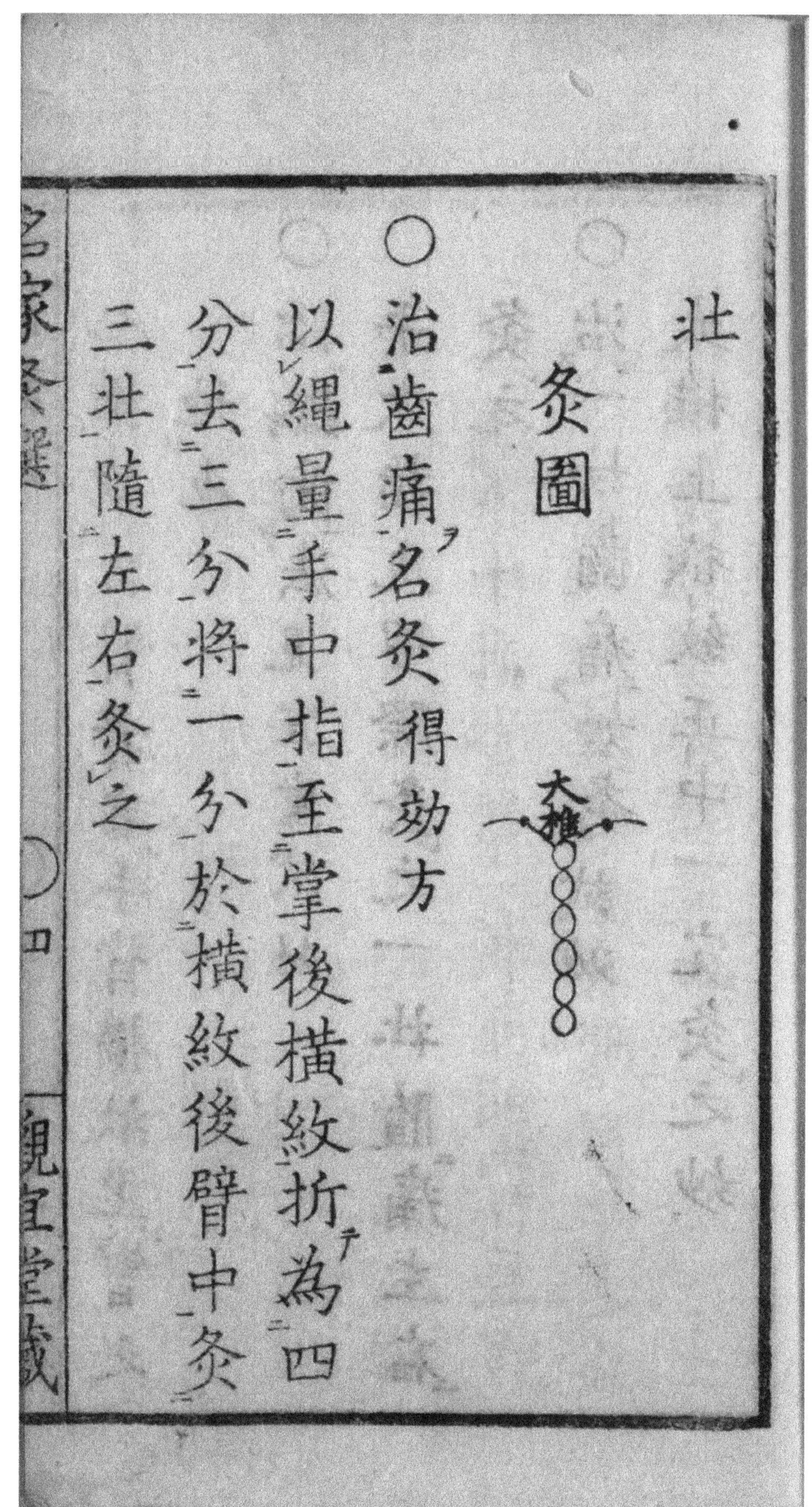

壯

灸圖

○治齒痛名灸得効方

以縄量手中指至掌後横紋折為四分去三分将一分於横紋後臂中灸三壯隨左右灸之

△横紋後臂者言手背横紋至臂之地也

○治齲齒法見宜堂試効

手大指爪甲際灸之一壯隨痛左右灸之

○治一切齒痛妙灸試効

大椎上横紋正中一穴灸之妙

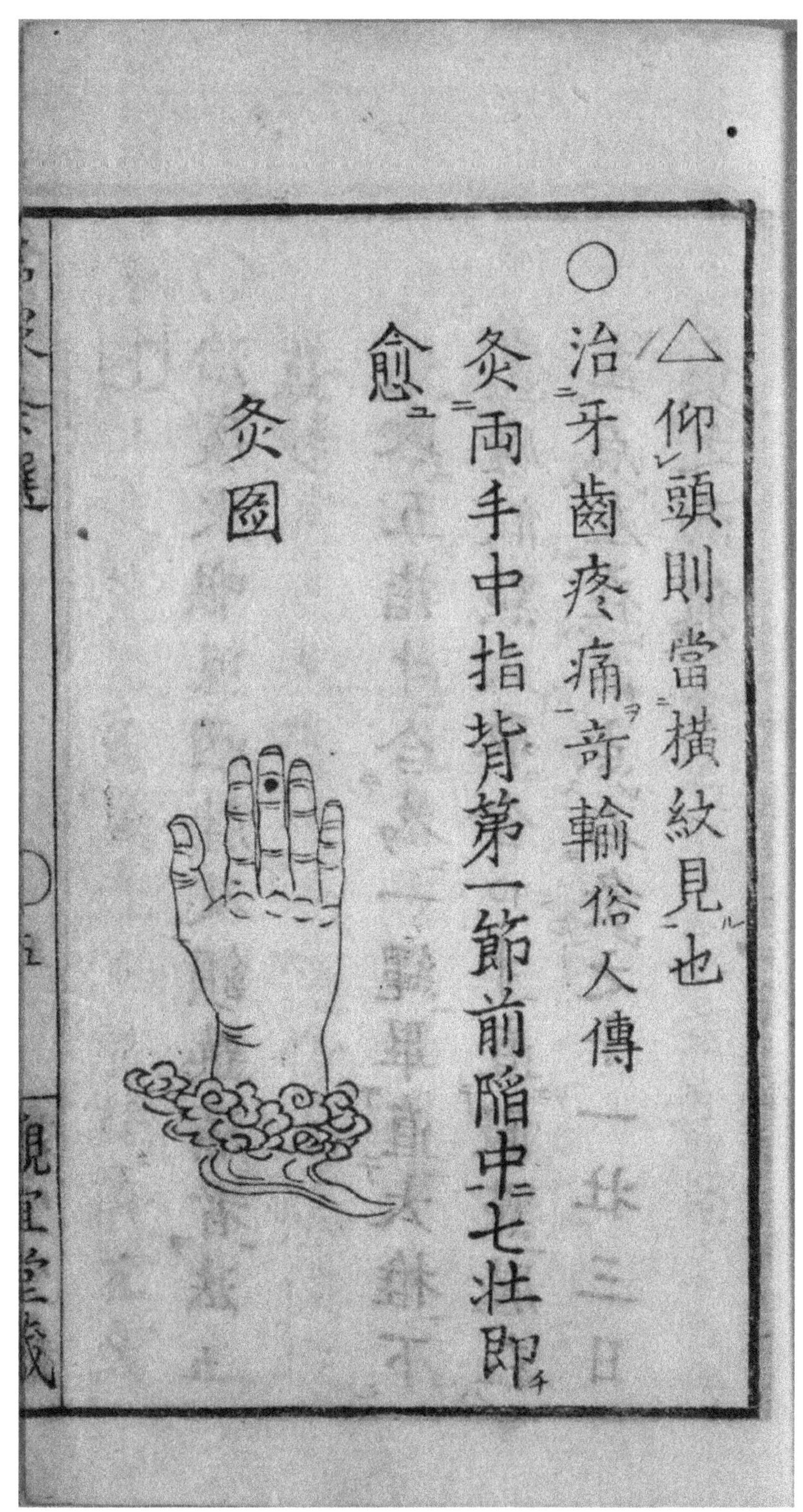

△仰頭則當横紋見也

○治牙齒疼痛奇輸俗人傳

灸兩手中指背第一節前陥中七壯即

愈

灸圖

咽喉

○治痰火喉風咽腫及頷熱痛者法　五

蘊抄

先取五指寸合為一繩畢直大椎下盡處假點又取合口寸直假點腫在左點左在右點右灸之十一壯三日灸之而愈

又云噫噦膈中氣閉塞灸腋下聚毛下附肋宛宛中五十壯主吐灸掌後横紋後五指男左女右七壯即瘥已用得効下腫灸法雖多然此一法甚驗

噦逆

〇治噦逆法　藤沢良方

凡傷寒及久病得噦逆皆為惡候投藥皆不効者灸之必愈予遂令灸之至肌噦逆已其法乳下一指許正與

乳相直骨間中婦人即屈乳頭度之乳頭齊處是穴艾炷如小豆許灸之三壯男灸左女灸右只一處至肌即差若不差則多不救以上全文原作咳逆今改作噦

△此即乳根穴也嘗治有噦癖者一二施永愈

○治噦逆法四春

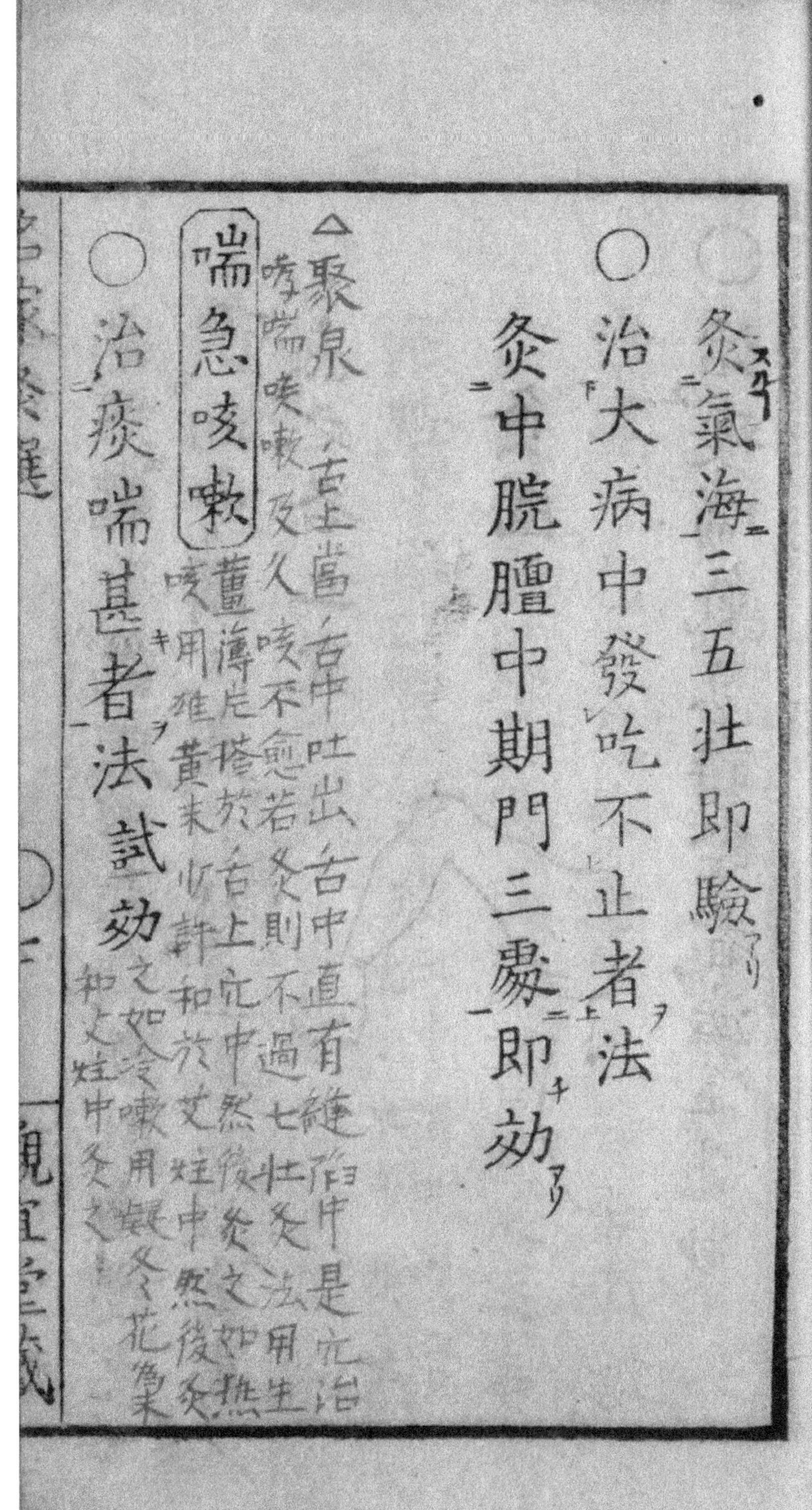

灸氣海三五壯即驗

○治大病中發吃不止者法

灸中脘膻中期門三處即効

喘急咳嗽

△聚泉 舌上當舌中吐出舌中直有縫陥中是穴治哮喘咳嗽及久咳不愈若灸則不過七壯灸法用生薑薄片搭於舌上穴中然後灸之如熱咳用雄黄末少許和於艾炷中然後灸之如冷嗽用款冬花為末和於艾炷中灸之

○治痰喘甚者法試効

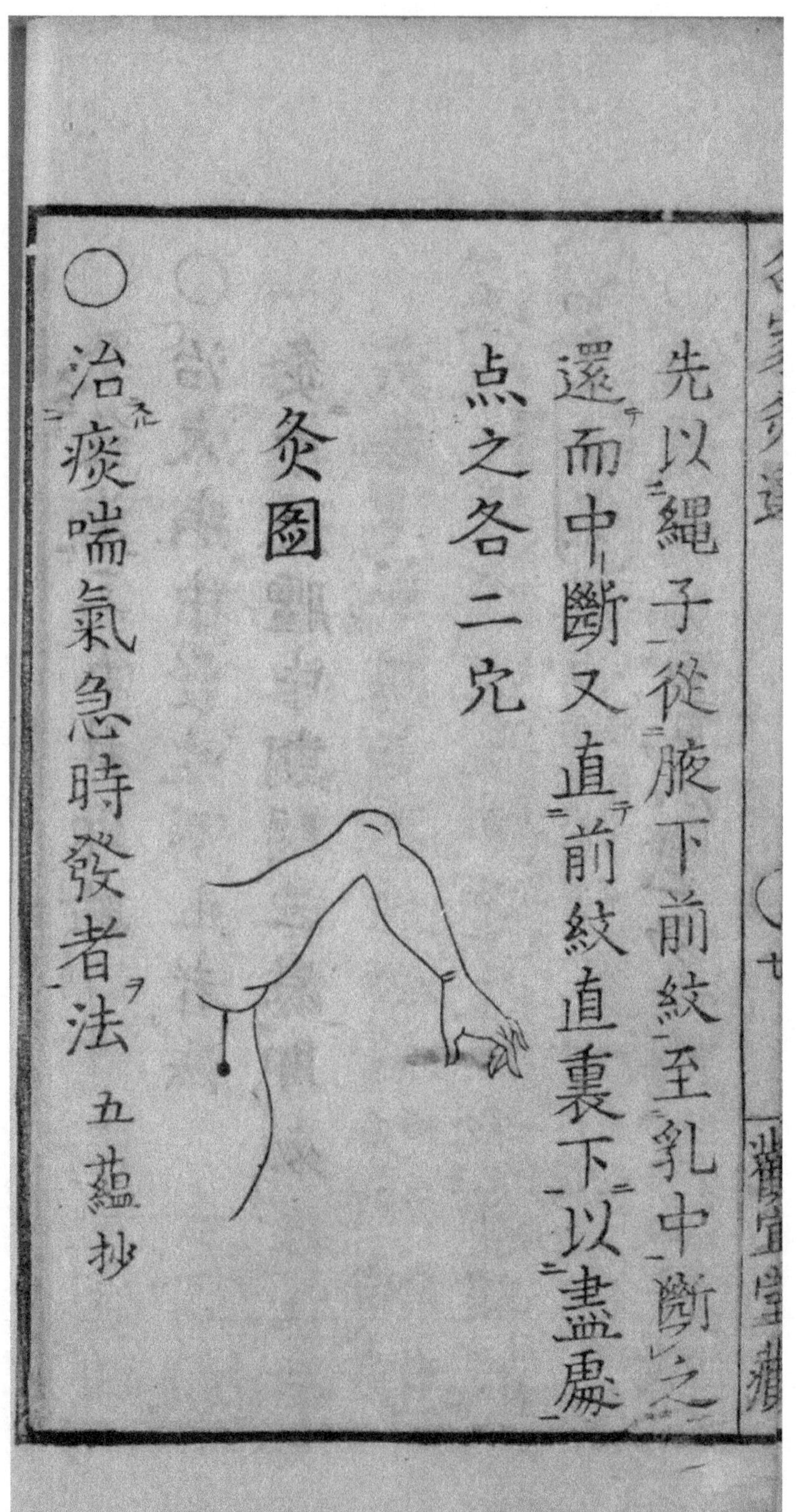

先以縄子從腋下前紋至乳中斷之還而中斷又直前紋直裏下以盡處点之各二穴

灸圖

〇治痰喘氣急時發者法　五蘊抄

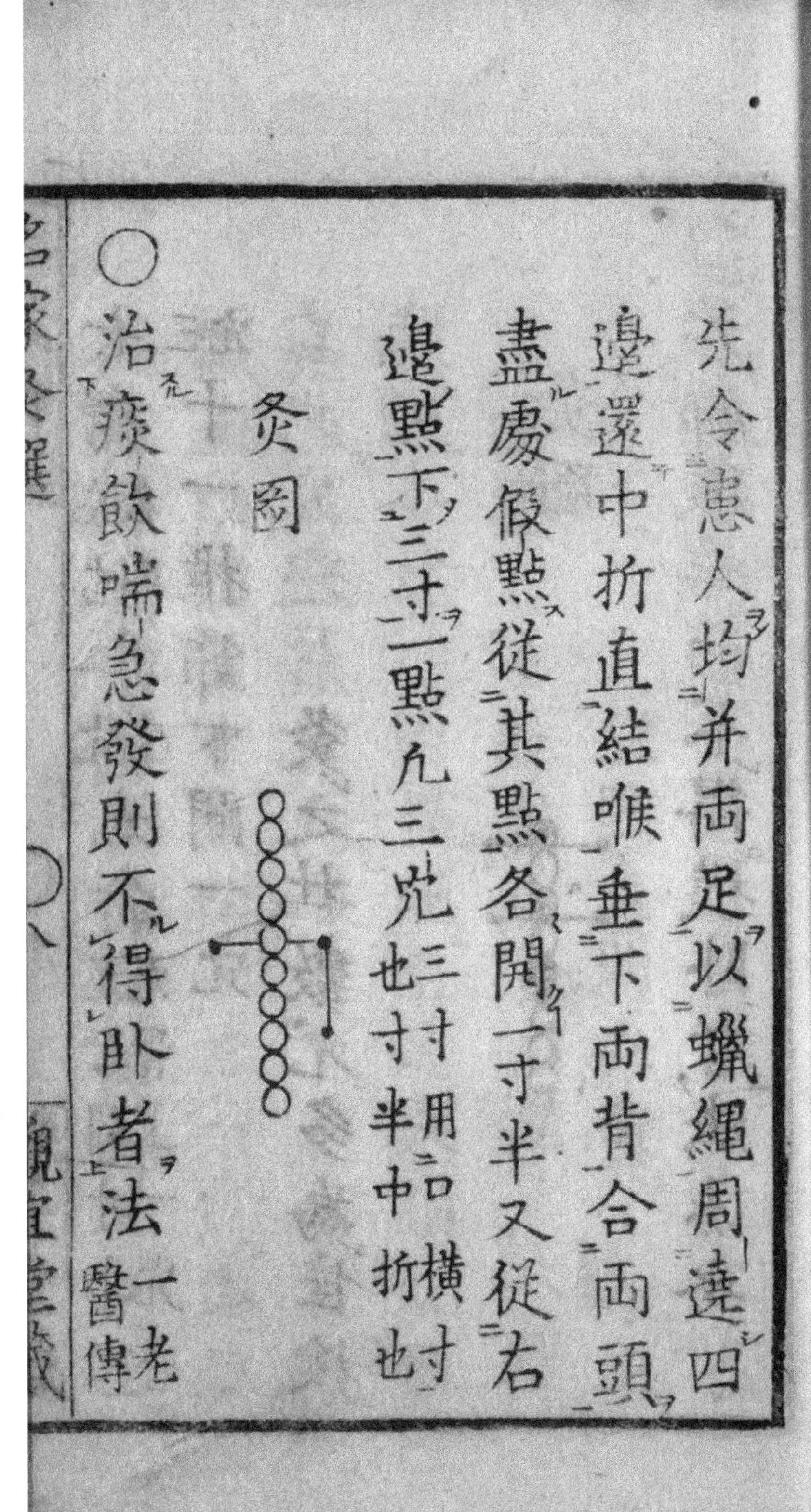

先令患人均并兩足以蠟縄周遶四邊還中折直結喉垂下兩背合兩頭盡處假點從其點各開一寸半又從右邉點下三寸一點凡三穴也三寸用口横寸寸半中折也

灸圖

○治痰飲喘急發則不得卧者法 一老醫傳

〇七俞左右二穴各開寸半九俞左右開寸半二穴骨上一穴合三穴三十一椎節下間一穴

右六穴逐月灸之壯數尤多爲佳拔病根

灸圖

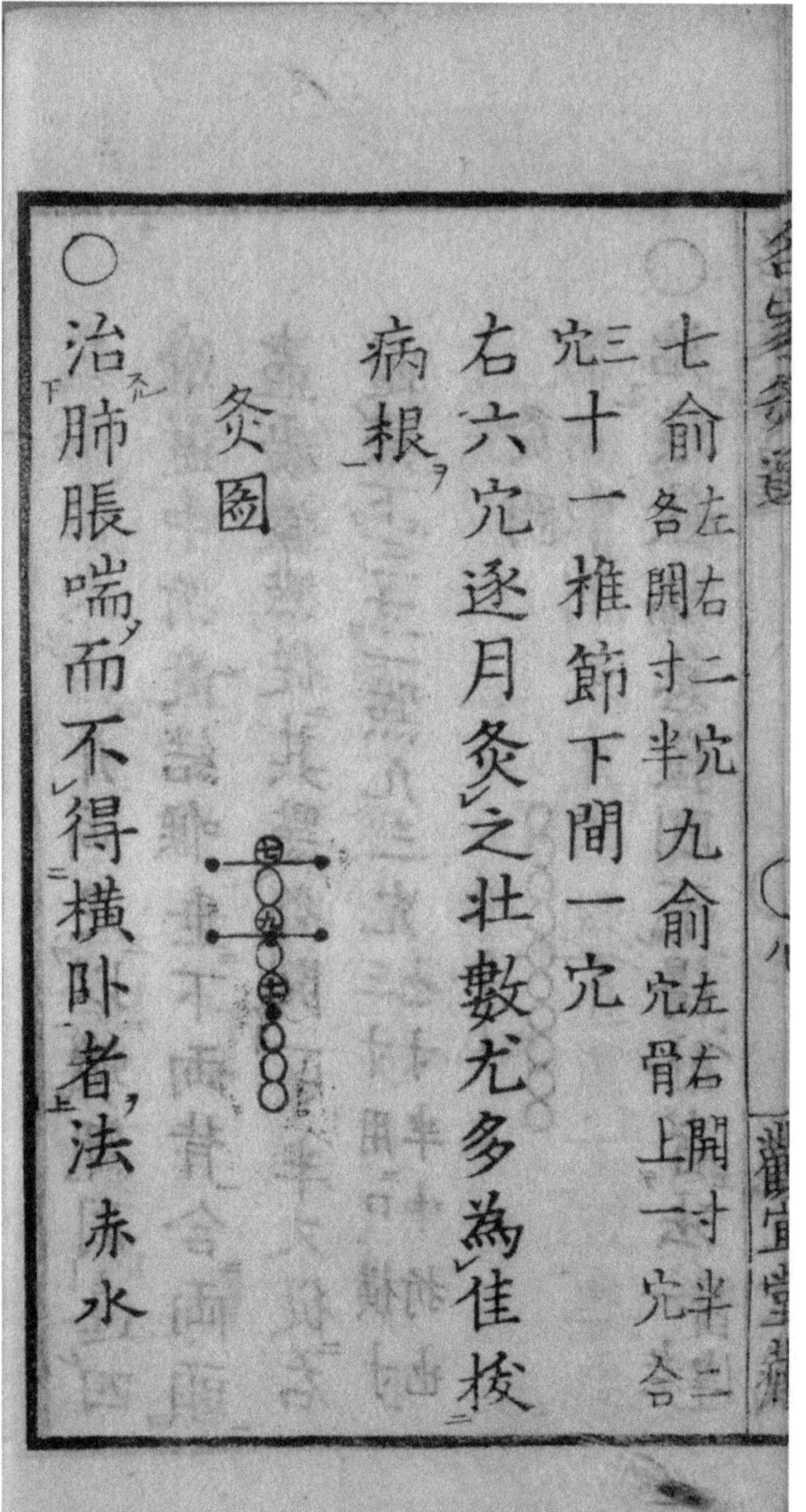

〇治肺脹喘而不得橫臥者法赤水

左不得卧者灸右足三陰交右不得
卧者灸左足三陰交則立愈

○治平素有喘癖者法　紀州児玉氏傳
以縄子從膕中横紋至足大指端取
寸法以其寸直結喉垂下脊骨盡處
假点以同身寸右開一寸一穴也

△按喘未發時又喘將發時灸之三

十壯而極驗

灸圖

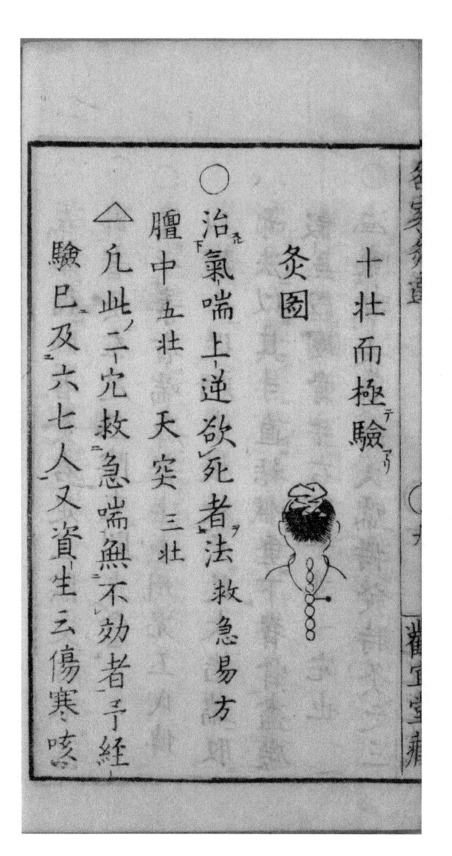

○治氣喘上逆欲死者法　救急易方

膻中五壯　天突三壯

△凡此二穴救急喘無不効者予經驗巳及六七人又資生云傷寒咳

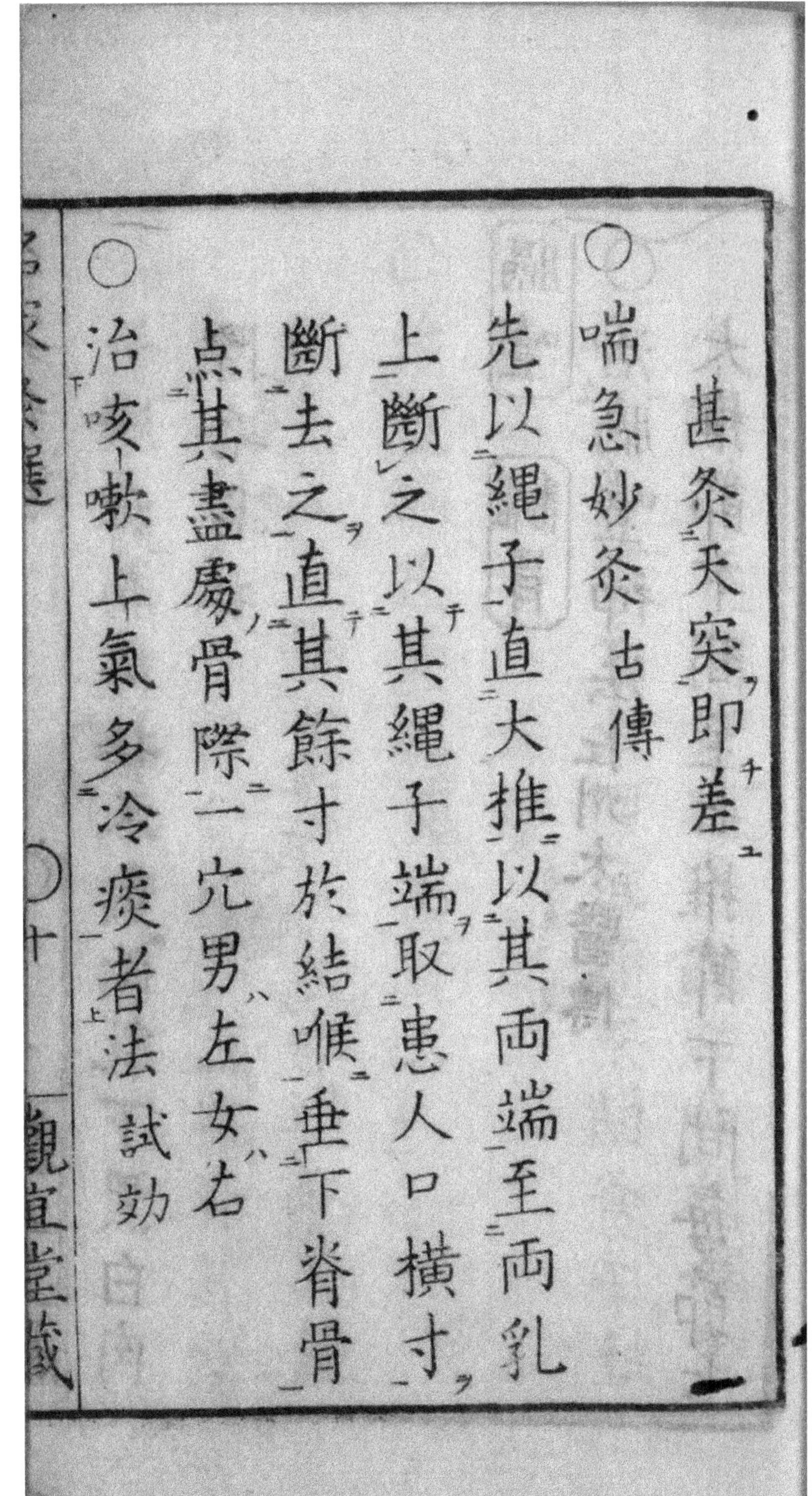

甚灸天突即差

○喘急妙灸古傳

先以繩子直大推以其兩端至兩乳上斷之以其繩子端取患人口横寸斷去之直其餘寸於結喉垂下脊骨点其盡處骨際一穴男左女右

○治咳嗽上氣多冷痰者法　試効

灸肺俞五十壯又灸兩乳下黑白肉際各百壯

△主治哮吼爵中穴耳前兩邊名爵中

膈噎 翻胃

○治膈噎神法 江州太醫傳

太椎節下間至七推節下間每節七

八壯吸氣歸於臍下爲効灸之七日而又七椎至十四椎節下間各灸七日

○治痃癖名灸　五蘊抄

使患人合兩足以繩遶四邊取其繩直結帷垂下背合繩頭盡處脊骨一点灸之十五壯而効

○治噎不納穀食法試効

七推與十推骨際當食時灸之即納

又三里穴灸之妙

○灸飜胃法面春

灸肩井三炷立驗

○八曜灸法試効治五膈反胃甚妙

大推節下假点以同身寸一寸四邊八

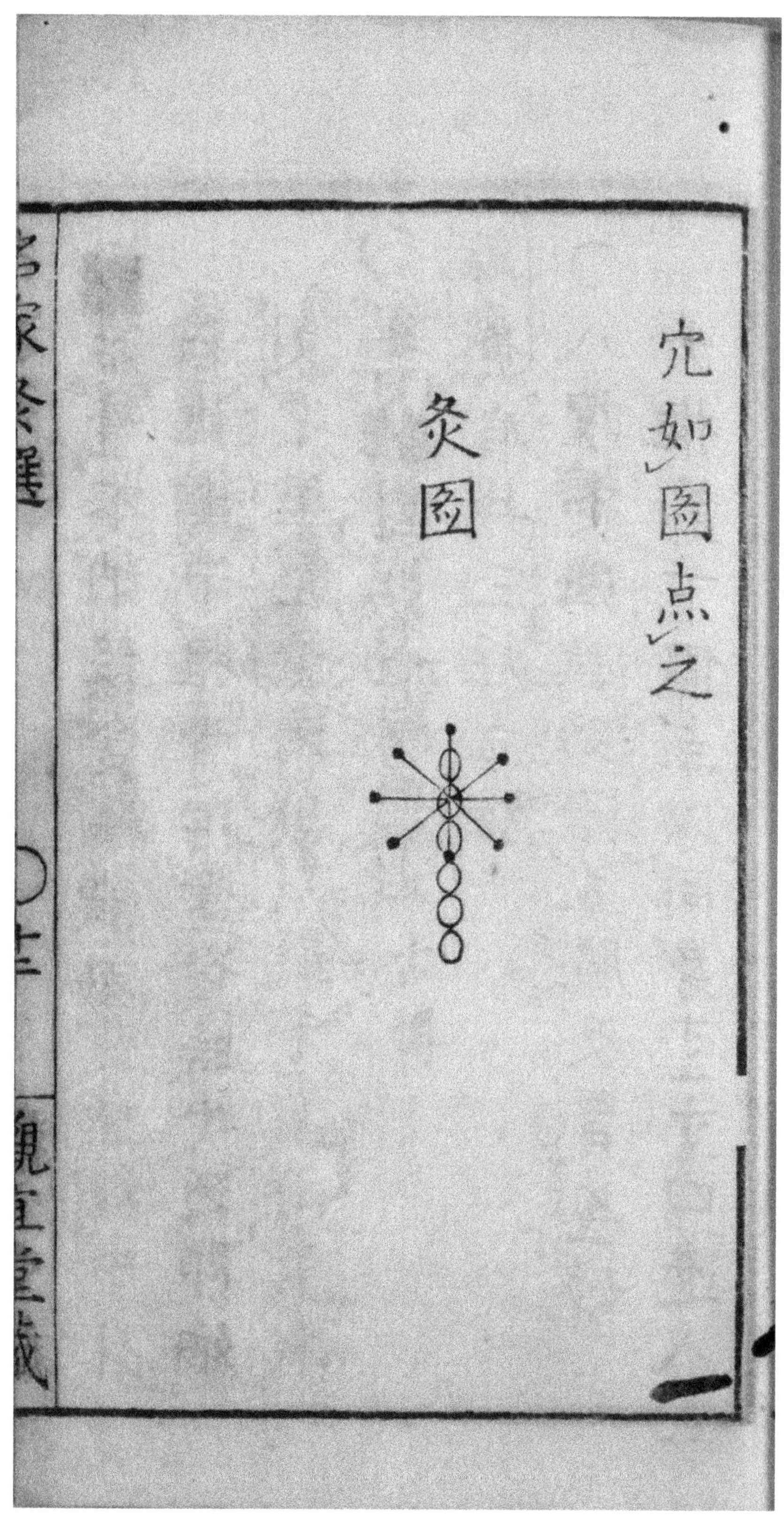
穴如圖点之
灸圖
名家灸選
○十三
觀宜堂藏

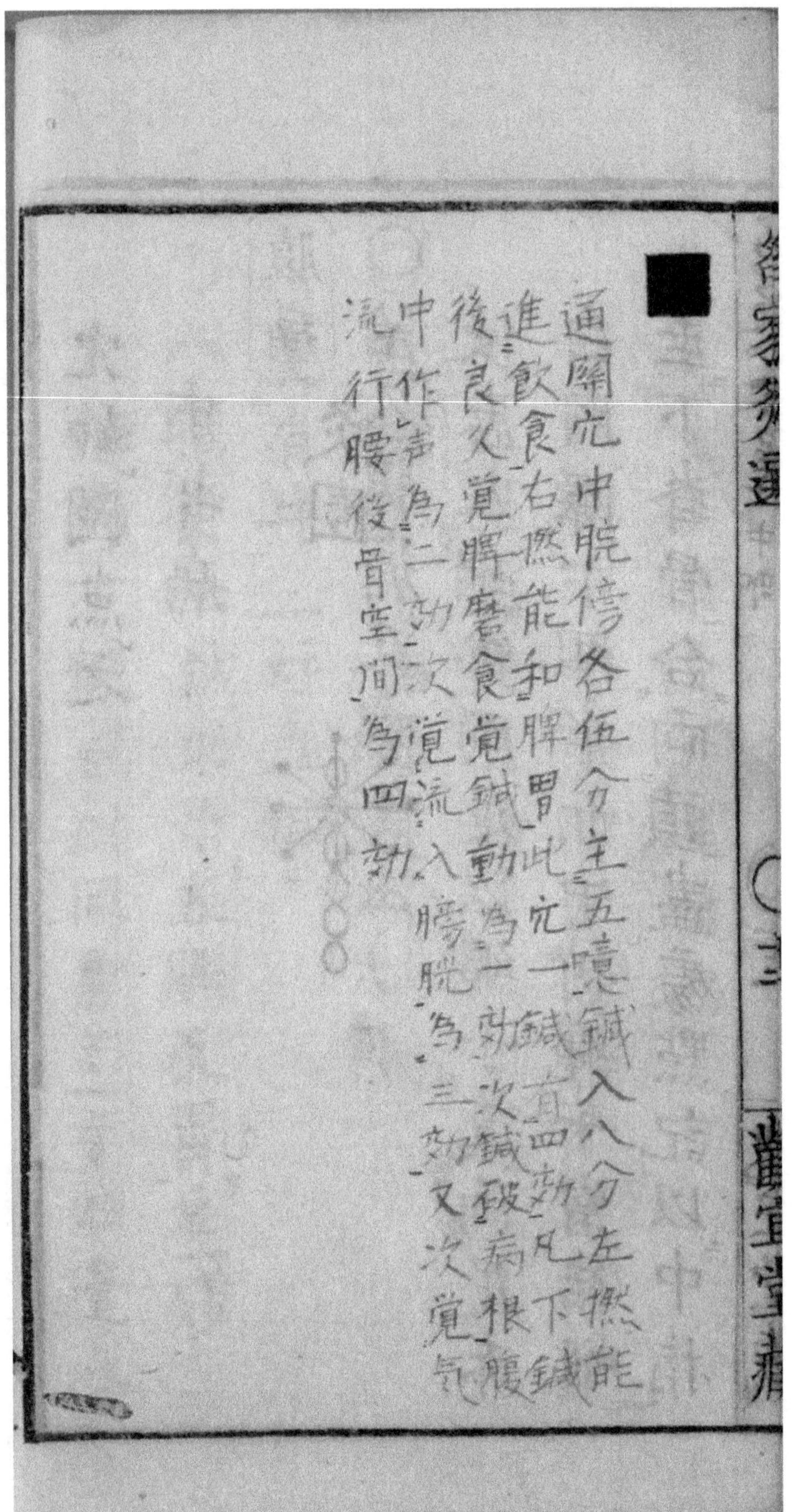
通關穴中脘傍各伍分主五噎鍼入八分左撚能進飲食右撚能和脾胃此穴一鍼有四效凡下鍼後良久覺脾磨食覺鍼動為一效次鍼破病根腹中作聲為二效次覺流入膀胱為三效又次覺氣流行腰後骨空間為四效

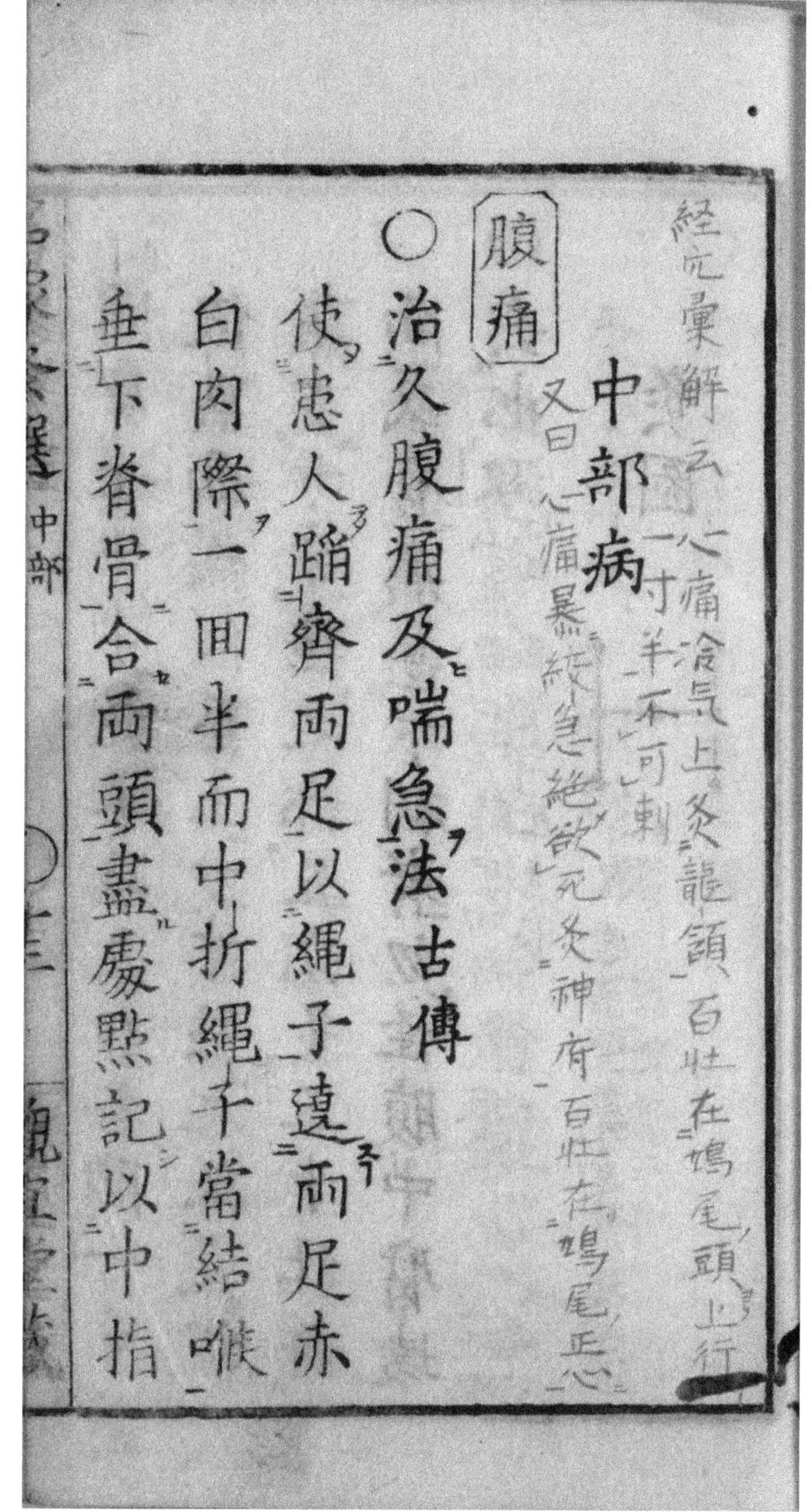

經穴彙解云心痛冷氣上灸龍頷百壯在鳩尾頭上行一寸半不可刺
又曰心痛暴絞急絕欲死灸神府百壯在鳩尾正心

中部病

腹痛

○治久腹痛及喘急法古傳
使患人蹈齊而足以繩子遶而足赤
白肉際一囬半而中折繩于當結喉
垂下脊骨合而頭盡處點記以中指

同身寸一寸從本點左右各開一寸假點而從假點上一寸點之又從假點下一寸點之都五穴灸三十壯許而或有痛甚下利者勿怪腹中腐壞去也

又云眼叉口噤腹中切痛灸脹囊下第一横理十四壯又灸卒死亦良

灸圖

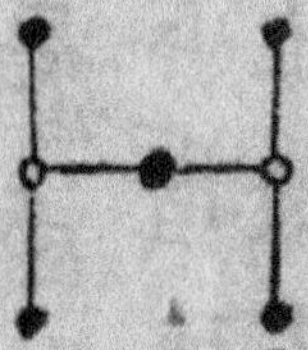

心痛悪氣上脹急痛灸通谷五十壯在乳下二寸

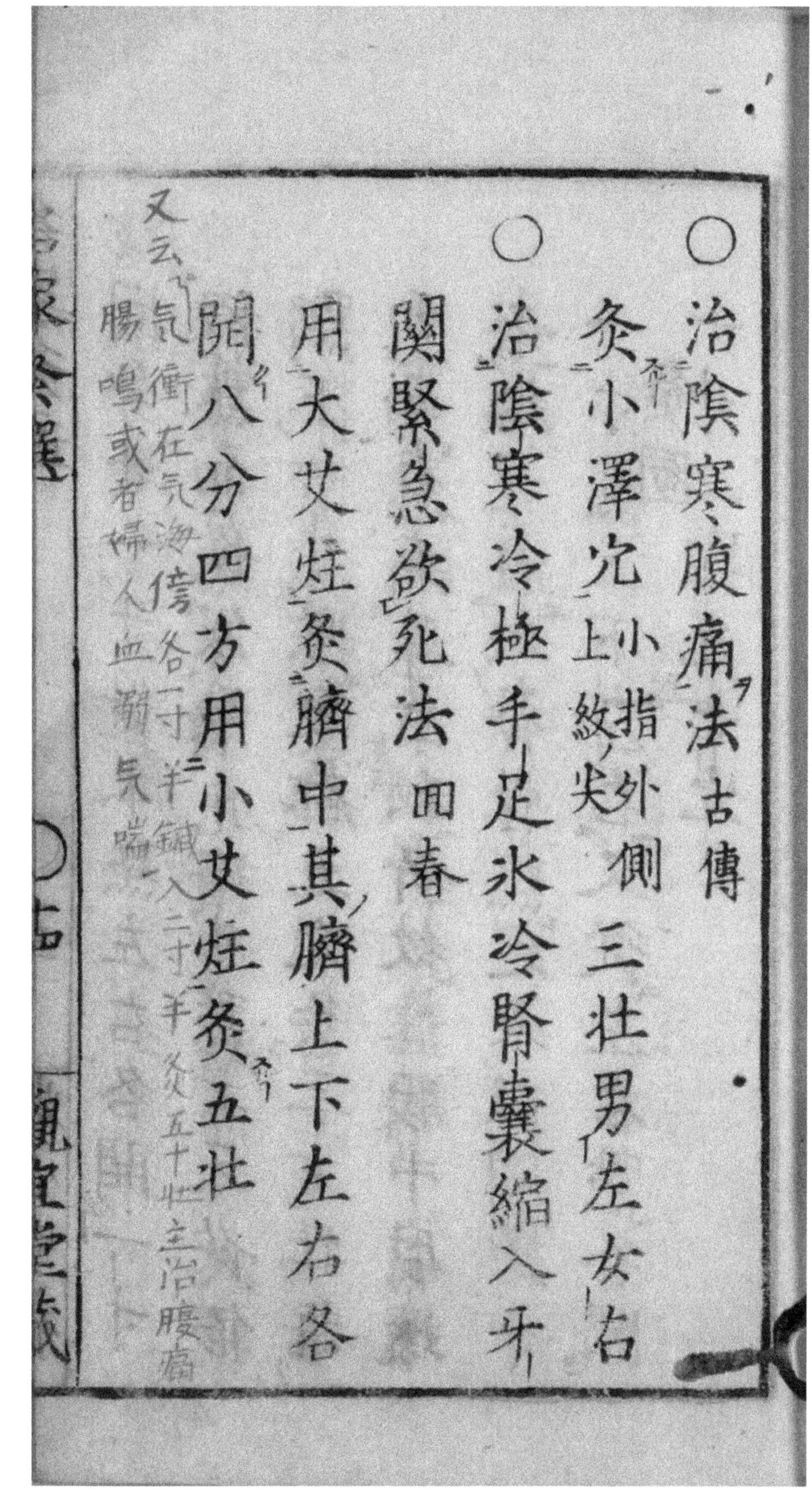

○治陰寒腹痛法　古傳

灸小澤穴小指外側上紋尖三壯男左女右

○治陰寒冷極手足氷冷腎囊縮入牙関緊急欲死法　回春

用大艾炷灸臍中其臍上下左右各開八分四方用小艾炷灸五壯

又云氣衝在氣海傍各二寸半鍼入二寸半灸五十壯主治腹痛腸鳴或者婦人血瘕氣喘

名家灸選　古　観宜堂蔵

積聚 癥瘕

○瘕聚七穴 家傳凡積聚癥瘕婦人經閉帶下久不受胎之類皆主之

○先使患人正立以竹杖直臍中以繩子紐之直之脊骨點之又以同身寸一寸點上下左右又從左右點各開一寸二點凡七穴

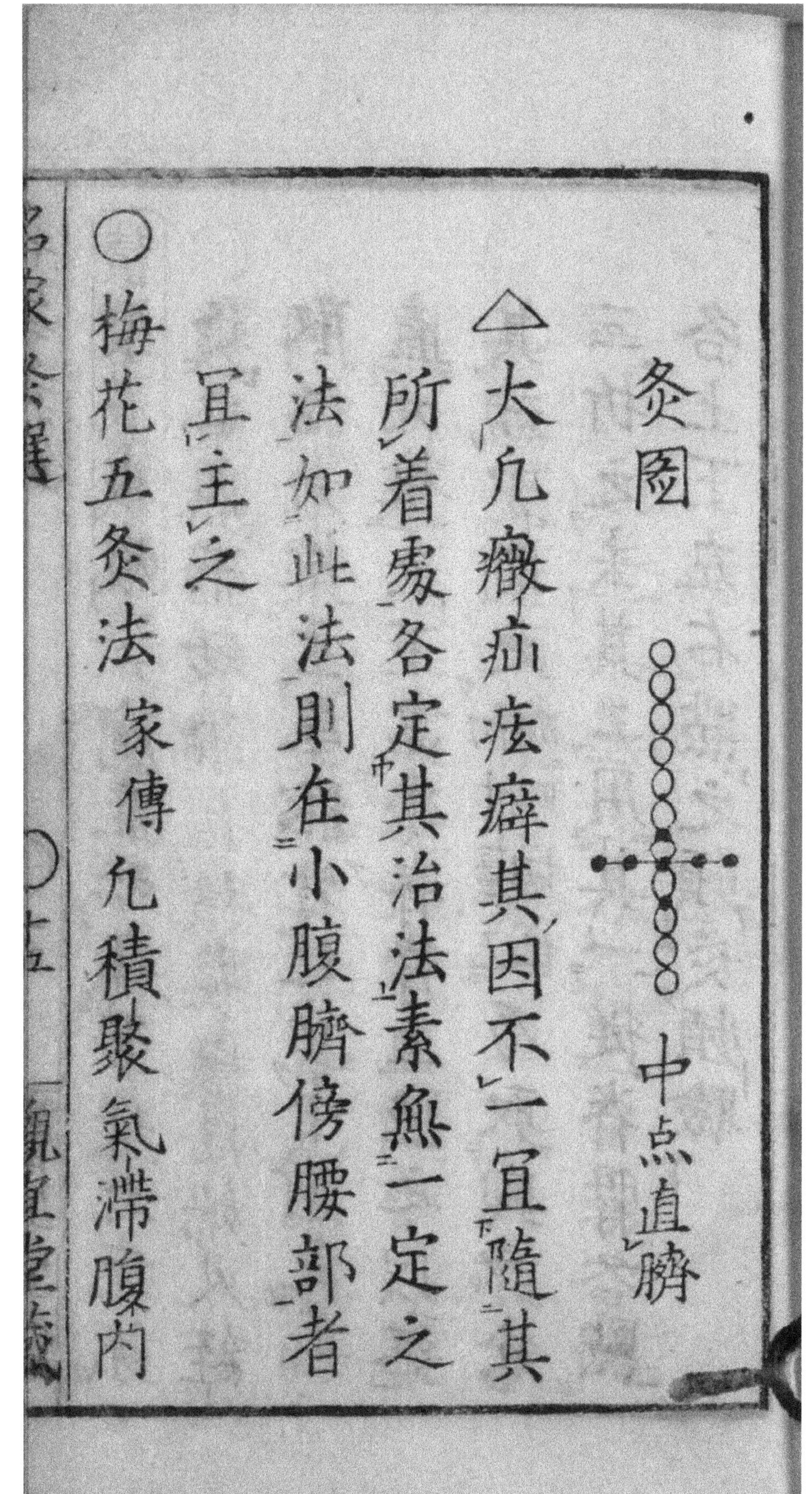

灸図

△大凡癥疝痃癖其因不一宜隨其所着處各定其治法素無一定之法如此法則在小腹臍傍腰部者宜主之

○梅花五灸法 家傳 凡積聚氣滞腹内

攣急或陰發癇症殆類勞瘵之症頻灸之無不効

取從大椎至尾骶骨之寸中斷之再直大椎垂下盡處脊骨上點之又取其寸中斷之（初寸量記成四切也）乃取其一分三折之去其二用其一從脊骨一點各上下左右點之頻灸頻驗

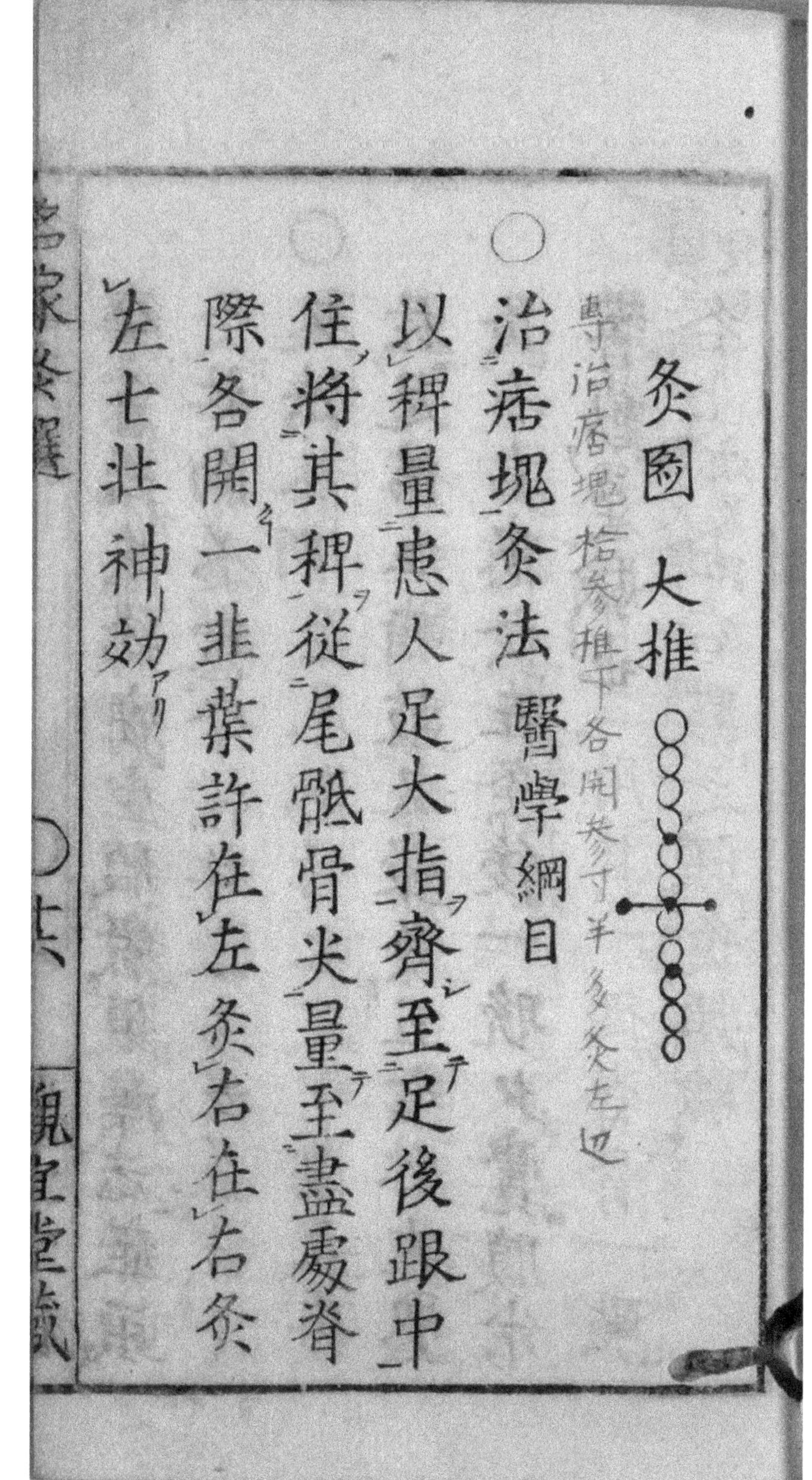

灸圖　大推

専治痔塊稽参推下各開参寸半多灸左辺

治痔塊灸法　醫學綱目

以稈量患人足大指齊至足後跟中住將其稈從尾骶骨尖量至盡處脊際各開一韭葉許在左灸右在右灸左七壯神効

名家灸選　十六　観宜堂蔵

△脊治痃癖在少腹者用此法數百壯而遂愈今按壯數多々益佳

○又法入門

於足第二指岐叉處灸五七壯左患灸右右患灸左灸後一晚夕覺腹中響動是驗也

△關元俞在十七椎下兩傍各寸半主風勞腰痛泄痢虛脹小便難婦人癥聚諸疾

疝氣

○治小腸疝氣痛法　救急易方

用繩子一條度量患人口兩角為一則摺斷如此三則摺斷三角△字樣一角安臍中心兩角在臍之下兩角尖盡處是穴患左灸右患右灸左兩

邊俱患兩穴皆灸各三七壯極驗

灸圖　臍

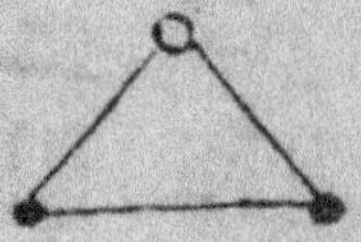

○治小腹急痛不可忍及小腸氣外腎偏墜諸氣痛法　醫綱本紀

灸足大指次指下中節横紋當中五壯男左女右極妙兩足灸愈妙

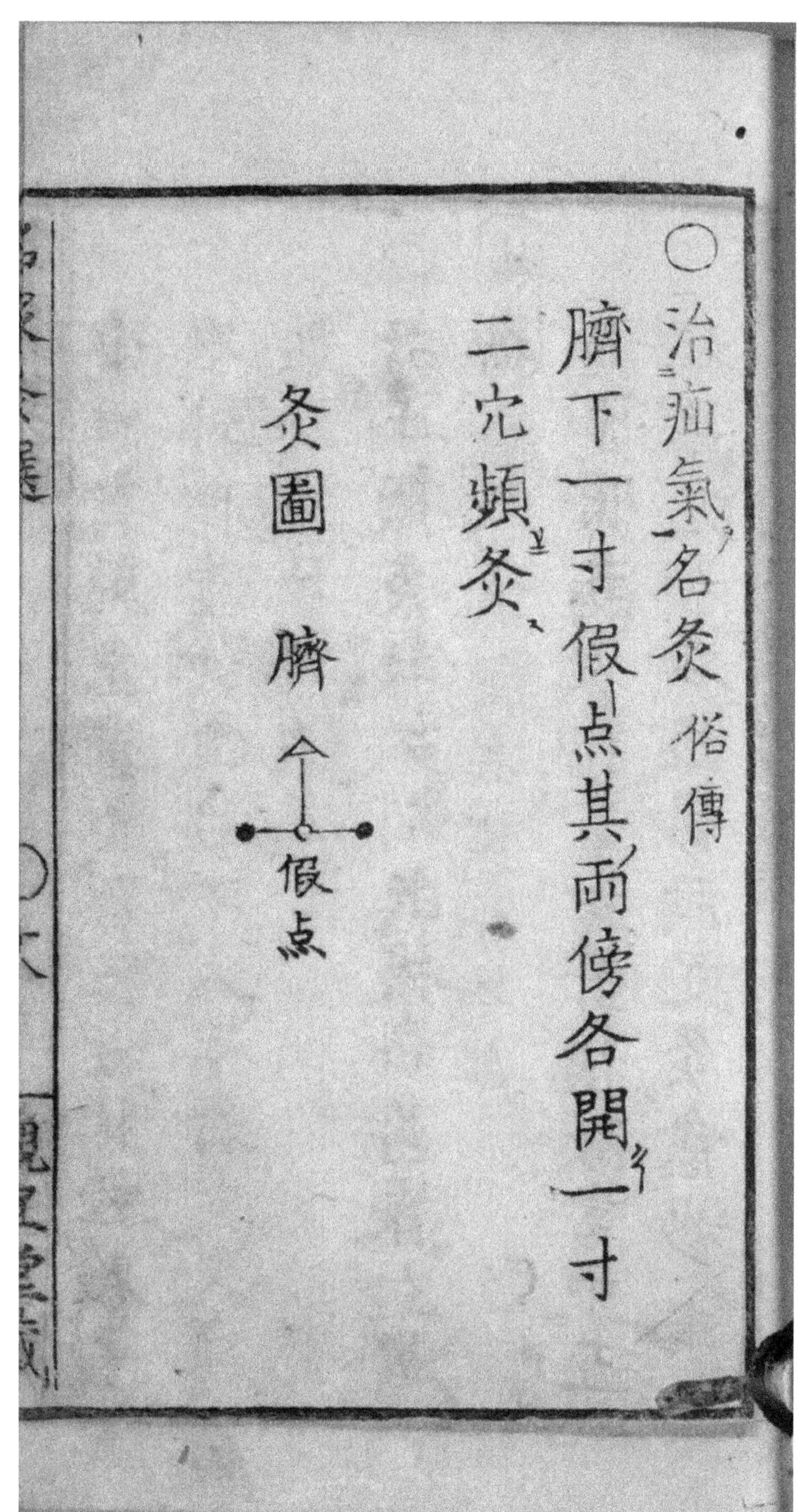

○治疝氣名灸 俗傳

臍下一寸假点其兩傍各開一寸二穴頻灸

灸圖

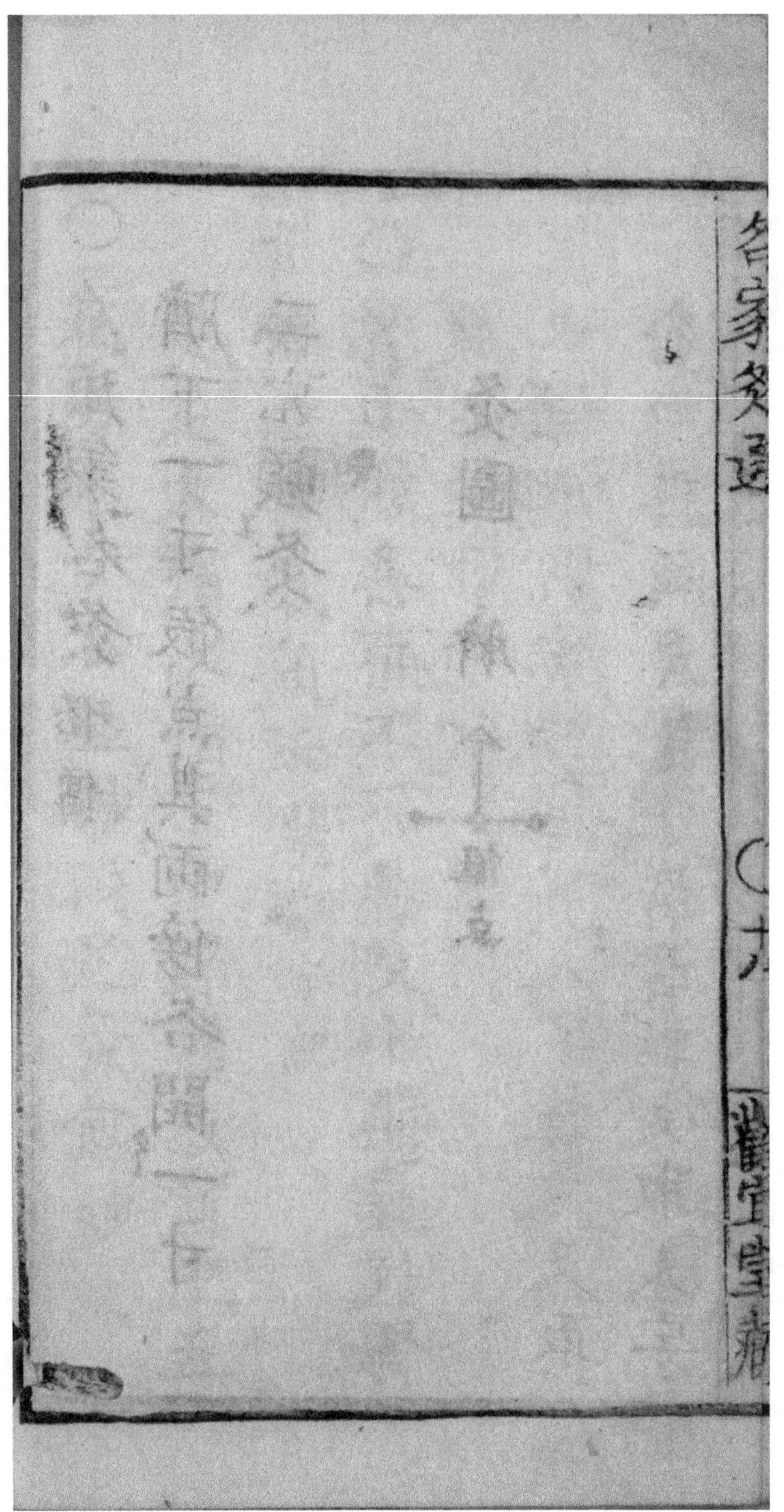
名家灸選　○六　觀生堂藏

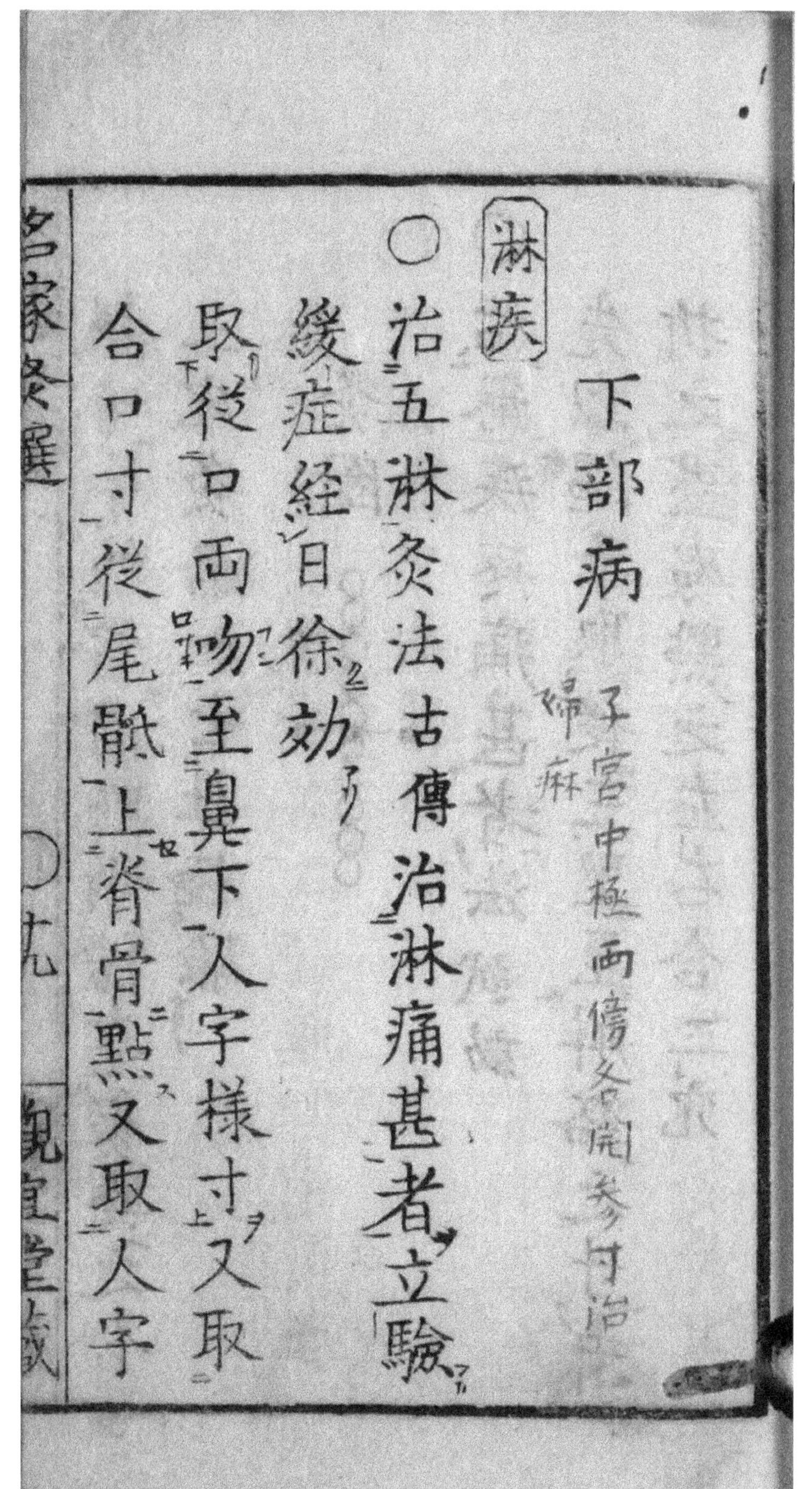

下部病　子宮中極兩傍各開参寸治婦麻

淋疾

○治五淋灸法古傳治淋痛甚者立驗緩症経日徐効

取下従口兩吻至鼻下人字様寸又取合口寸従尾骶上脊骨點又取人字

名家灸選　○九　觀宜堂蔵

樣寸中折當前點兩傍盡處點之合三穴灸各一七壯極驗

灸圖

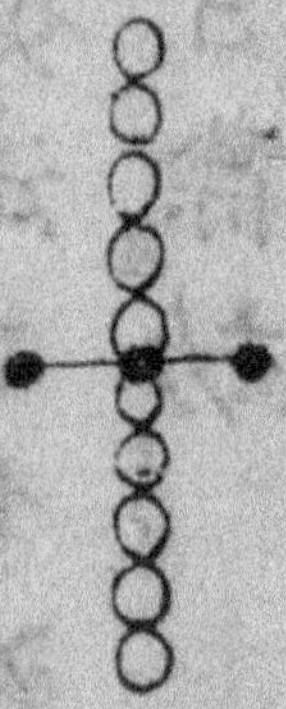

○治淋疾疼痛甚者法 試効

先以繩子取從三里至解谿之寸中折之盡處點之左右合二穴

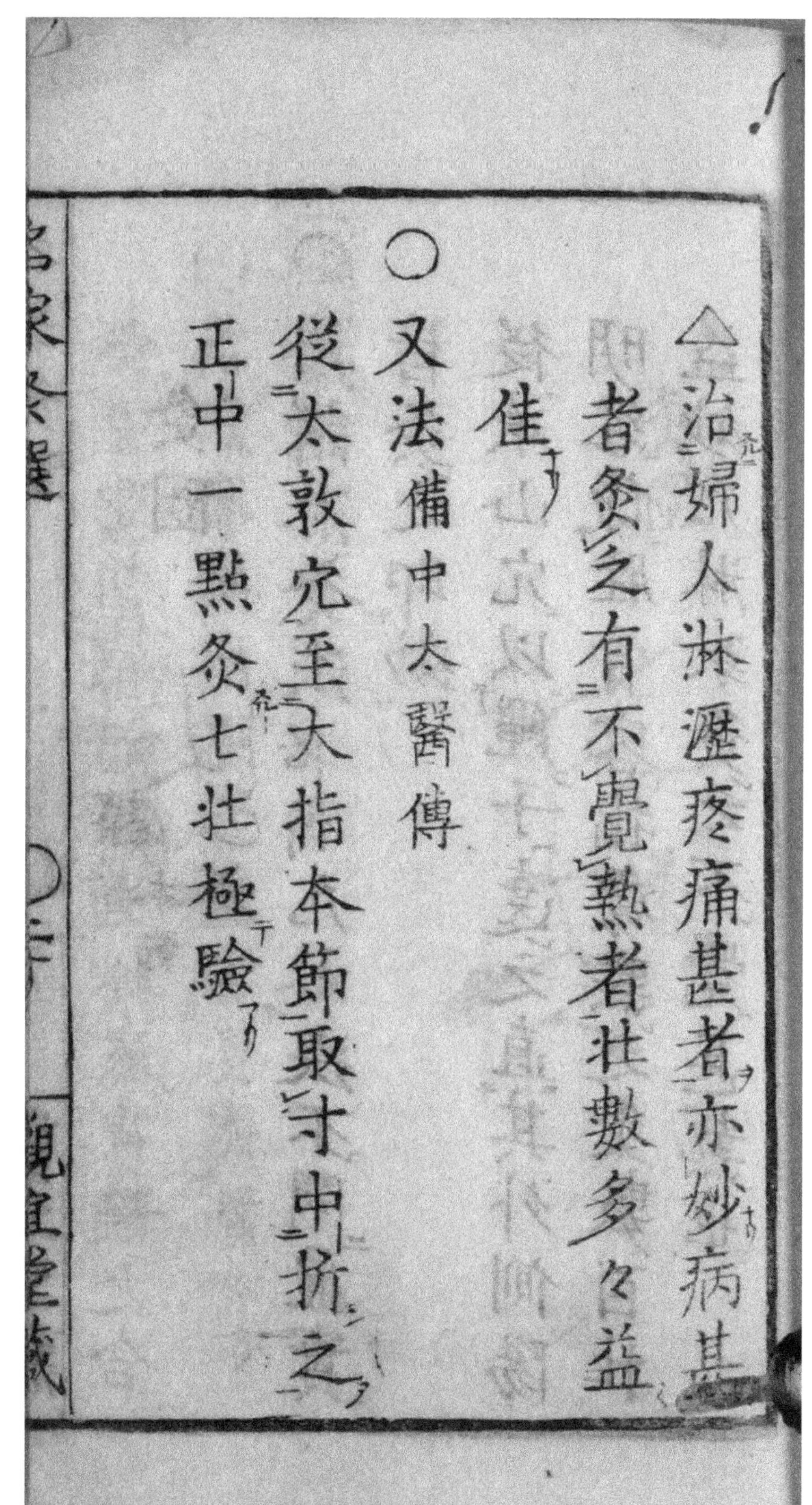

△治婦人淋瀝疼痛甚者亦妙病甚者灸之有不覺熱者壯數多々益佳

○又法備中太醫傳

從太敦究至大指本節取寸中折之正中一點灸七壯極驗

本節

灸圖

○治諸淋灸法俗傳凡淋疾不問虛實皆灸之即効

○從承山穴以繩子達之直其外側陽明経傍脛骨容指處點之灸數百壯益妙凡淋家灸之不覺甚熱也

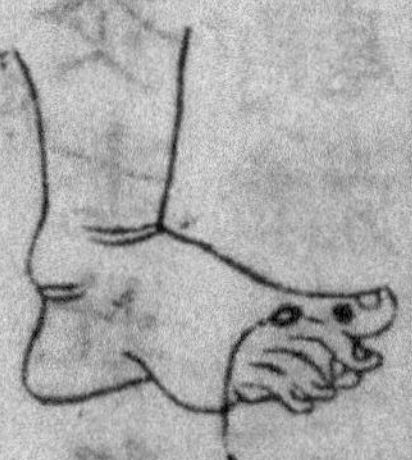

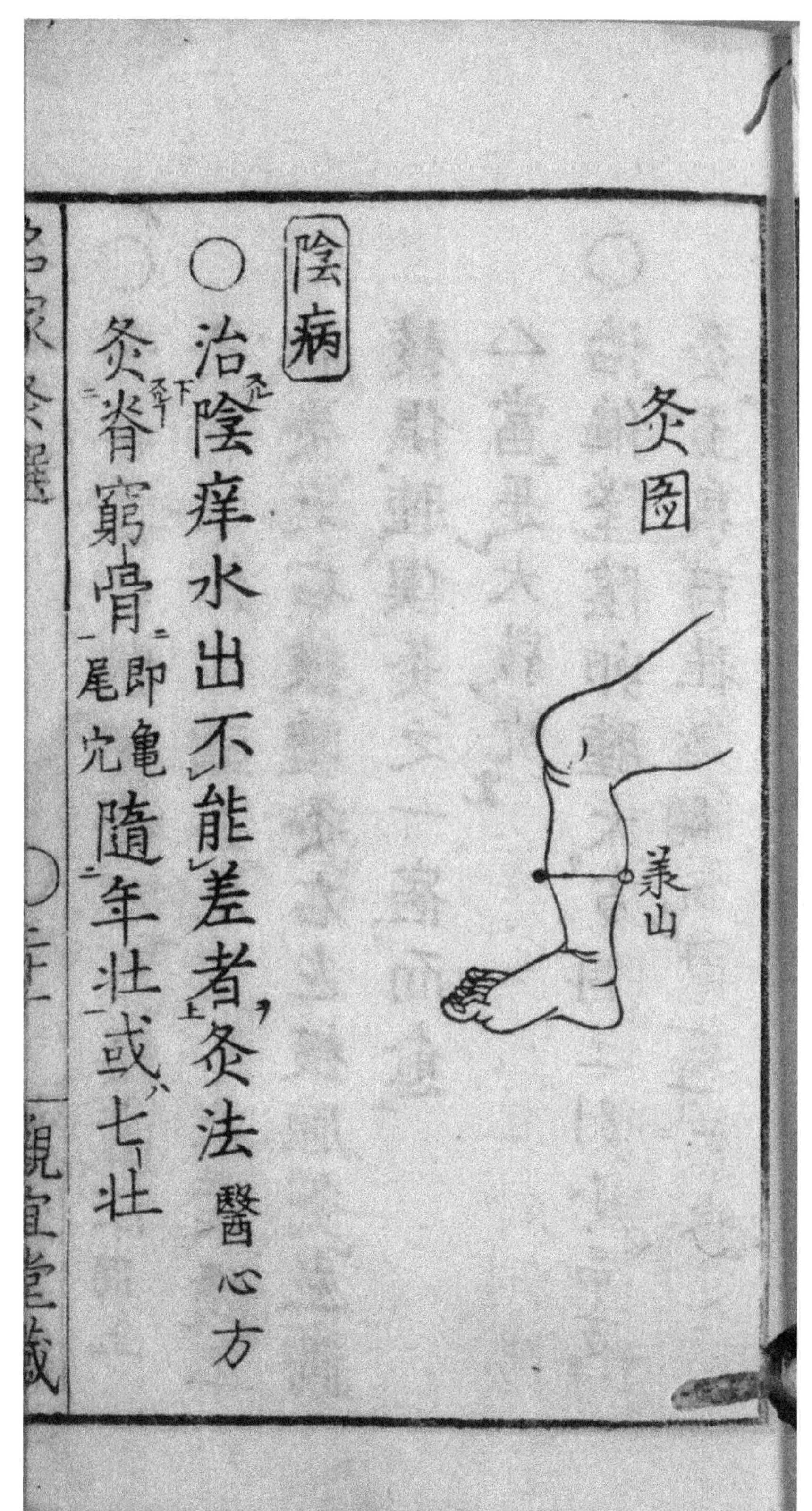

灸圖

陰病

○治陰痒水出不能差者灸法　醫心方

灸脊窮骨即亀尾穴隨年壯或七壯

○療卒陰卵腫疼痛不可忍者法 同上
灸足大拇指頭去爪甲如韭葉隨年壯灸之右核腫灸右左核腫灸左兩核俱腫俱灸之一宿而愈
△當是大敦穴

○治偏墜陰卵腫大方 同上引小品方
灸玉泉百壯 在關元下一寸

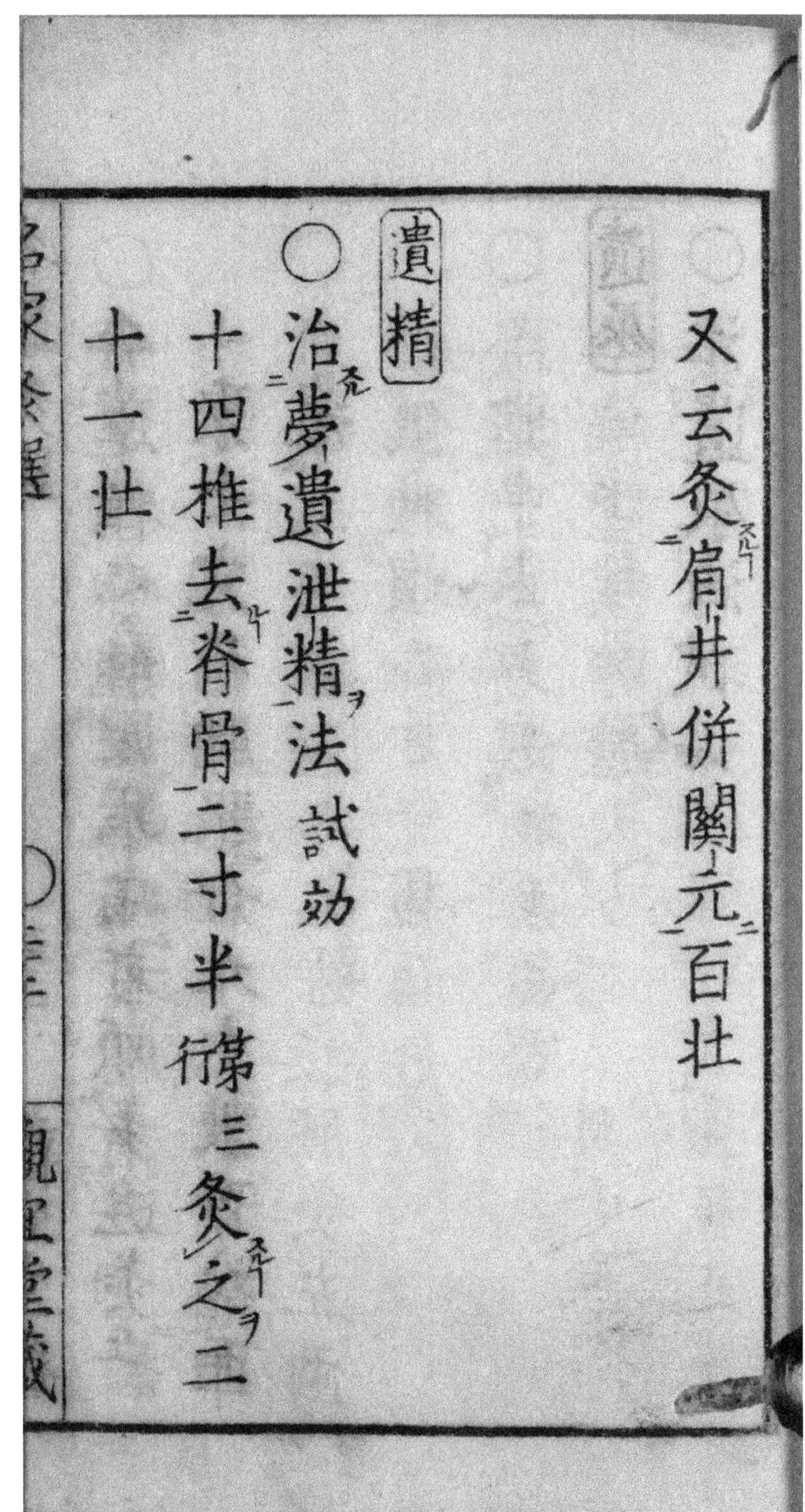

又云灸肩井并關元百壯

遺精

○治夢遺泄精法試効

十四椎去脊骨二寸半 第三行 灸之二十一壯

△遺精之症因寒疝者頗多近灸瘕聚七穴及腰眼合九穴數百壯而瘥

遺尿

○治遺尿法試効

灸十一椎十四椎腰眼穴逐日五十壯一七日而瘥

○治睡中遺尿法救急易方

灸足大敦每日三壯

○遺尿秘灸江州民家傳

十九椎左骨際男女同法一穴大炷艾四五十壯而驗

△此法甚妙然不堪熱者逐日六七壯許灸之亦佳

○治小兒遺尿法試効

直臍椎骨一穴腎兪二穴每夜臨卧灸之十五壯許凡三十日而驗

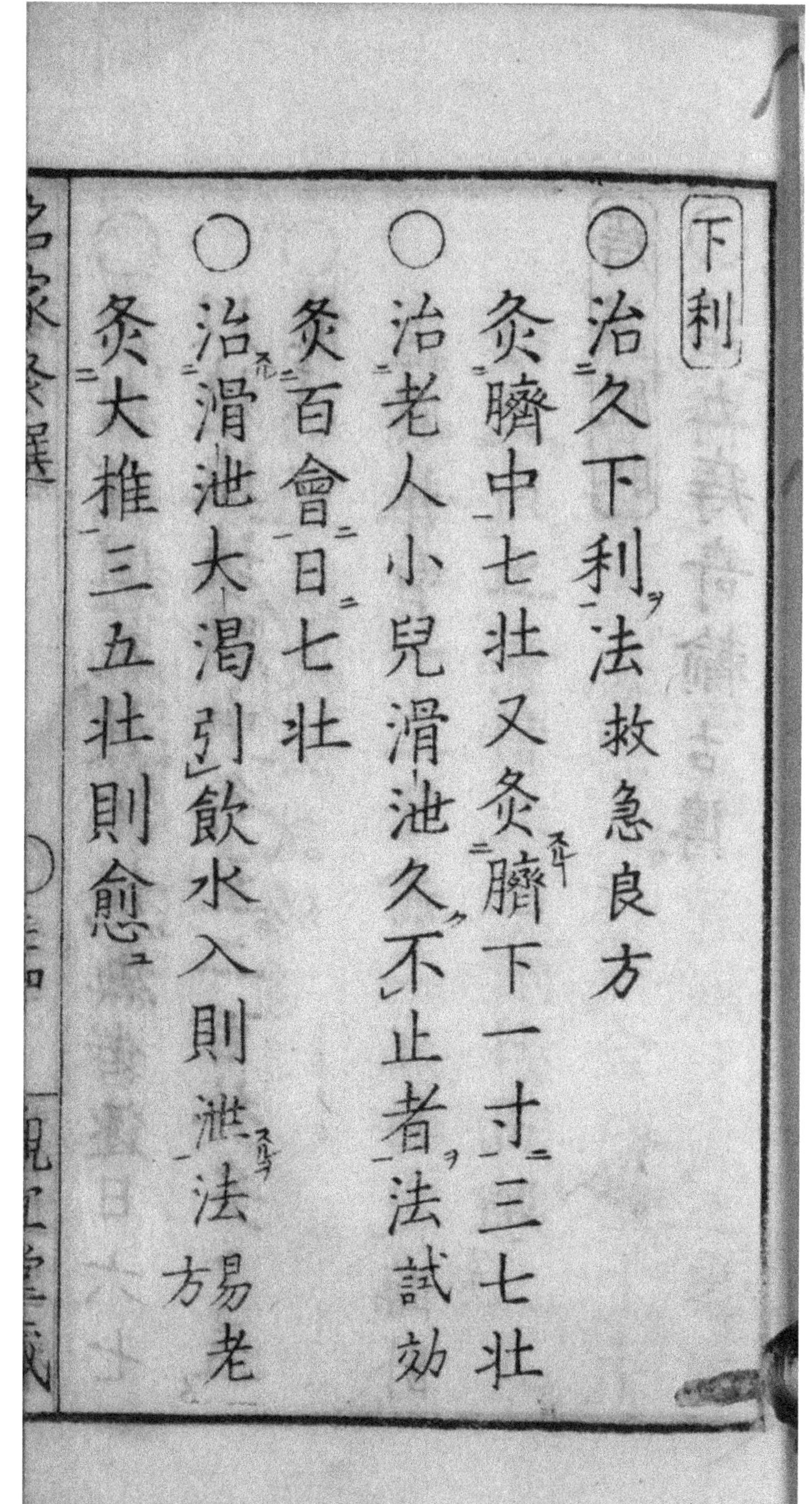

下利

○治久下利法救急良方

灸臍中七壯又灸臍下一寸三七壯

○治老人小兒滑泄久不止者法試効

灸百會日七壯

○治滑泄大渴引飲水入則泄法易老方

灸大椎三五壯則愈

○治赤白利久不禁者法 俗傳

以燒塩填臍中灸至二百壯多々益佳

痔漏脱肛

○治五痔奇輸 古傳

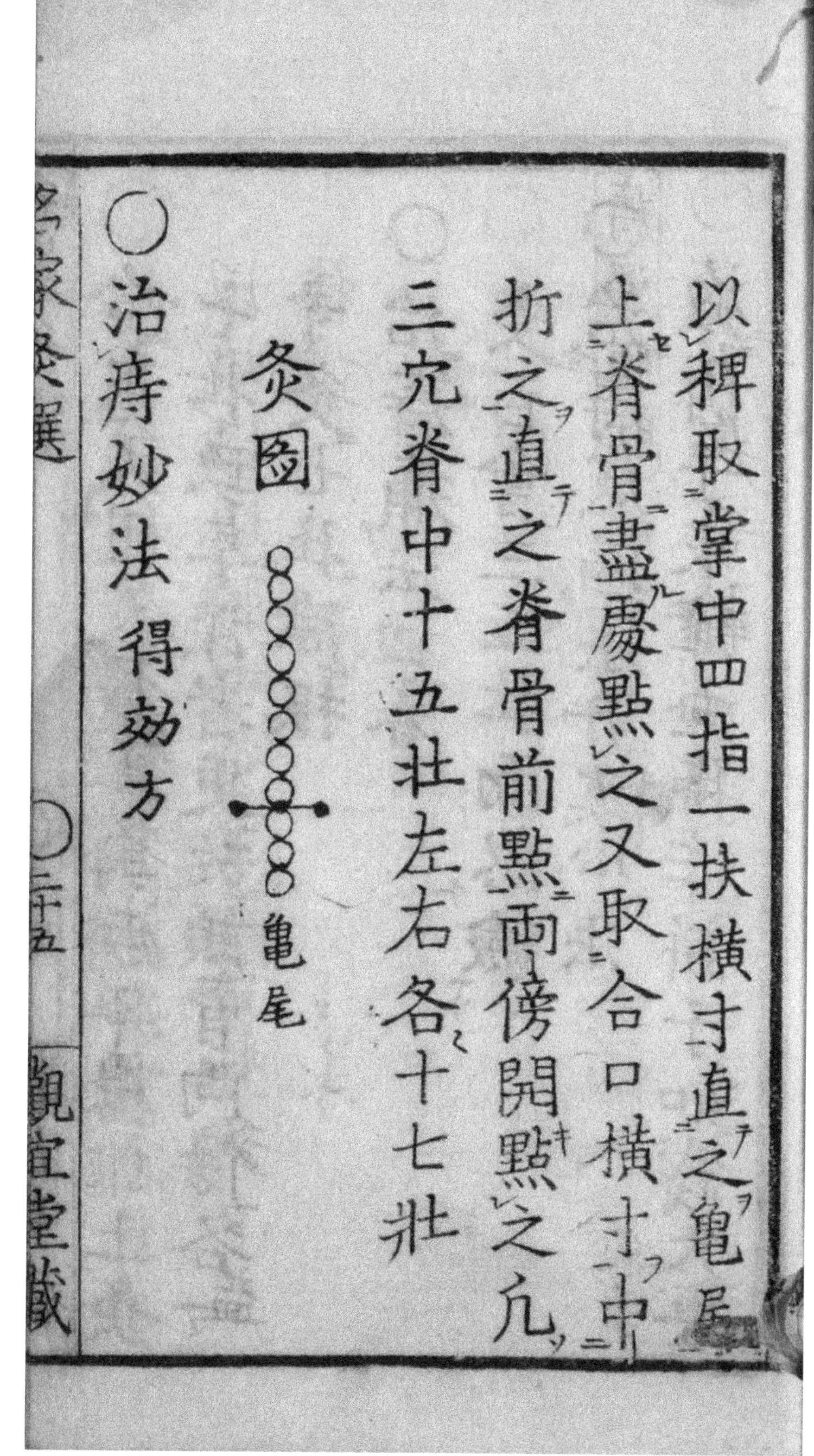

以稗取掌中四指一扶横寸直之亀尾上脊骨盡處點之又取合口横寸中折之直之脊骨前點兩傍開點之凡三穴脊中十五壯左右各十七壯

灸圖

○治痔妙法 得效方

令患人正立量脊與臍平處椎上灸七壯或年深者更於顛骨兩傍各一寸灸七壯除根

○治痔痛法 四春

灸百會三五壯而忽驗

○治痔成漏法 丹溪心法

以附子末津唾和作餅子如錢大安

漏上以艾灸令微熱乾則易新餅再灸明日又灸直至肉平為効

○治肛門濕痒及沈痔妙灸古傳

十八俞左右各開二寸灸之三十壯而驗

○治五痔脱肛名灸古傳

取從患人臂尖至掌後腕骨寸直尾

骶骨上處假點之又以同身寸一寸假點左右各開一寸點之

灸圖

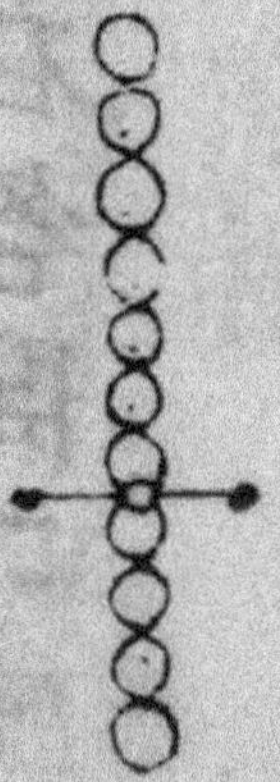

二穴

○治脱肛肛門翻出者法五蘊抄取兩乳間寸法四折捨三取一直竃尾上點之一穴灸十五壯

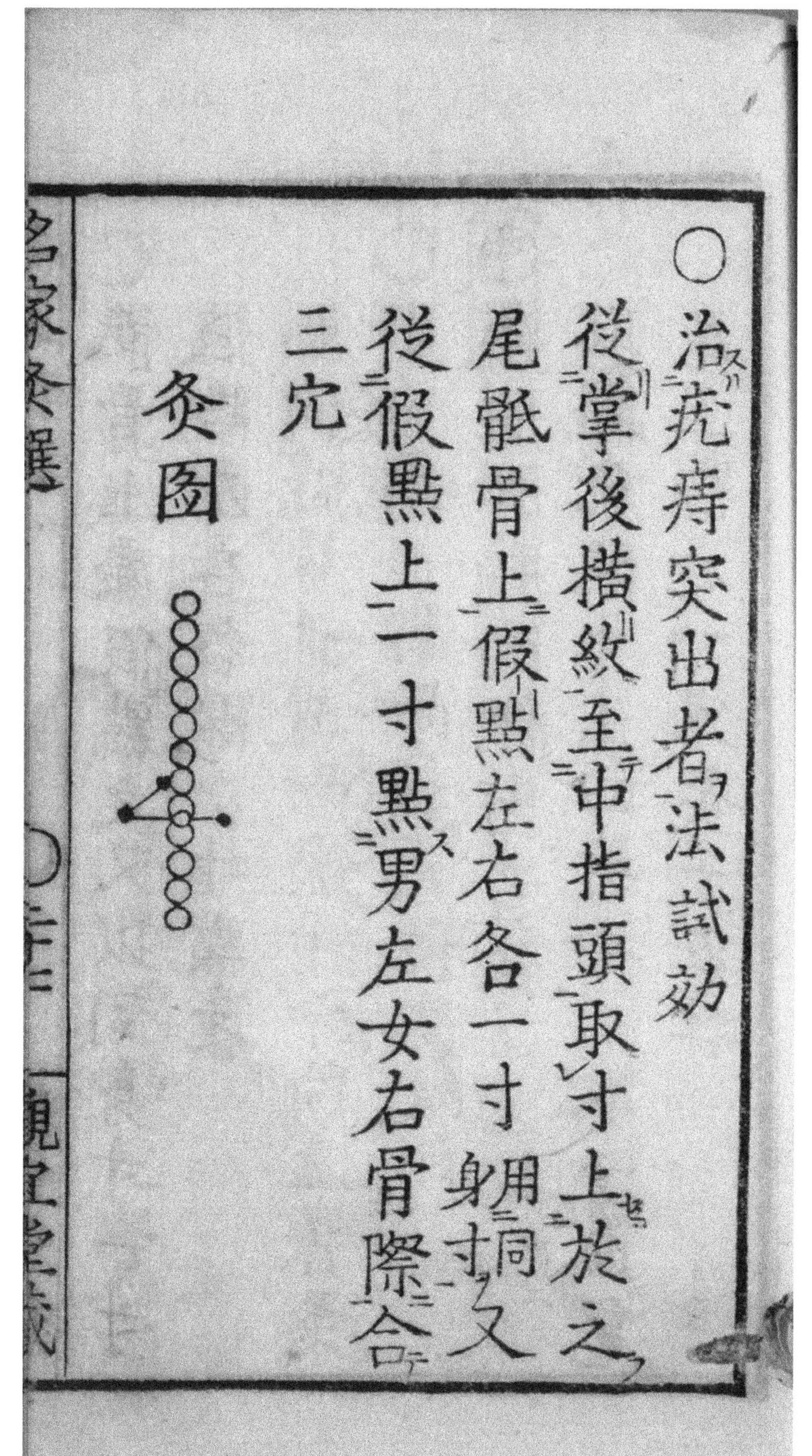

○治疣痔突出者法試効
從掌後橫紋至中指頭取寸上於之尾骶骨上假點左右各一寸（用同身寸）又從假點上二寸點男左女右骨際合三穴

灸圖

名家灸選　廿二　観宜堂蔵

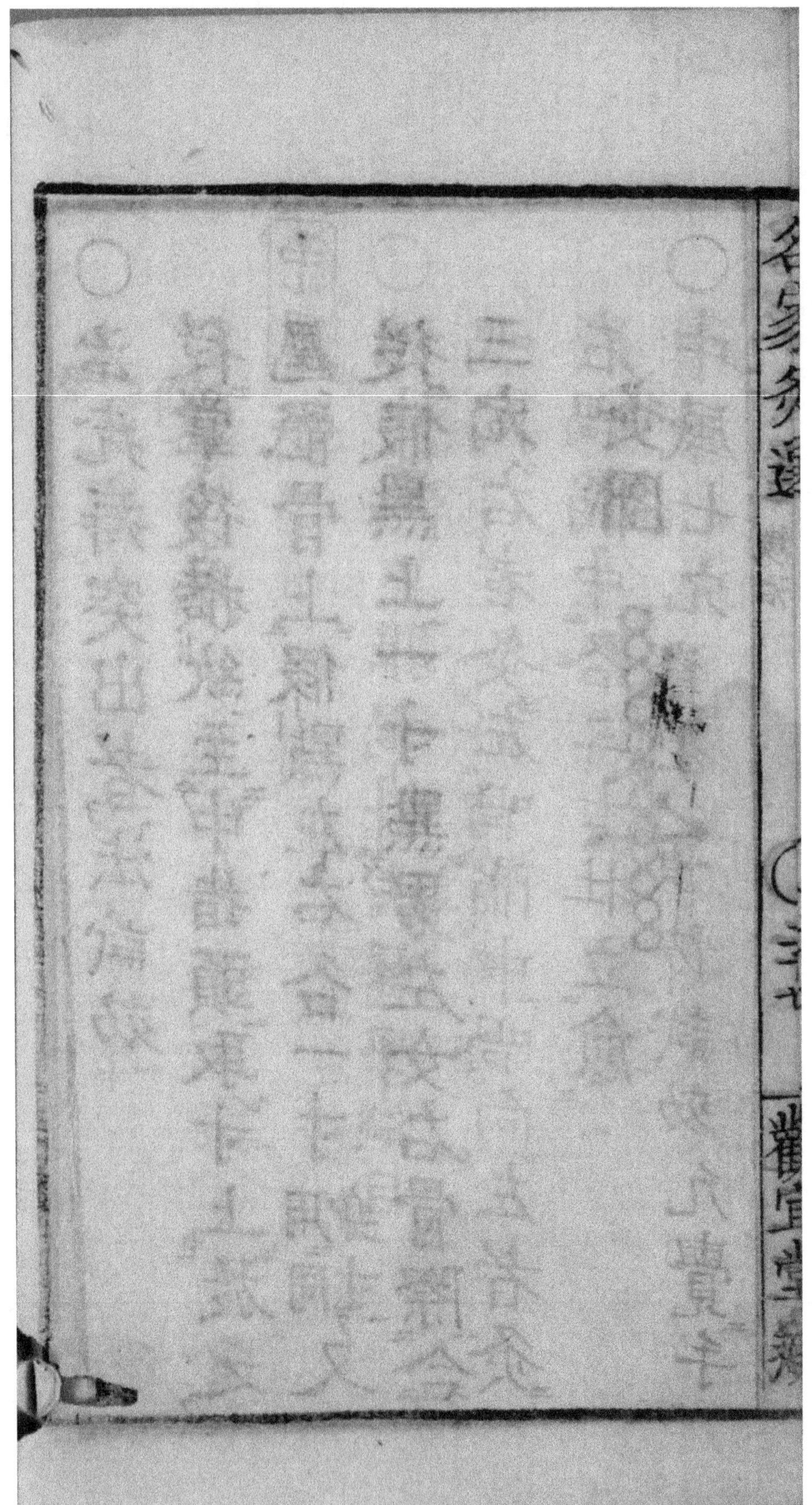

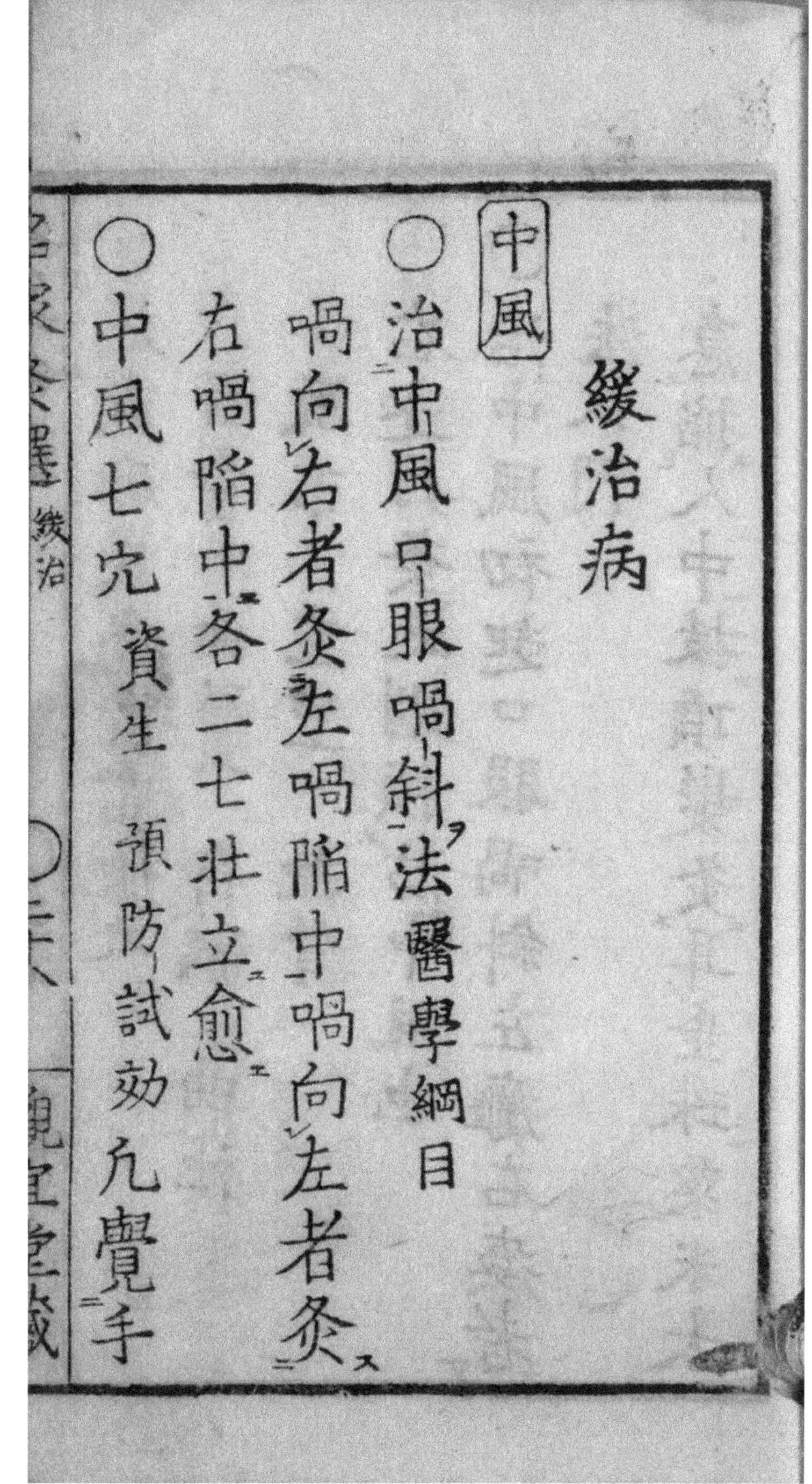

緩治病

中風

○治中風口眼喎斜法 醫學綱目

喎向右者灸左喎陷中喎向左者灸

右喎陷中各二七壯立愈

○中風七穴 資生 預防試効先覺手

名家灸選 緩治

観宜堂蔵

足或麻或痛皆當灸之
百會　曲鬢　肩髃　曲池
風市　三里　絶骨
右逐月灸之則預防中風也

○治中風初起口眼喎斜左癱右瘓者
法入門
急掐人中拔頂髮灸耳垂珠粟米大

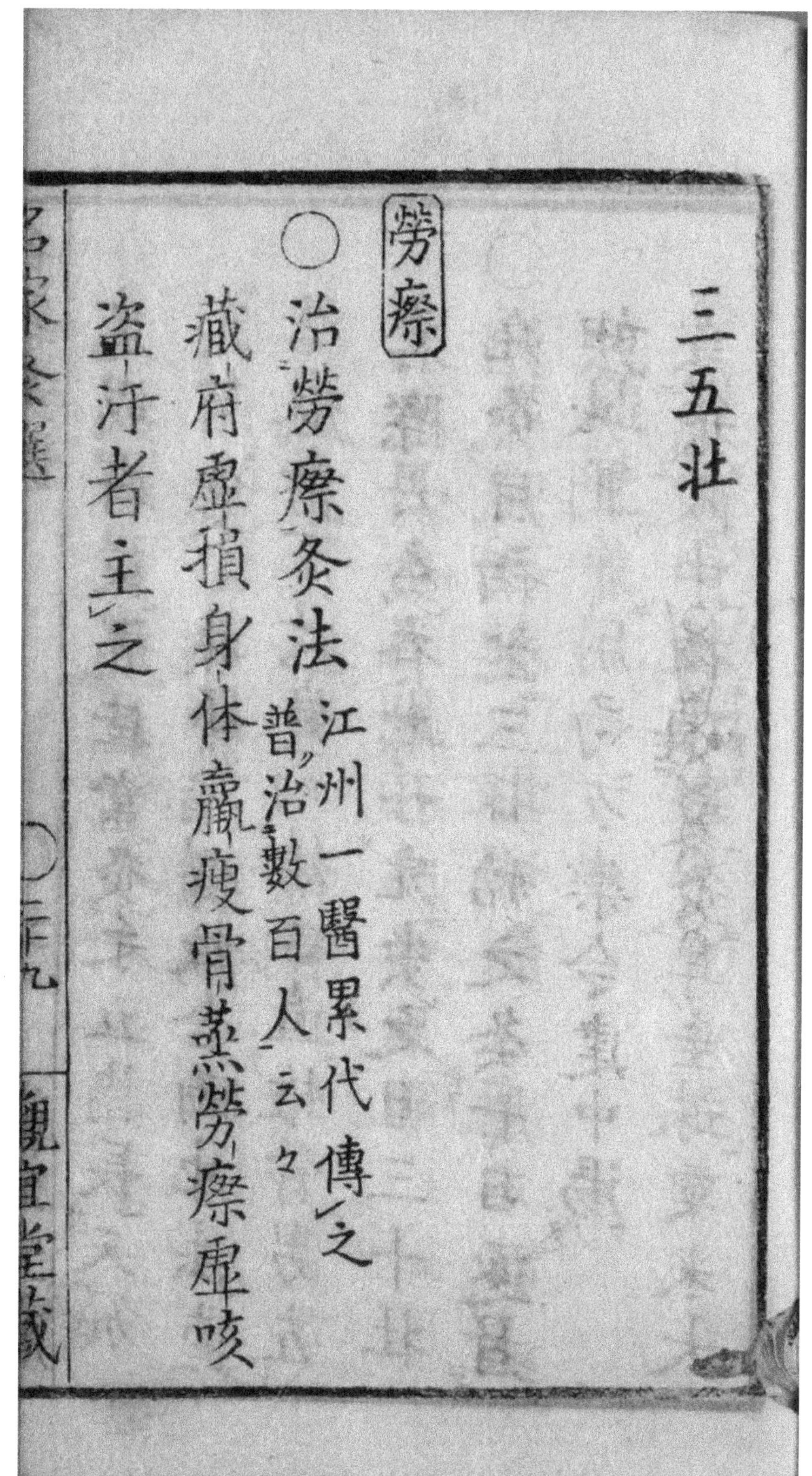

三五壯

勞瘵

○治勞瘵灸法　江州一醫累代傳之普治數百人云々

藏府虛損身体羸痩骨蒸勞瘵虛咳盗汗者主之

名家灸選　○二十九　觀宜堂藏

先以稈量男左女右手五指長又加之量無名指中指横紋合兩寸法直結喉垂下於肩兩傍合直推骨男左脊際女右脊際一穴灸之日三十壯凡灸月朔至三日始之灸七日逐月如此宜兼用局方樂令建中湯

灸圖

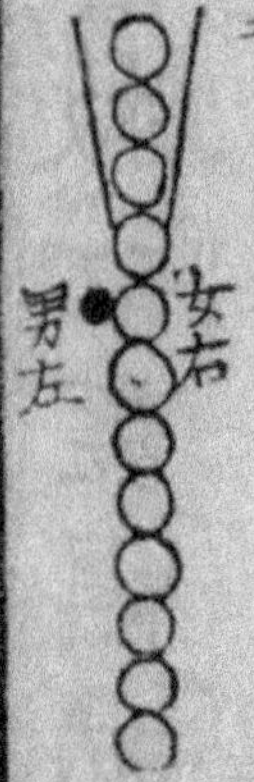

女右
男左

△此法嘗救初症得効最多至已成無能及也

○治虛勞咳嗽及陰發痼症法 俗傳

先使患人正立以竹杖平臍中以縄却直之脊椎假點以同身寸一寸點假點兩傍各三寸 是二穴 又假點上一寸直脊椎 是一穴 又從其點上一

寸假點兩傍各三寸點之是二穴都五穴每穴二十壯合百壯逐日灸之以愈為度

灸圖

假点

假点

○治勞瘵秘灸 試効

從大椎至二十一節之第二行隨患

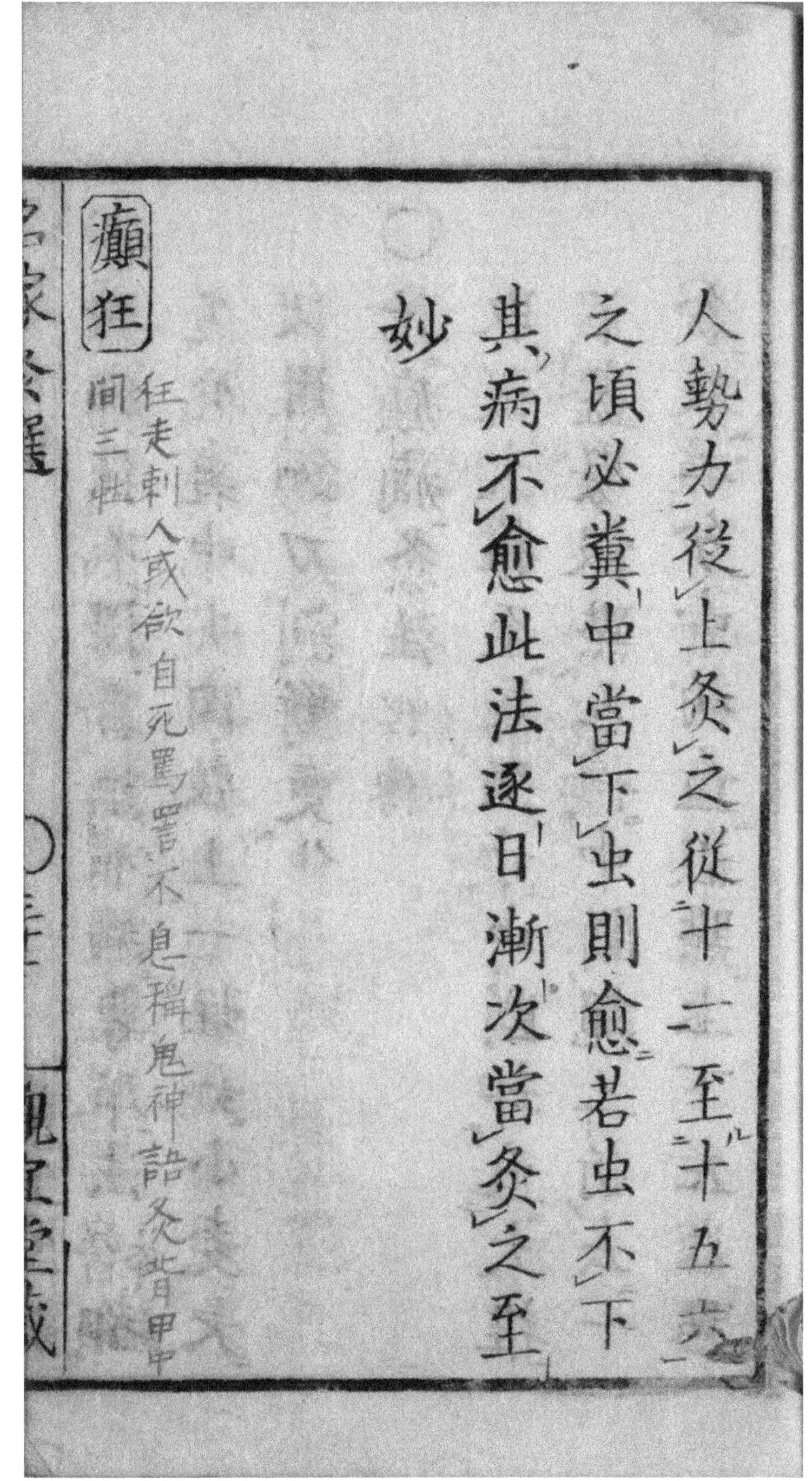

人勢力從上灸之從十一至十五六之頂必糞中當下虫則愈若虫不下其病不愈此法逐日漸次當灸之至妙

癲狂

狂走刺人或欲自死罵詈不息稱鬼神語灸背甲中間三壯

○治癲狂不擇言語不論尊卑法 醫綱本紀

灸唇裏中尖肉弦上一炷如小麥大

又用銅刀割斷更佳

治卒癲灸兩乳頭三壯

○治癲癇灸法 俗傳

取從大推至長强寸中斷却直大推

下盡處假點又將中斷繩三折去一

分取二分中折直假點上下左右點

之如點四花法各五十壯

灸圖

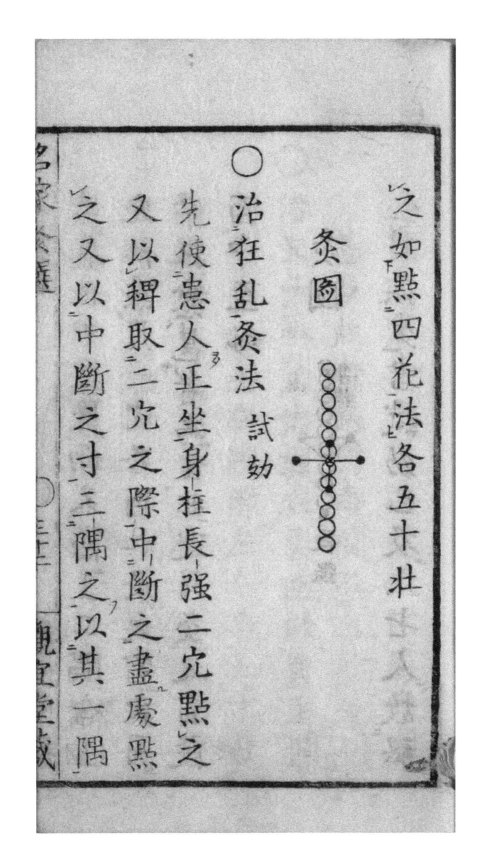

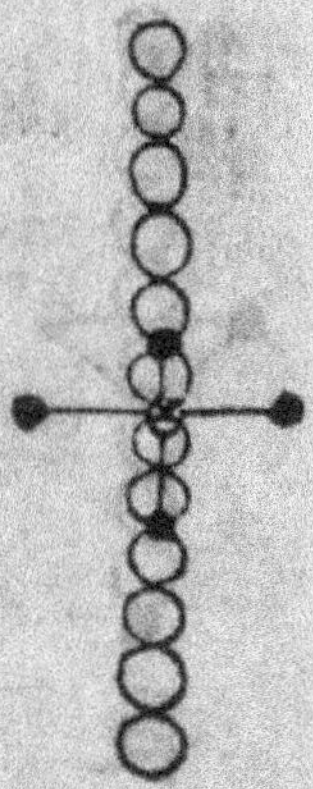

○治狂乱灸法　試効

先使患人正坐身柱長強二穴點之

又以稈取二穴之際中斷之盡處點

之又以中斷之寸三隅之以其一隅

直其正中之點而又點上二隅合五穴初點月一穴各百壯灸之當次月發狂愈甚者為佳兆逐月灸之百發百中至妙

灸圖

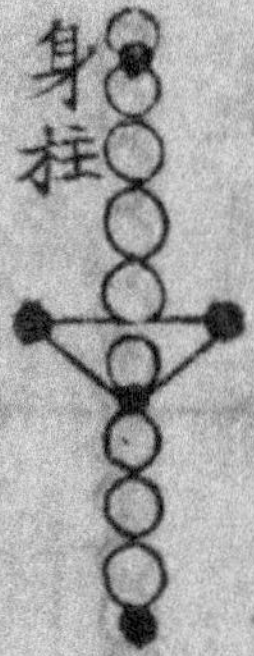

身柱

長強

△此法先君試効己及六七人故祕

督脈穴名

帳中有年予頃擴之救陰陽両癇甚多故今為同志公之

○治失心風驚悸癲狂氣逆秘灸古傳

灸足後跟赤白肉際左右各五十壯即驗

△治瘖啞卒癲灸三十壯　穴在直鼻中上入髮際

瘰癧　併氣腫

○治瘰癧妙灸古傳

合谷肩髃曲池手三里四處左右八穴各灸十五壯日二報

△此法行氣道之良法故瘰癧氣腫輕者灸之效其他肩背手臂不便者亦佳

㊥治瘰癧妙灸救急易方

以手仰置肩上微舉肘取之肘骨尖上是穴隨患處左即灸左右即灸右艾炷如小樣筋頭大再灸如前不過三次永無恙

○又法同上

以蒜片貼着瘰癧上灸七壯一易蒜

多灸取効

○散瘰癧氣腫及梅核氣灸法試効

脊椎第七第十椎下骨際頻灸

⑥⑦⑧⑨⑩⑪⑫⑬⑭ 男灸左女灸右

又云瘰癧之発於項後耳之間累々如貫珠者是也法當灸金門二壯掌後三寸半是穴

又灸劍巨二七壯在掌後三寸

水腫 併鼓脹

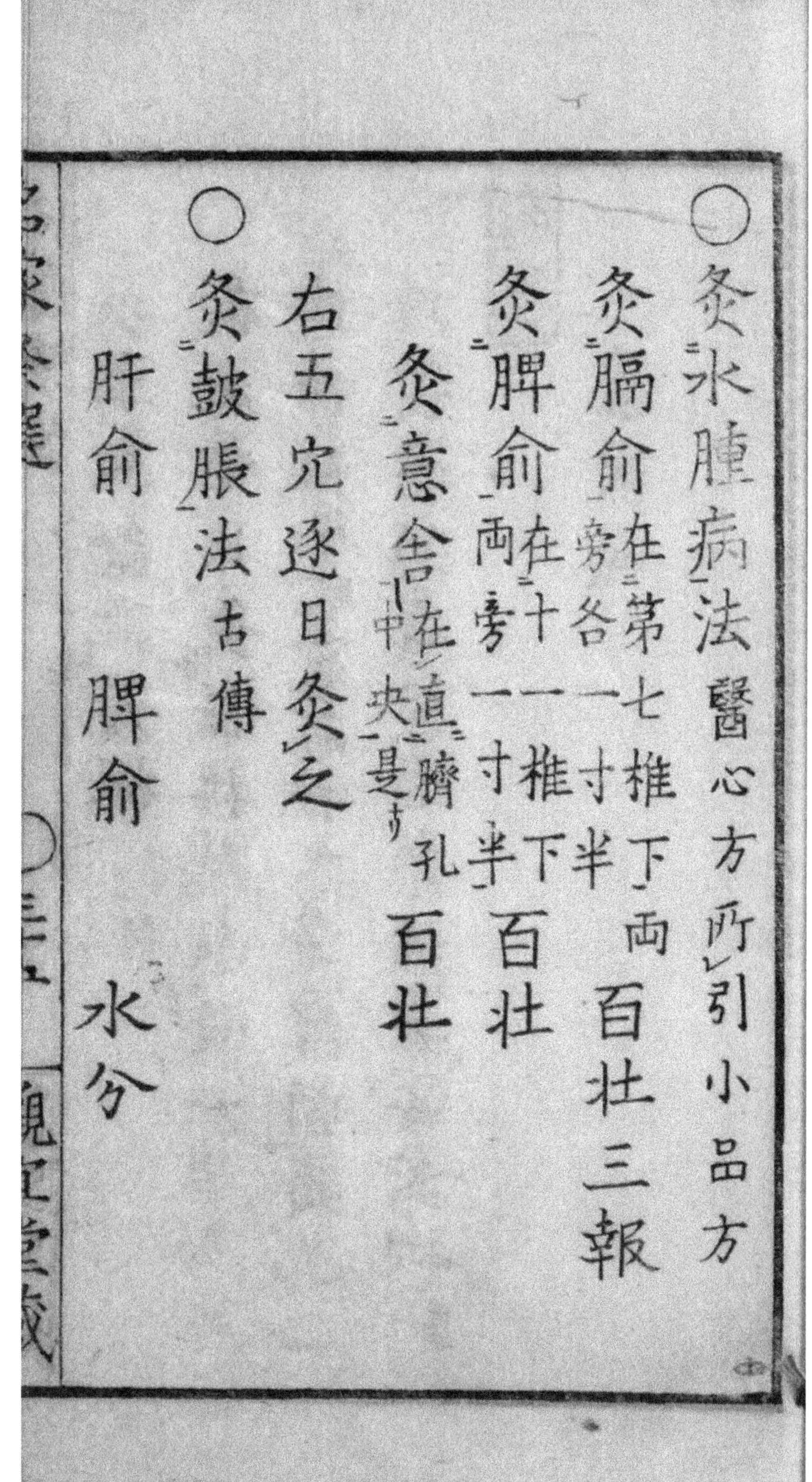

○灸水腫病法　醫心方所引小品方

灸膈俞在第七椎下兩旁各一寸半　百壯三報

灸脾俞在十一椎下兩旁一寸半　百壯

灸意舍在直臍孔中央是　百壯

右五穴逐日灸之

○灸鼓脹法　古傳

肝俞　脾俞　水分

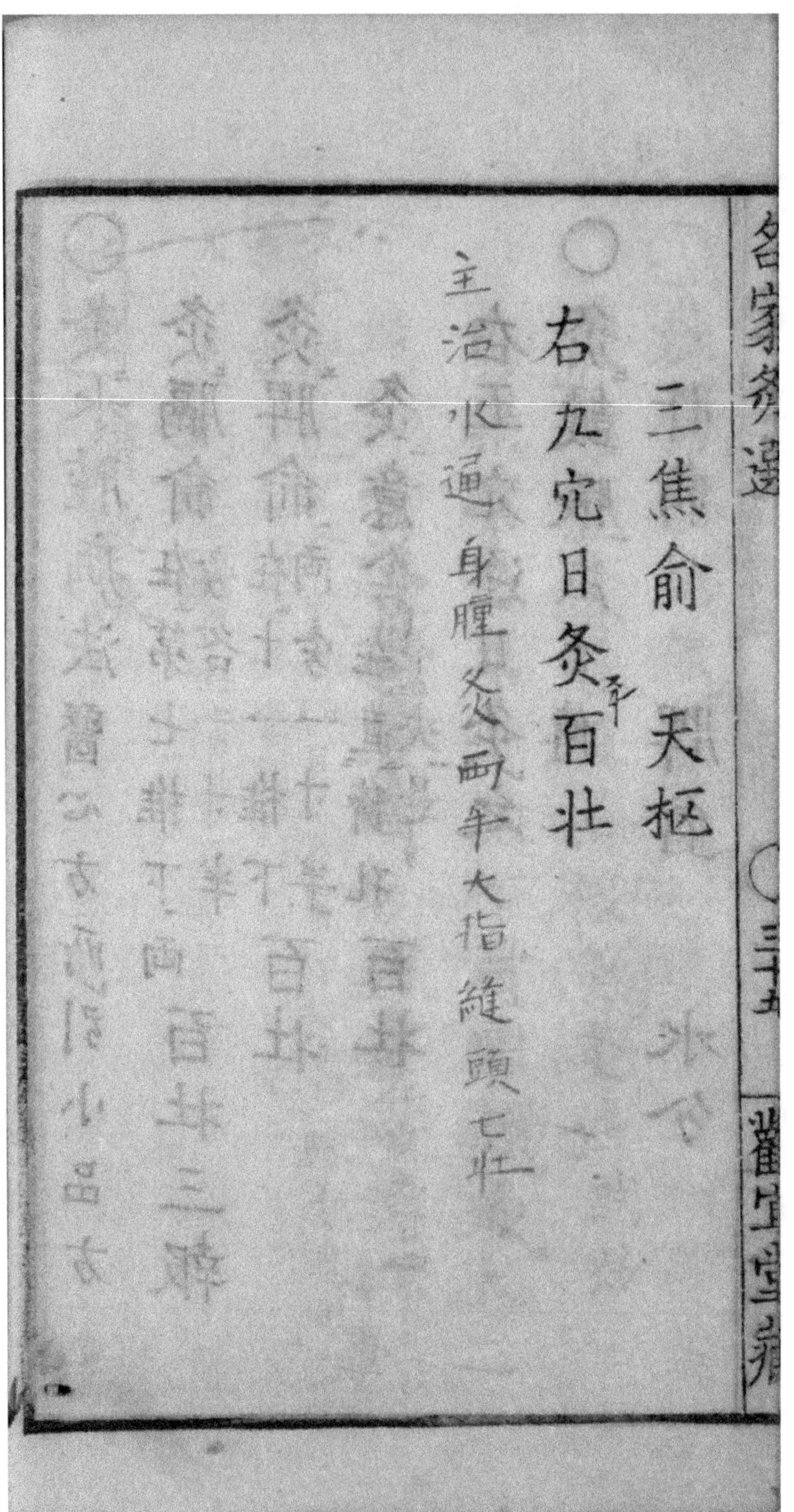

三焦俞　天枢

右九穴日灸百壯

主治水通身腫灸兩乎大指縫頭七壯

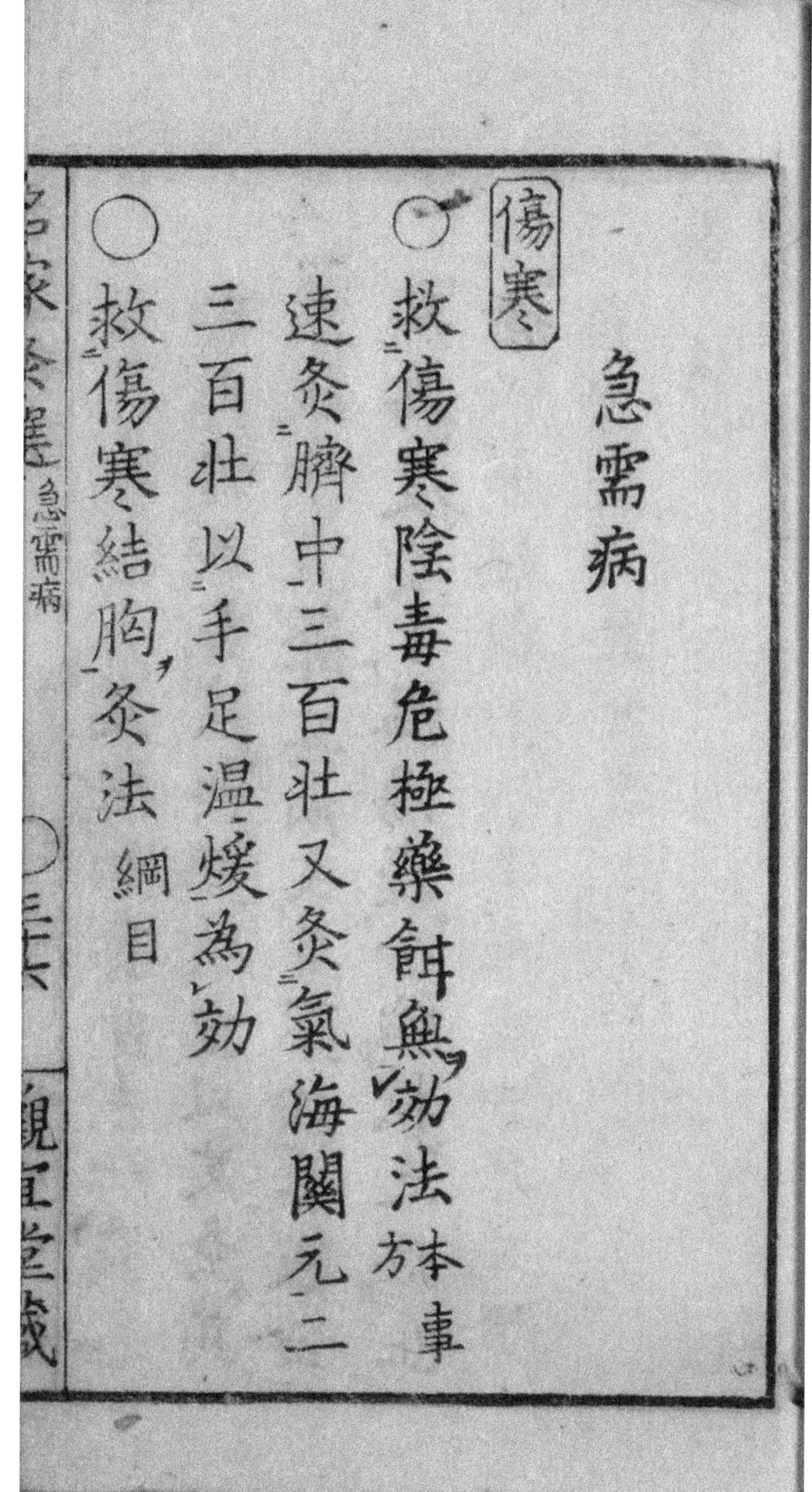

急需病

傷寒

○救傷寒陰毒危極藥餌無效法本事方

速灸臍中三百壯又灸氣海關元二三百壯以手足溫煖為效

○救傷寒結胸灸法綱目

巴豆十枚去皮研細黄連末一錢

右以津唾和成餅填臍中以艾灸其

上腹中有聲其病去矣不拘壯數去

病為度灸了温湯浸手帕拭之恐生

瘡

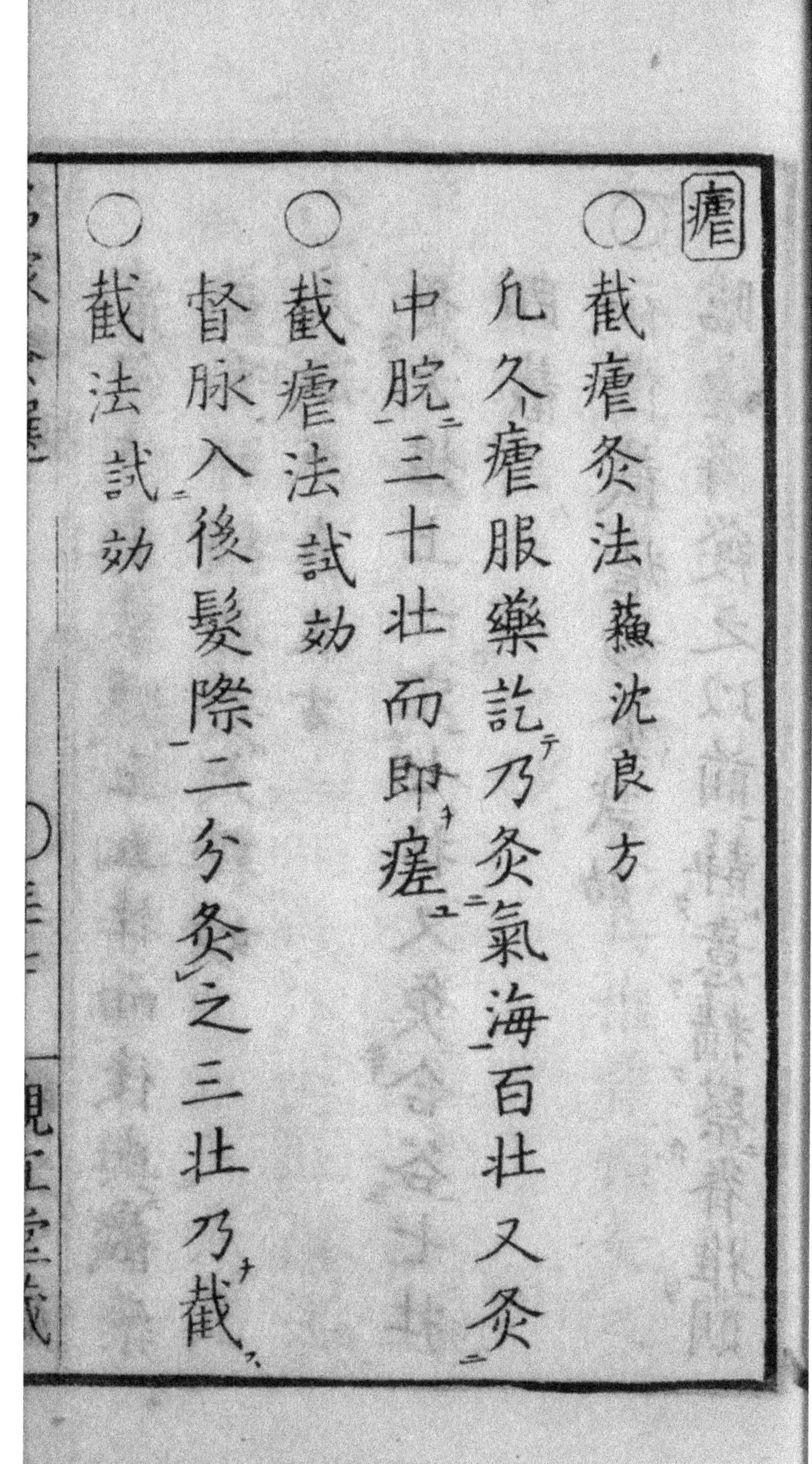

瘧

○截瘧灸法　蘓沈良方

凡久瘧服藥訖乃灸氣海百壯又灸中脘三十壯而即瘥

○截瘧法試効

督脉入後髮際二分灸之三壯乃截

○截法試効

當發時灸章門三五壯而後與截藥或有肝積者灸大敦妙

○又法救急良方

灸大椎上一穴七壯又灸合谷七壯即截

○祕傳截瘧妙灸試効

臨瘧將發之以前靜意精察脊椎則

有瘻氣從下上者以手按椎骨則忽有覺凜然而寒處點其椎骨頻灸之則即截此法極妙

經穴彙解云治瘻如神令病人跣足於平正處并脚立用繩一條自脚技周匝截斷却於頂前一般過背上兩繩尽處脊骨中是穴先点記待將發急以艾灸之三七壯其寒熱自止此法曾遇至人傳授妙不可言名曰背藍穴也

血症

○治下血灸度法　四春

灸直臍脊骨一穴五七壯不再發

治衂血不止名腦衂者法試効

灸上星五十壯

灸虛勞吐血唾血法得効方

灸中脘三百壯灸肺俞隨年壯

霍亂

〇治霍亂小便不通法 五蘊抄
〇中脘三陰交灸各二百壯
〇治霍亂不省人事厥逆欲死者法 同上
灸神闕數十壯
△救急方云霍亂病勢甚劇手足厥冷漸至危篤則填塩於臍中灸之

一二十壯又臍下氣海穴灸之若轉筋甚難屈伸者灸外踝上七壯千金云霍亂已死有煖氣者灸承筋七壯能活死人

○治霍亂轉筋者法救急易方

足外踝骨尖灸之七壯若內筋轉則灸內踝骨尖也

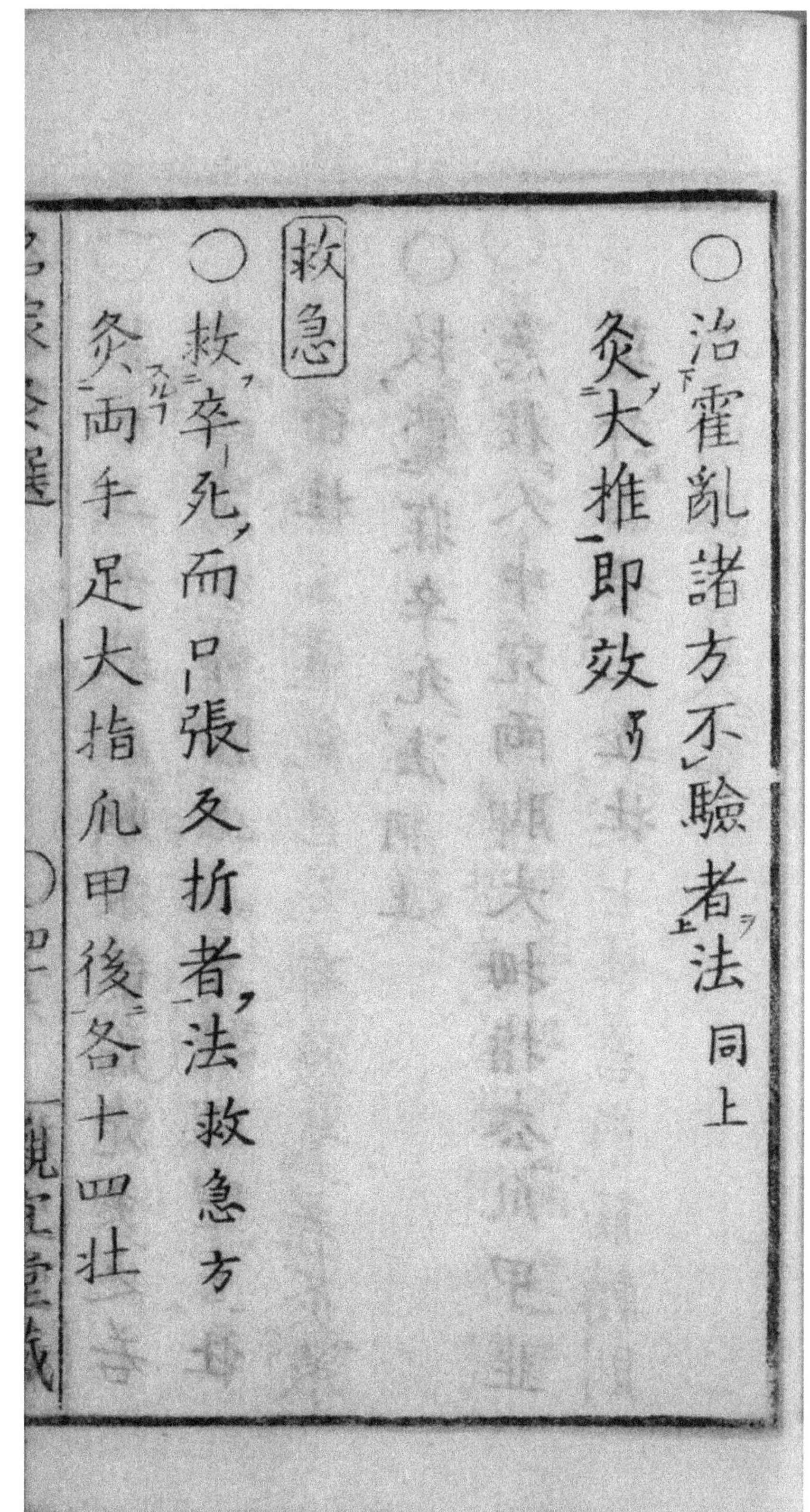
○治霍亂諸方不驗者法 同上

灸大椎即效

救急

○救卒死而口張反折者法 救急方

灸兩手足大指爪甲後各十四壯

○救卒死四肢不収失便者法　同上

灸心下一寸臍上三寸臍下四寸各一百壯

○救魘寐卒死法　同上

急於人中穴両脚大拇指去爪甲韭葉許各灸三五壯

○瘡瘍病

瘡瘍八處灸法醫綱本紀所載與五蘊抄有少異同今從五蘊抄

凡瘡瘍瘡癤無名惡瘡各處定寸法灸之無不効

神應經云成化九年癸巳孟冬日本

國梟山殿所使副官人信州隱士良心言我國二百年前有両名醫一為和介氏一為丹波氏此二醫專治癰疽疔癤瘰癧定八處灸法甚有神効凡此八處灸法痛則灸至不痛不痛則灸至痛或五百壯或七八百壯大抵多灸尤妙癰疽初發而灸則不潰

而自愈已潰而灸則生肌止痛亦無再發
瘡瘍生頭面者以稗耳尖上周迴遶之
以定寸法
同從肩至手指頭生者以稗從肩髃
至中指頭爪甲端定寸法
同發中身者隨兩乳周迴以定寸法
同從陰股至足指頭生者合兩足從

左拇指至右拇指指端周迴定寸法

右左右八處之灸法以各處之寸

法令患人掬手斷捨一握還中折

直結帷垂下背合繩末盡處假點

挾脊椎各開半寸二點也灸之從

五十壯至百壯驗三報

灸圖

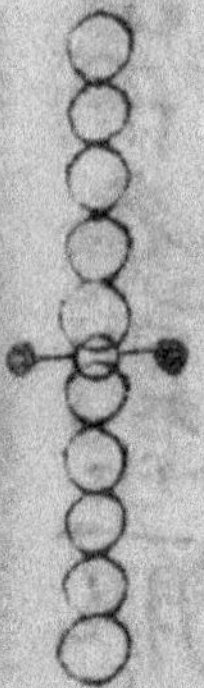

右各處二穴四部合八穴也

△蓋和丹兩家所傳者簡易而備適於治病其理不可曉往々如此之類甚多可謂能得其要者也而此法諸家所載雖有少異同余隨此法試効頗多

○治每歳發無名瘡瘍者灸法試効

膀胱俞常々不斷灸之

○治雁來瘡灸法　五蘊抄

從足内踝至曲泉定寸中折從曲泉垂下處一點骨際灸之七壯妙效

○治雁來瘡連年發不瘥者甚妙法

信州異人傳

預服解毒藥劑灸陽陵泉陰陵泉二

穴妙々

△余嘗有此患逢異人受此法乃灸之全愈又無後患

○治疥瘡妙灸法

凡疥瘡久不愈者灸之痒止瘡痂自落奏奇効 試効

先以繩子取口横寸直腕後横紋至

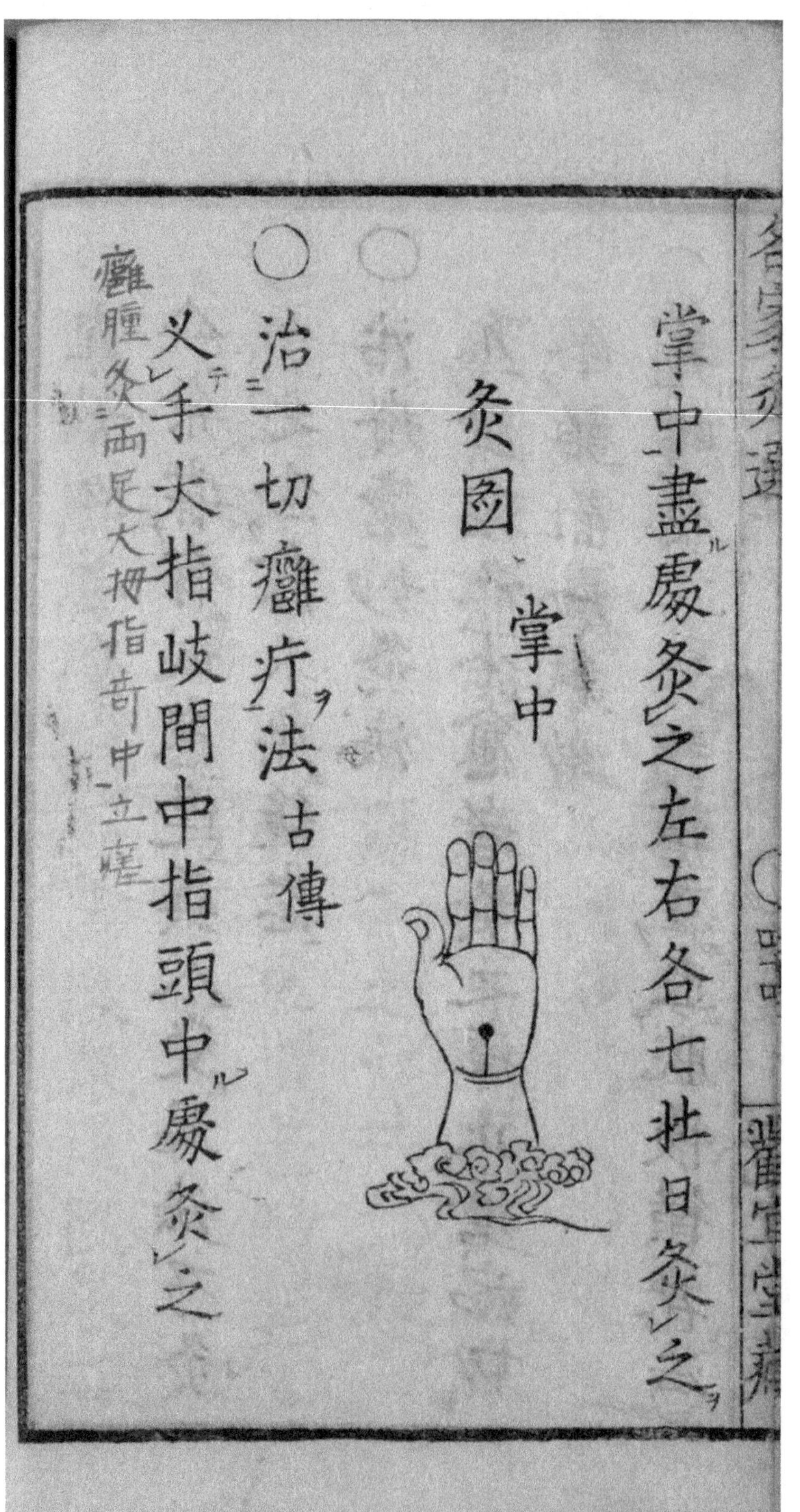

掌中盡處灸之左右各七壯日灸之
灸圖
掌中
○治一切癰疔法古傳
○又手大指岐間中指頭中處灸之
癰腫灸兩足大拇指奇中立瘥

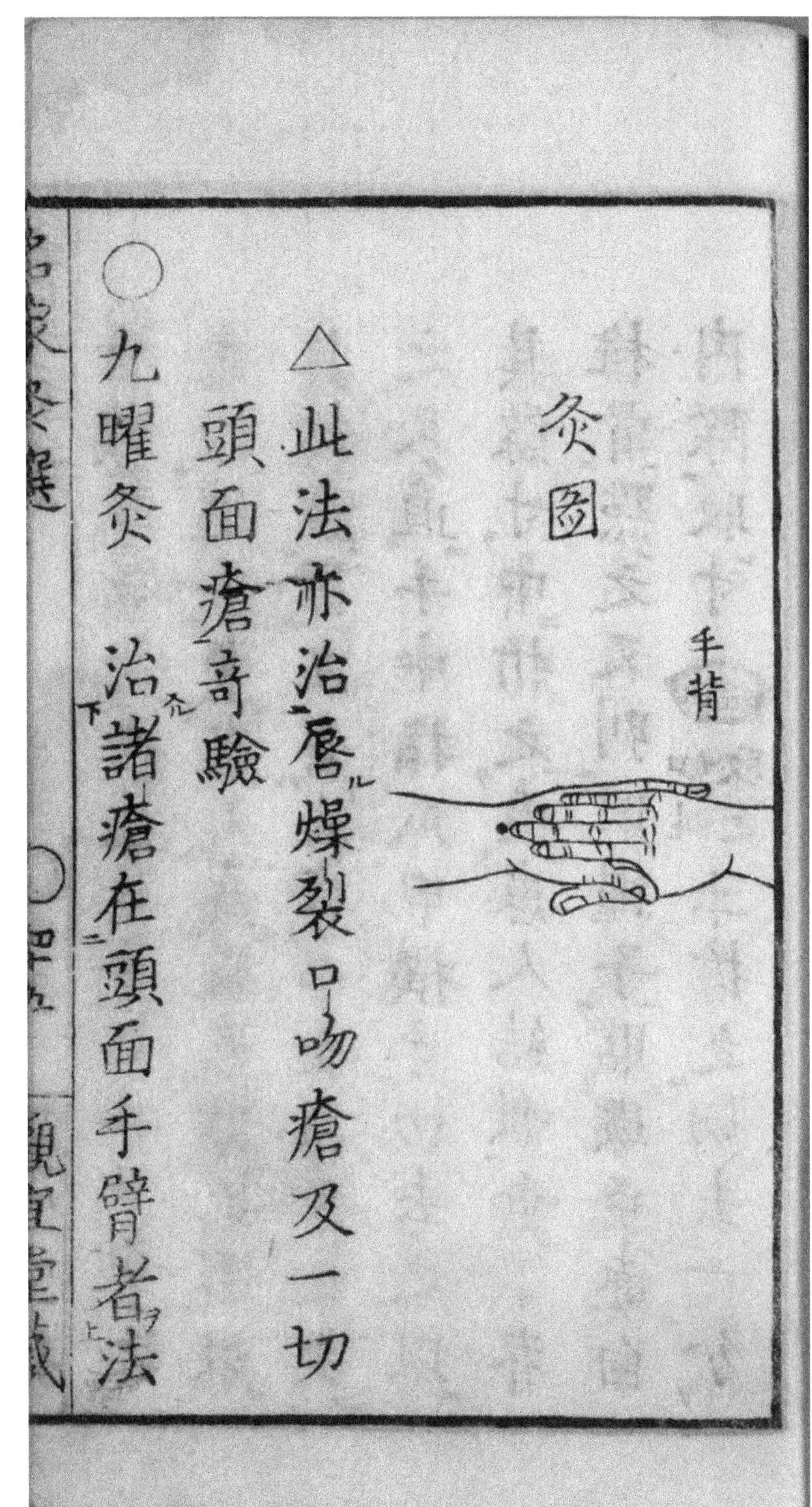

灸圖

△此法亦治唇燥裂口吻瘡及一切頭面瘡奇驗

○九曜灸　治諸瘡在頭面手臂者法

古傳

先以繩子量患人直眉毛頭周圍以其繩直男左女右掌中央橫徑切去之又直手中指爪甲橫寸切去之以其餘寸中折之直患人結喉垂下脊椎骨點之又引以繩子貼環口赤白肉際取寸如此取之三折之切去一分

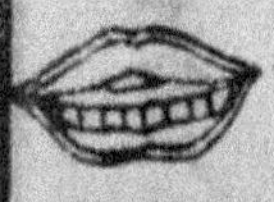

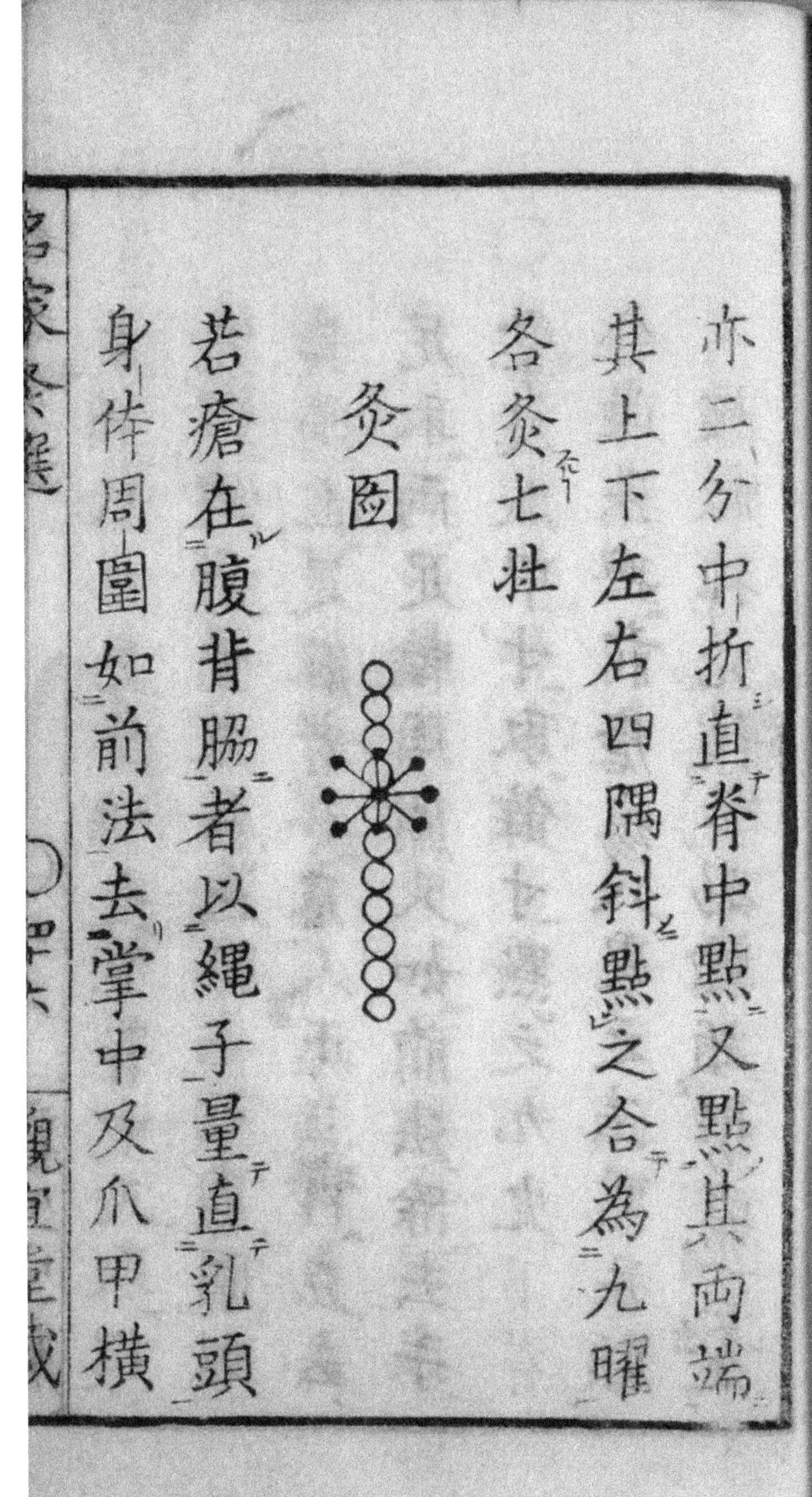

亦二分中折直脊中點又點其兩端
其上下左右四隅斜點之合為九曜
各灸七壯

灸圖

若瘡在腹背脇者以繩子量直乳頭
身倂周圍如前法去掌中及爪甲横

寸取餘寸直結喉垂下脊中又取環
口寸如前九穴點之
若瘡在足脛者令患人正立齊左右
足取兩足輪周圍又如前法除去手
掌及爪甲寸取餘寸點之九穴
△此法與前瘡瘍八處之法點法頗
相似孔穴稍多効驗頗髣髴要之

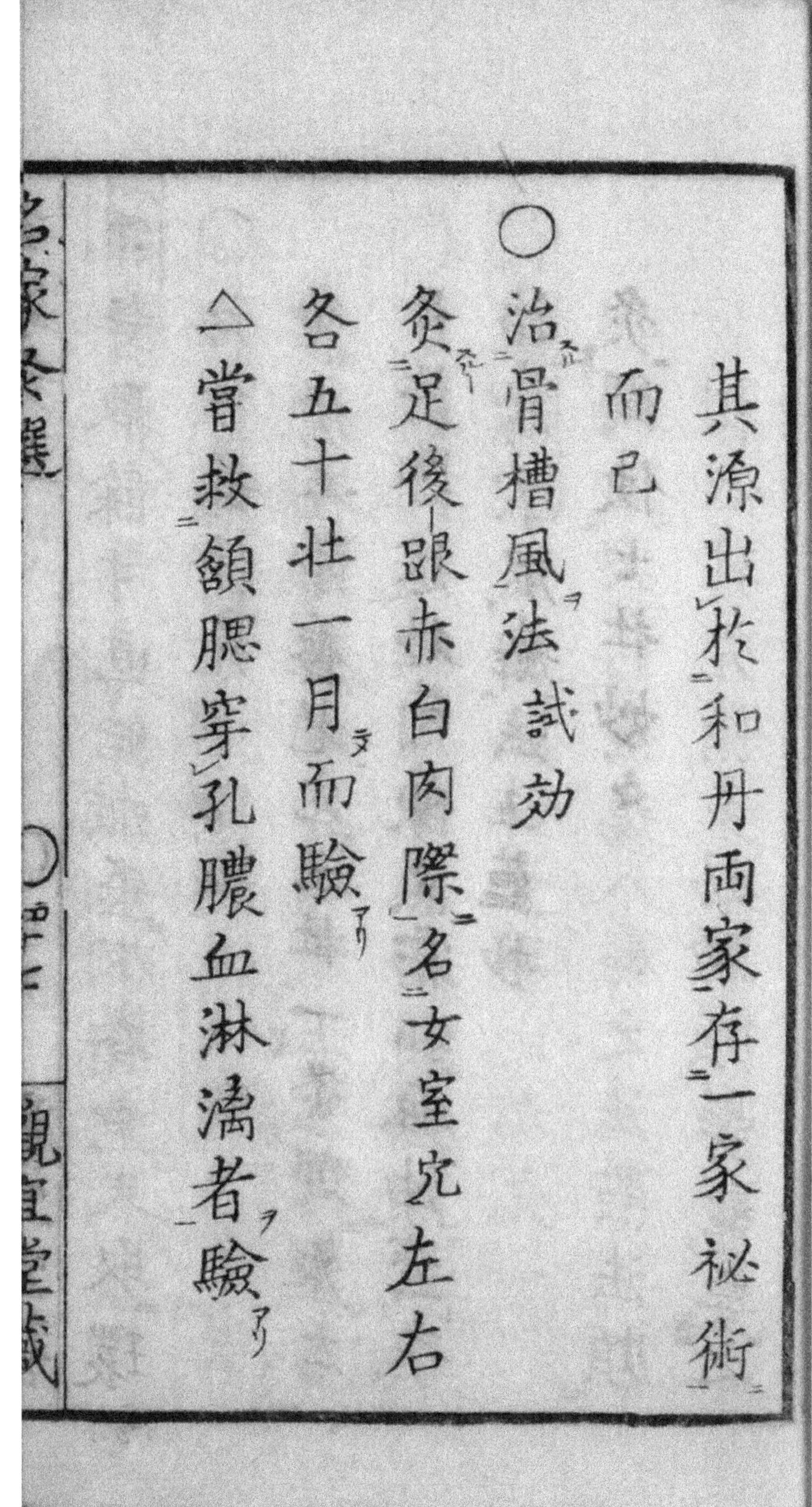

其源出於和丹兩家存一家祕術而已

○治骨槽風法試効

灸足後跟赤白肉際名女室穴左右各五十壯一月而驗

△嘗救頷腮穿孔膿血淋漓者驗

名家灸選 四十 觀宜堂藏

雜症

○治白痜妙灸試効灸手太陽養老穴三壯一灸則經十日許即愈外蔄藤黒霜和麻油塗之

○治鵞掌風癬法五蘊抄灸間使七壯妙々

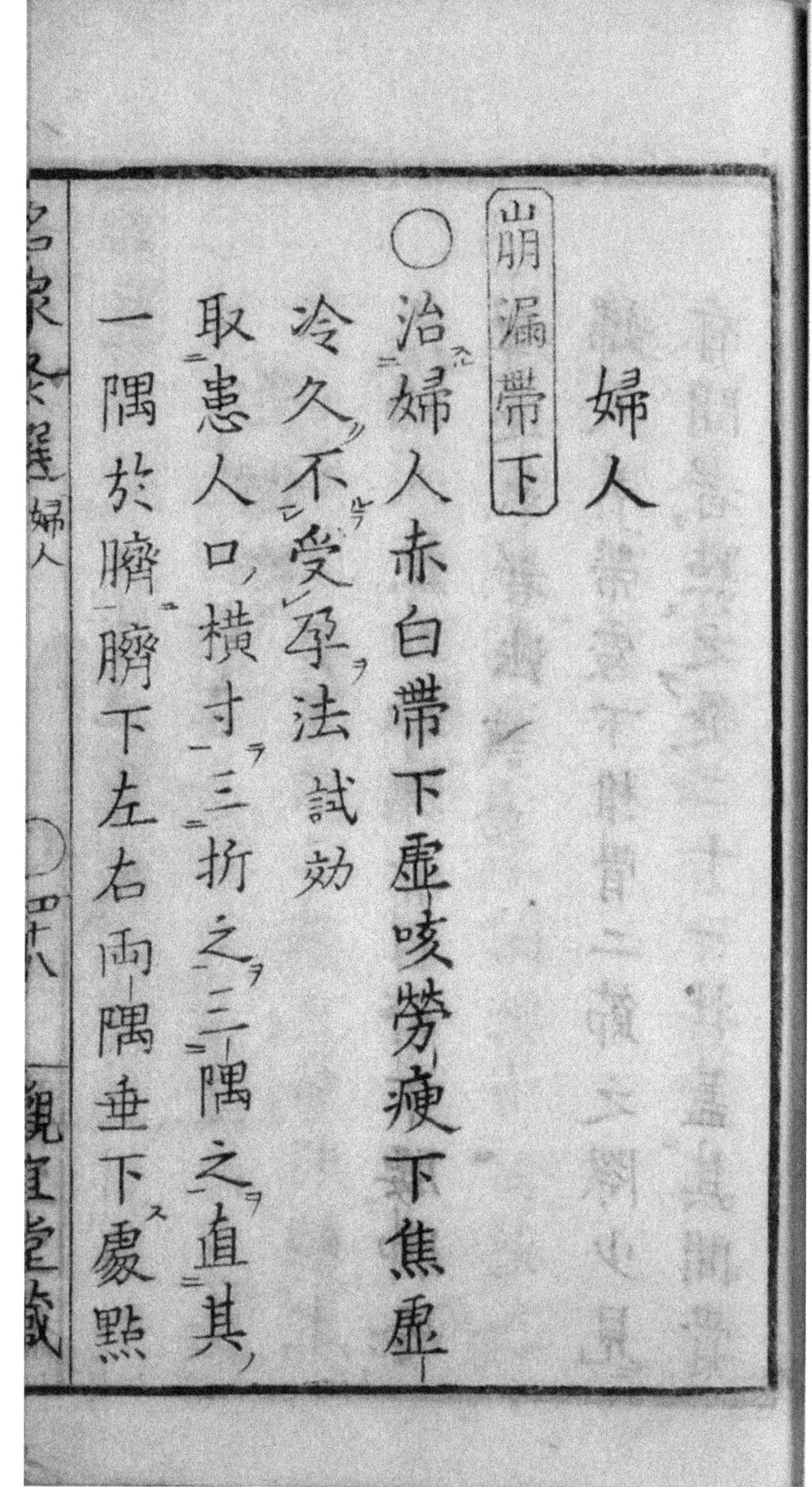

婦人

崩漏帶下

○治婦人赤白帶下虛咳勞瘦下焦虛冷久不受孕法試効

取患人口横寸三折之三隅之直其一隅於臍臍下左右兩隅垂下處點

之各灸五十壯屢報

灸圖 臍

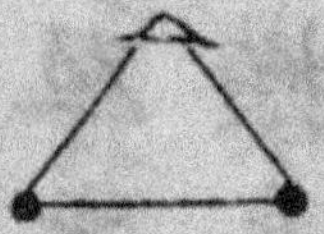

○

治婦人瘀血血塊赤白帶下腰脚冷痺逆氣者法 試効

婦人着帶處下椎骨二節之際少見有間者點之灸二十一壯蓋其間骨

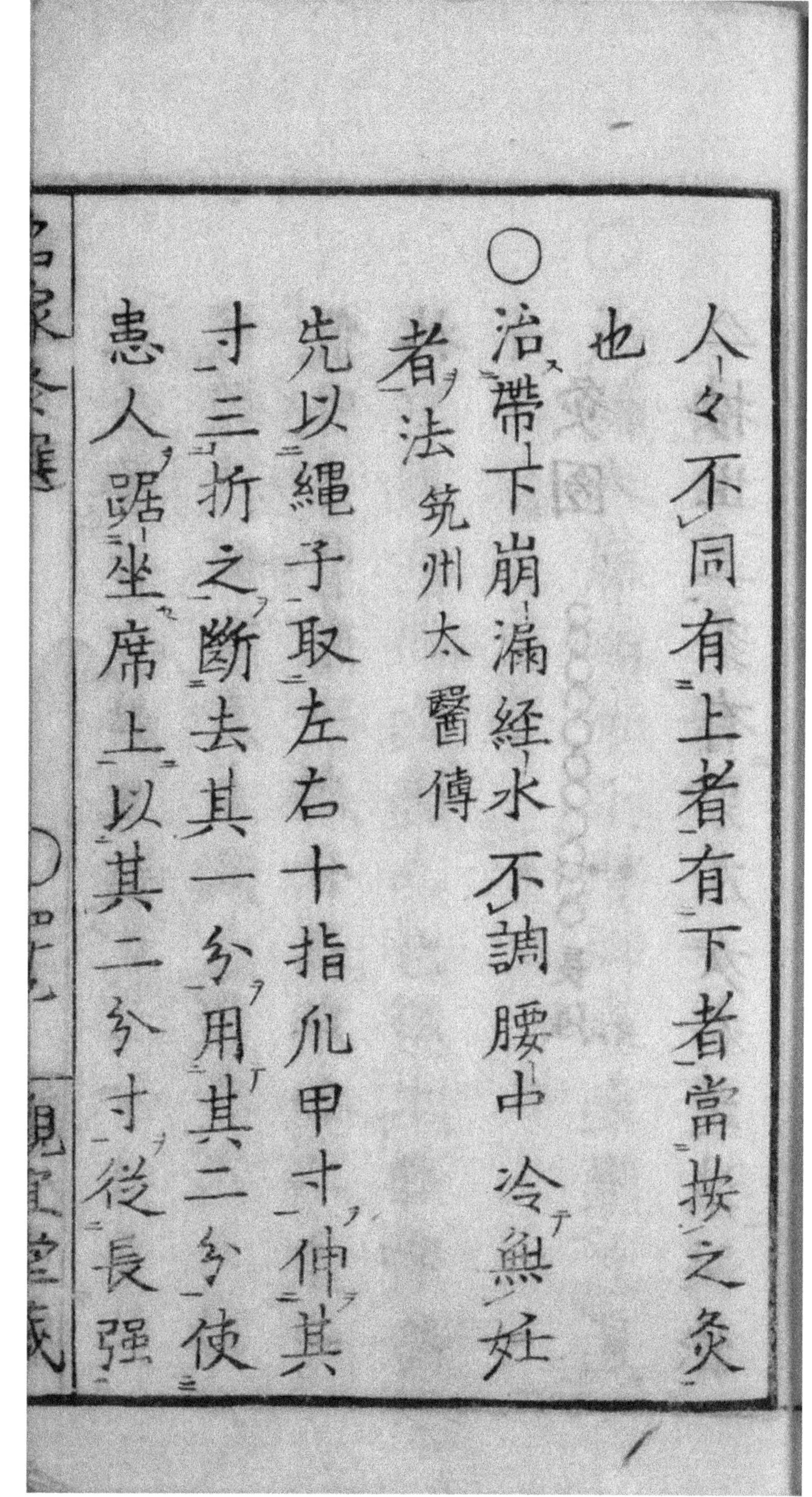

人々不同有上者有下者當按之灸
也
○治帶下崩漏經水不調腰中冷無妊
者法　筑州太醫傳
先以繩子取左右十指爪甲寸伸其
寸三折之斷去其一分用其二分使
患人踞坐席上以其二分寸從長強

名家灸選　觀宜堂藏

上直脊骨假點又折其二分寸直其折處於假點左右開盡處二穴又前假點左骨際一穴合三穴各二十一壯

灸圖

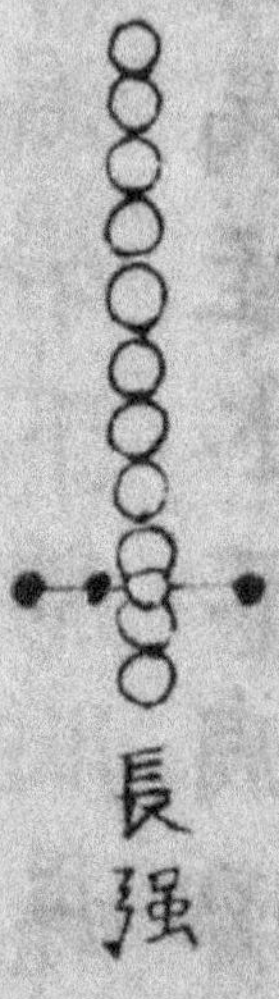

長強

△按世上多有男左女右之法此法

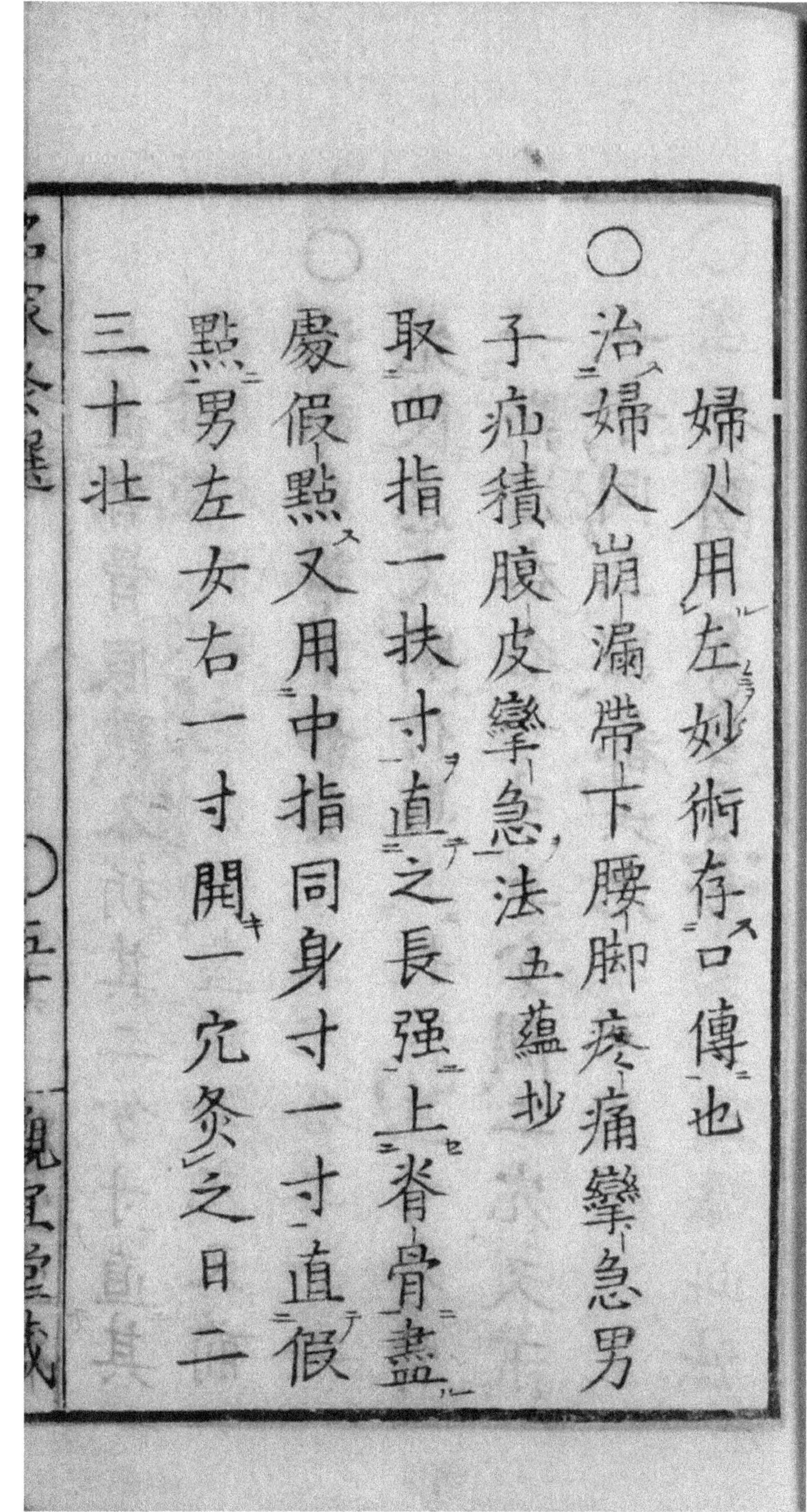

婦人用左妙術存口傳也

○治婦人崩漏帶下腰脚疼痛攣急男子疝積腹皮攣急法　五蘊抄

取四指一扶寸直之長强上脊骨盡處假點又用中指同身寸一寸直假點男左女右一寸開一穴灸之日二三十壯

灸図

○治赤白帶下妙灸 五蘊抄

先使患人騎竹馬上長強三寸脊骨一點左右各一寸五分開二穴又下一寸同三點都六穴

灸図

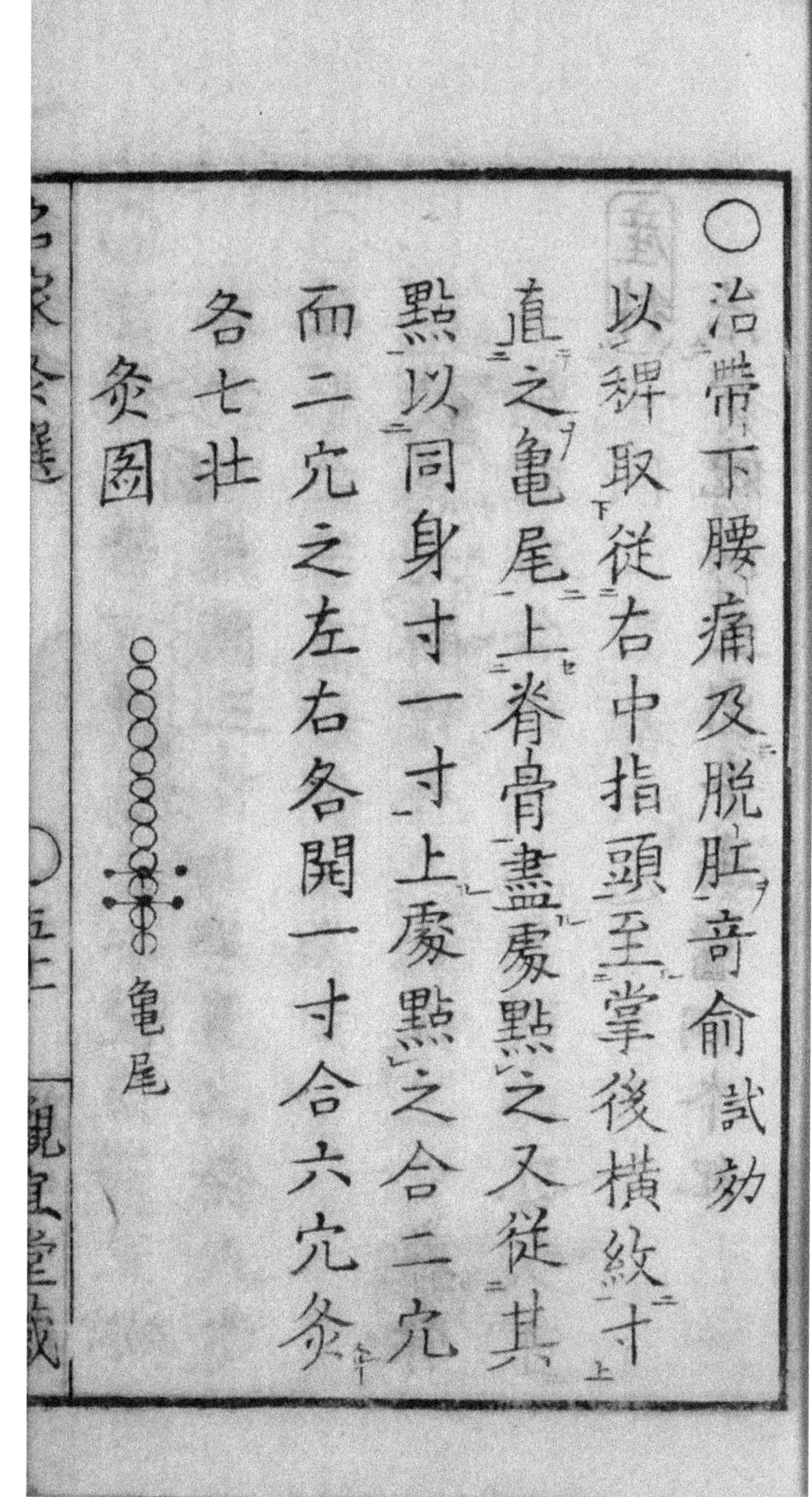

○治帶下腰痛及脫肛奇俞試効

以稈取從右中指頭至掌後橫紋寸直之亀尾上脊骨盡處點之又從其點以同身寸一寸上處點之合二穴而二穴之左右各開一寸合六穴灸各七壯

灸圖

名家灸選　五十二　観宜堂藏

○治婦人帶下腰痛甚小便澁滯法 試効

脊十九椎開三寸 即胞肓穴灸五十壯

千金翼云少腹堅大如盤盂胸腹中脹滿飲食不消婦人癥聚瘦瘠灸内踝後宛宛中隨年壯

產科

○治分娩横生出手法 醫綱本紀

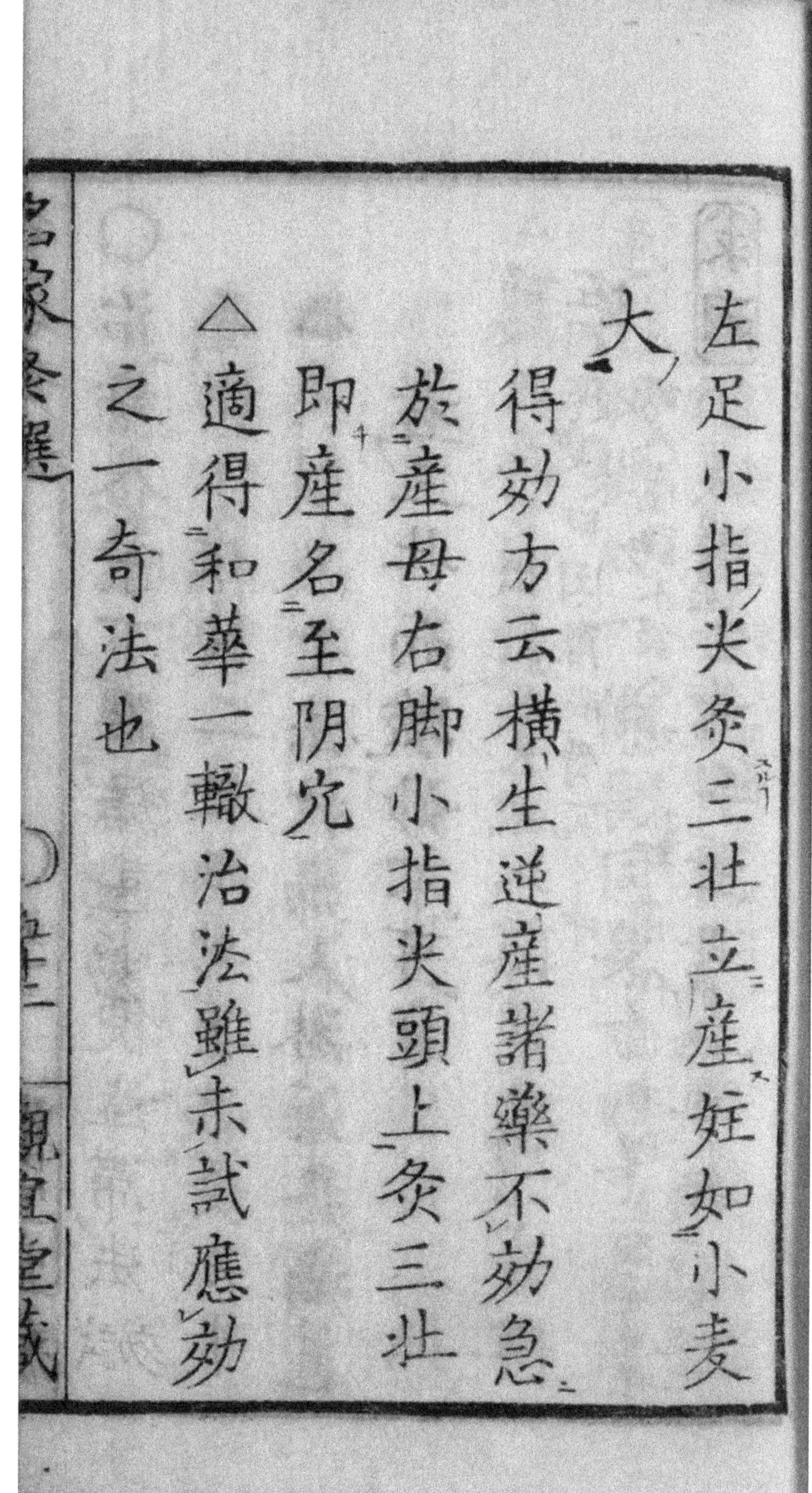

左足小指尖灸三壯立産妊如小麦大

得効方云横生逆産諸藥不効急於産母右脚小指尖頭上灸三壯即産名至陰穴

△適得和華一轍治法雖未試應効之一奇法也

○治產後陰下脫法 試効
灸臍下橫紋二七壯
△或以此灸法救婦人淋瀝疼痛甚
者三壯而驗妙不可言
△婦人逆產足出針足太陰入三分足入乃出針穴
在內踝後白肉際陷骨宛宛中

求嗣

△婦人產難不能分娩灸獨陰獨陰者即至陰穴至陰
即當是足小指也皆主治小腸疝氣心腹痛乾嘔吐
女人經血不調死胎胞衣不下

○治婦人無子或産後久不再孕法 醫鑑

先取稗心一條長同身寸四寸者使婦人仰卧舒手足以所量稗心自臍心直垂下盡頭處以墨點記後以此稗心平指横安前點處兩頭盡處是穴按之自有動脉應手各灸三七壯神驗

△通理穴足小指上二寸主婦人崩中及經血過多鍼入二分灸二七壯

○婦人求嗣法 醫學綱目

灸子宮在中極傍各開三寸三七壯

○治婦人姙子不成數墮胎者法 得效方

灸胞門二寸在關元左邊子戶在關元右邊二寸

各五十壯屢屢報之

△石關穴在心下二寸兩傍各伍寸灸五十壯主產後

兩脇痛不可忍

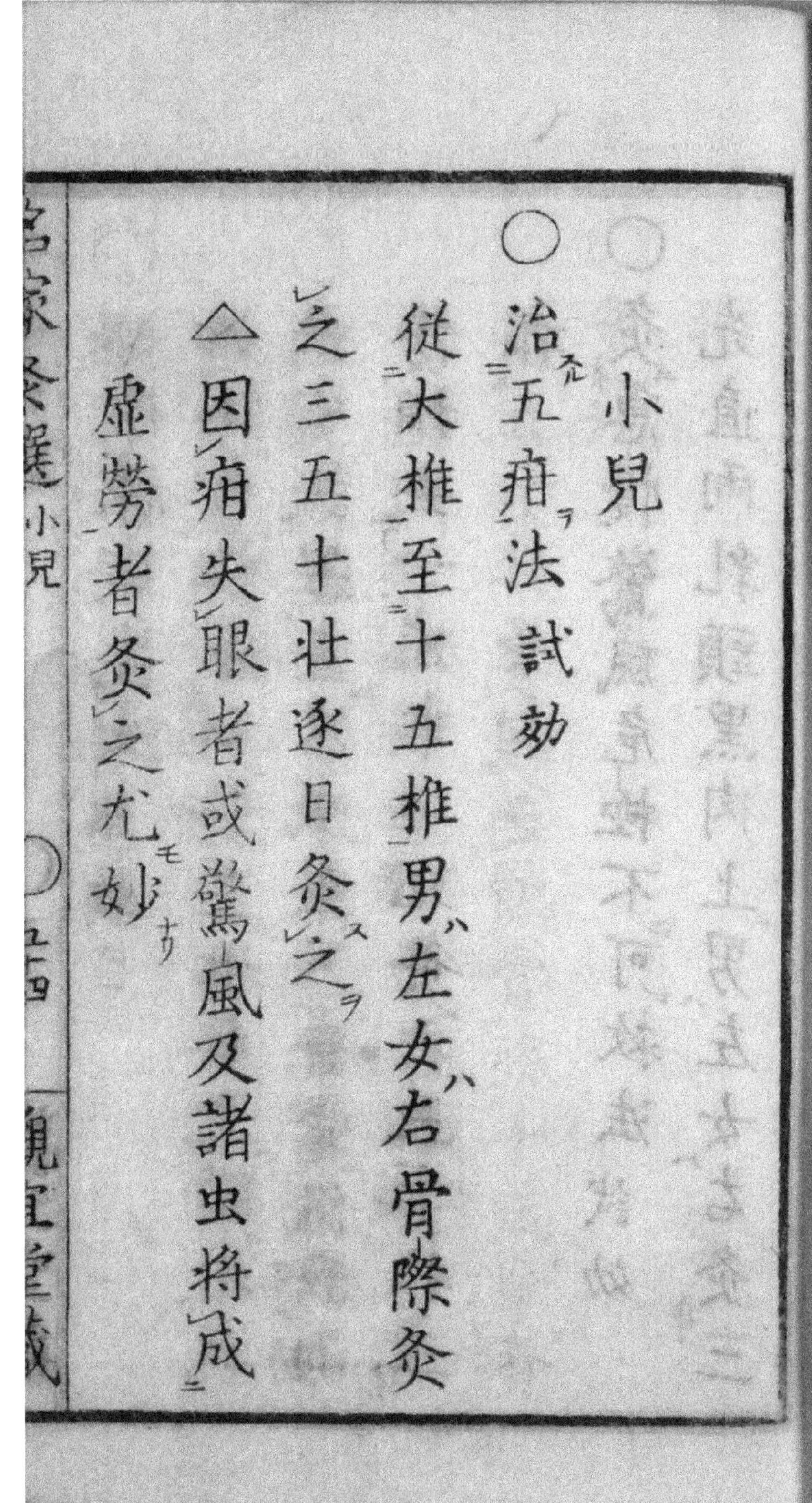

○小兒

治五疳法試効

従大椎至十五椎男左女右骨際灸之三五十壯逐日灸之

△因疳失眼者或驚風及諸虫將成虚勞者灸之尤妙

名家灸選　小兒

観宜堂蔵

○治疳眼目盲法 試効

取從大椎直分髮至鳩尾寸斷捨口横寸許還直結喉垂下脊骨假點兩傍相去一寸半二穴灸之三十壯三報

○灸急慢驚風危極不可救法 試効

先直兩乳頭黒肉上男左女右灸三

壮

○灸癖法　四春

小兒背脊中從尾骶骨將手揣摩脊骨兩傍有血筋發動處兩穴每一穴用銅錢三文壓上穴上以艾炷安孔中各灸七壯此是癖之根貫血之所也

小兒驚癇脊強反張灸大推

小兒癖灸兩乳下一寸各三壯

手大拇指去爪甲角如韭葉兩指並起用帛縛之當兩指岐縫中是穴又二穴在足大趾取穴亦如在手者治五痔等症當正發時灸之大効

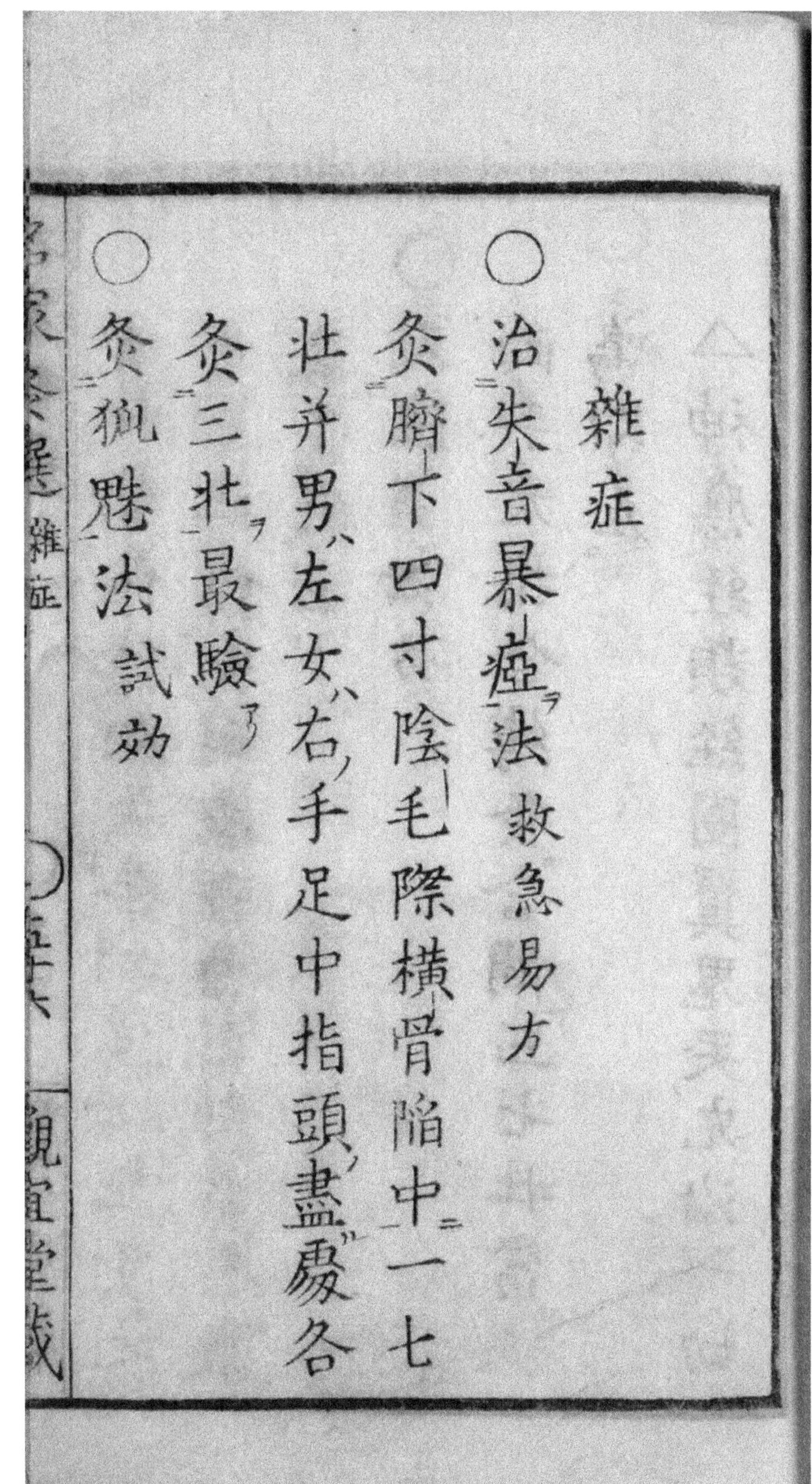

雜症

○治失音暴瘂法　救急易方

灸臍下四寸陰毛際橫骨陷中一七壯并男左女右手足中指頭盡處各灸三壯最驗

○灸猘𤢖法　試効

十一椎兩傍相去各一寸二穴灸之十五壯傳云此處强椎之則當有聚氣是徵也

○又法得効方

兩手大指合縛灸合間三七壯當狐鳴即差

△神應經類經圖翼鬼哭穴治一切

邪祟妙々同此法

○灸狂犬毒法 試効

凡狂犬咬人當先鈹鍼去悪血仍灸瘡中十壯逐日灸之至百日乃止

△按資生千金銅人皆於咬牙跡上灸之其他蛇蝎蜈蚣蜂蠆被螫即於傷處灸之引出毒氣尤妙

○治腋下狐臭灸法　試効

先以剃刀除去腋下毛使患人擧手擦粉錫而須臾則有一竅有汁氣出處此臭氣之所發也於其竅灸之左右各十五壯雖重三報則愈

附錄敷灸

凡隔藥灸法與藥熨饅藥之法相近而奏効亦同要之徒取一時之快而已未能根治病原然亦救急之一術而已舉予所試効之法示之

○隔蒜灸法 試効

凡癰疽發背諸瘡癤疔瘡便毒不論

痛不痛潰未潰痛者灸至不痛不痛者灸至痛有益無損瘡瘍家通治之良術也

以蒜搗泥以厚紙鋪放艾火灸之熱透至不勝則以鋪紙引之換易瘡上或有用蒜瓣者然未及蒜泥為勝也

△千金云一切瘰癧在頭上及觸處

但有肉結疑似作瘻及瘰癧者以獨蒜截兩頭留心大作艾炷稱蒜大小帖癧子上灸令破肉但取熱而已七壯一易蒜

○豉餅灸法千金方

治發背及癰腫已潰未潰用香豉三升少與水和熟擣成強泥依腫作餅

子厚三分已上有孔勿覆孔上布鼓餅以艾列其上灸之使温々而熱令破肉如熱痛即急易之患當減快得安穩一日二度灸之有瘡孔者孔中得汁出即瘥

△按邦俗稱味噌灸用之多療霍亂腹痛及小兒虫腹痛者多矣與上

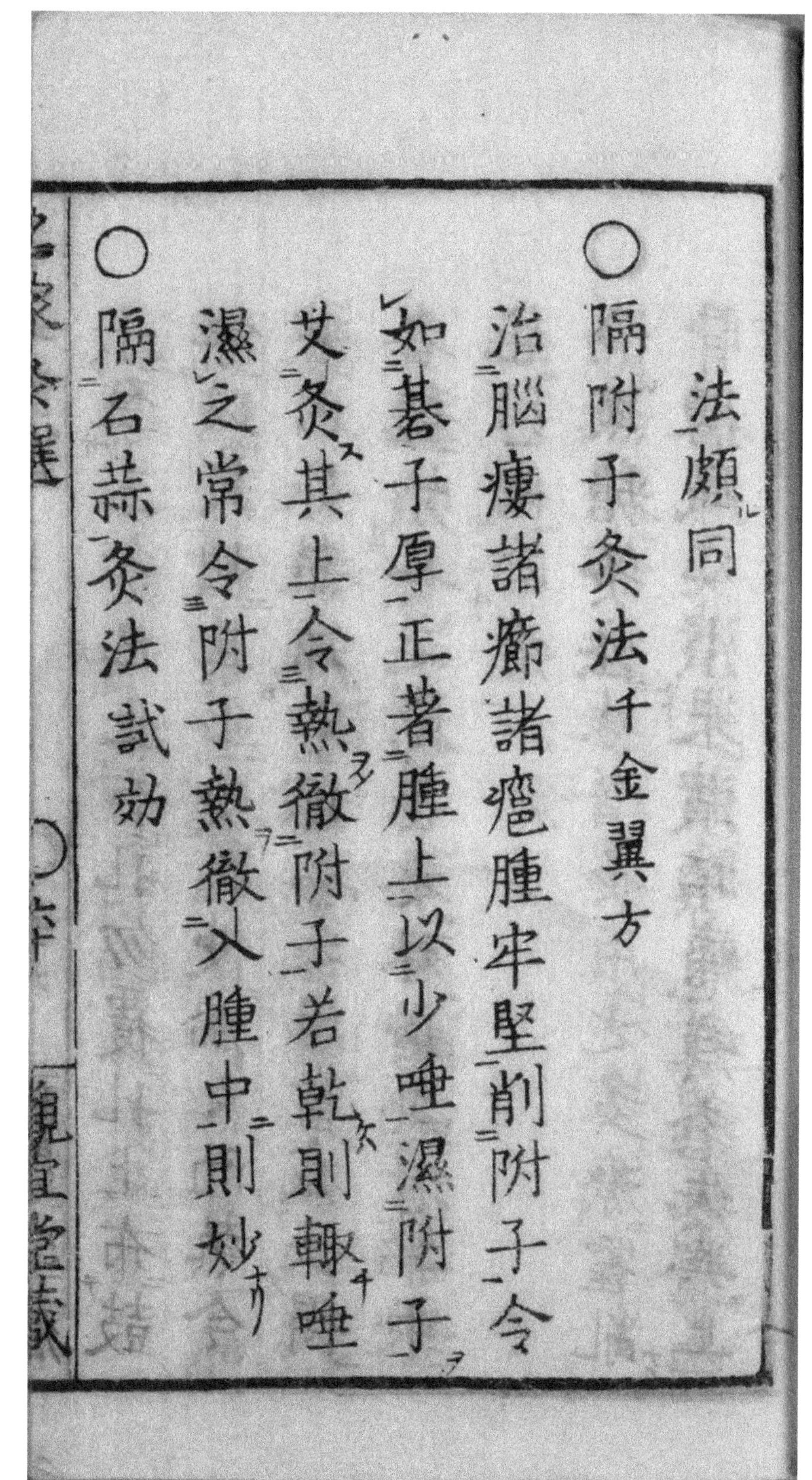

法頗同

○隔附子灸法 千金翼方

治腦瘻諸癧諸瘡腫牢堅削附子令如碁子厚正著腫上以少唾濕附子艾灸其上令熱徹附子若乾則輒唾濕之常令附子熱徹入腫中則妙

○隔石蒜灸法試効

凡結毒疼痛甚者頭腦痛如破者或項腫結核牢堅水腫脈症腰臂脾痛者石蒜根以薑擦研泥鋪厚紙上於各處頻灸之則甚奏殊効不可舉數也

○隔黑糖灸法

骨槽風已潰未潰項瘰癧瘻瘡疼痛甚

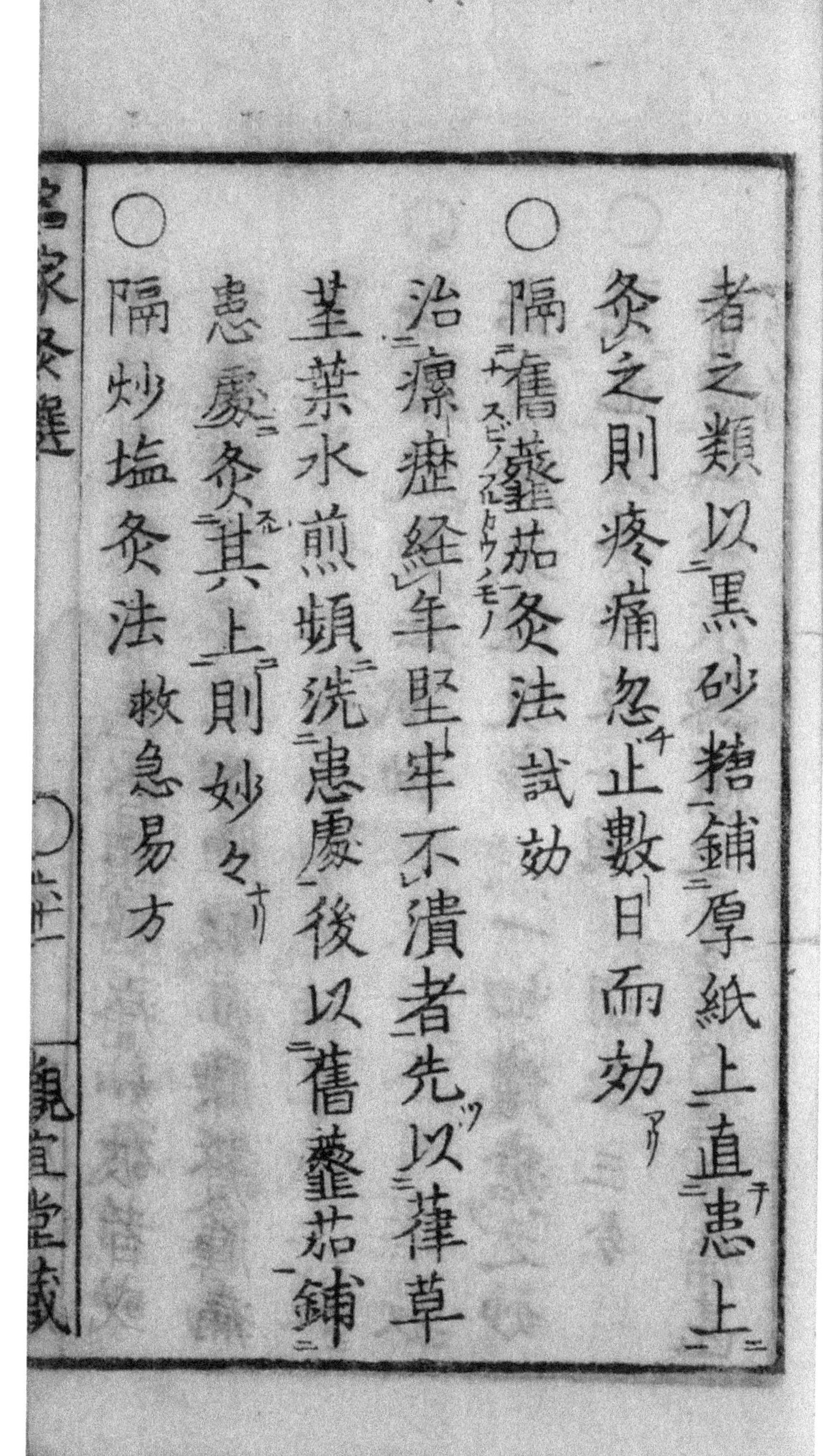

者之類以黒砂糖鋪厚紙上直患上灸之則疼痛忽止數日而効

○隔舊蘿菰灸法試効

治瘰癧經年堅牢不潰者先以葎草莖葉水煎頻洗患處後以舊蘿菰鋪患處灸其上則妙々

○隔炒塩灸法 救急易方

名家灸選

治霍亂腹痛或久泄瀉及疝氣腹中急攣塡炒塩於臍中頻多灸以愈為度

○隔藥豉灸法 試効

治瘰癧氣腫及痔疾一切瘻瘡之妙法也

三年豉一錢 胡椒三分 青苔一分 鯨魚三分

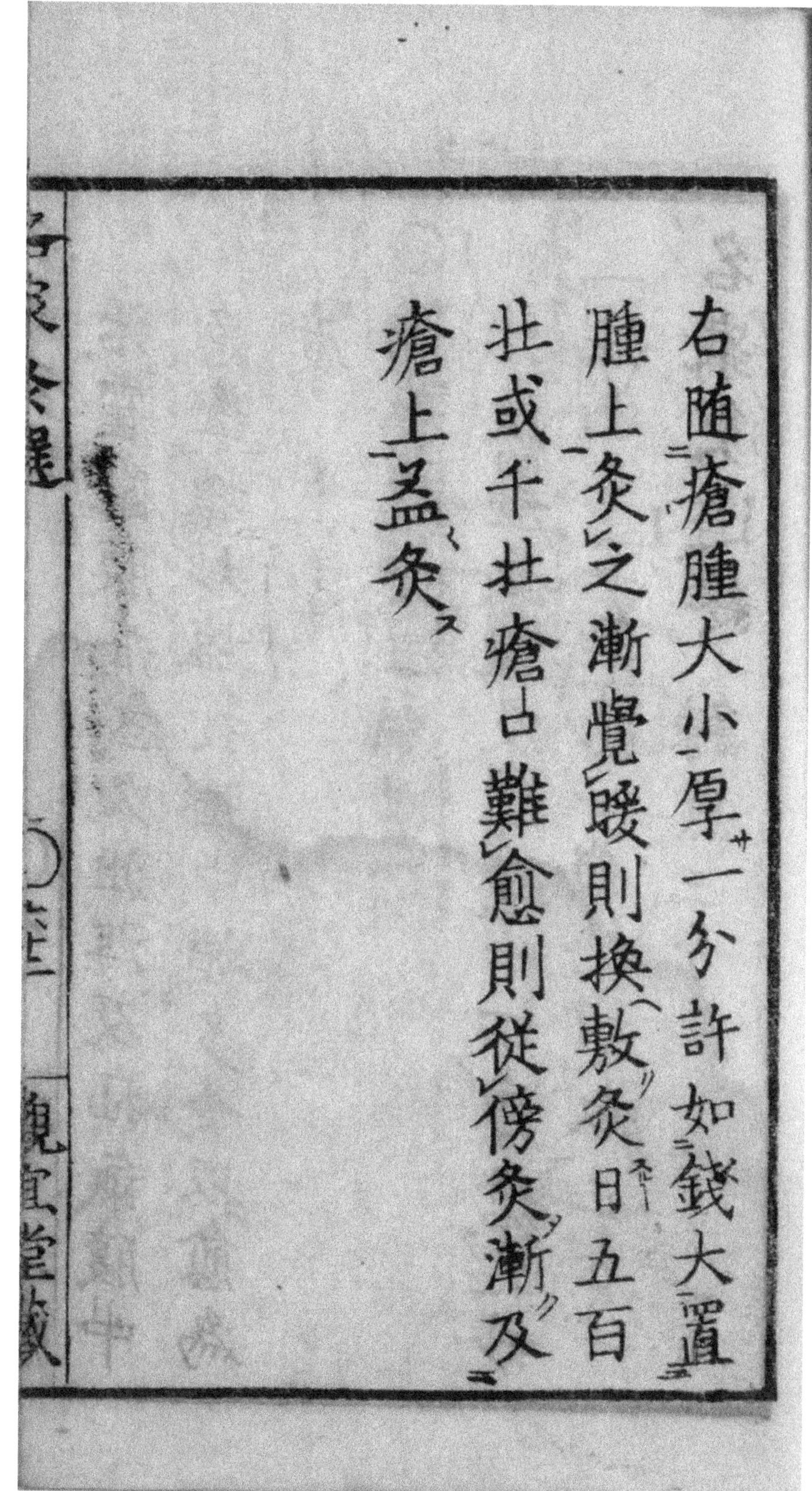

右随瘡腫大小厚サ一分許如錢大置腫上灸之漸覺煖則換敷灸日五百壯或千壯瘡口難愈則從傍灸漸及瘡上益灸

名家灸選 觀宜堂藏

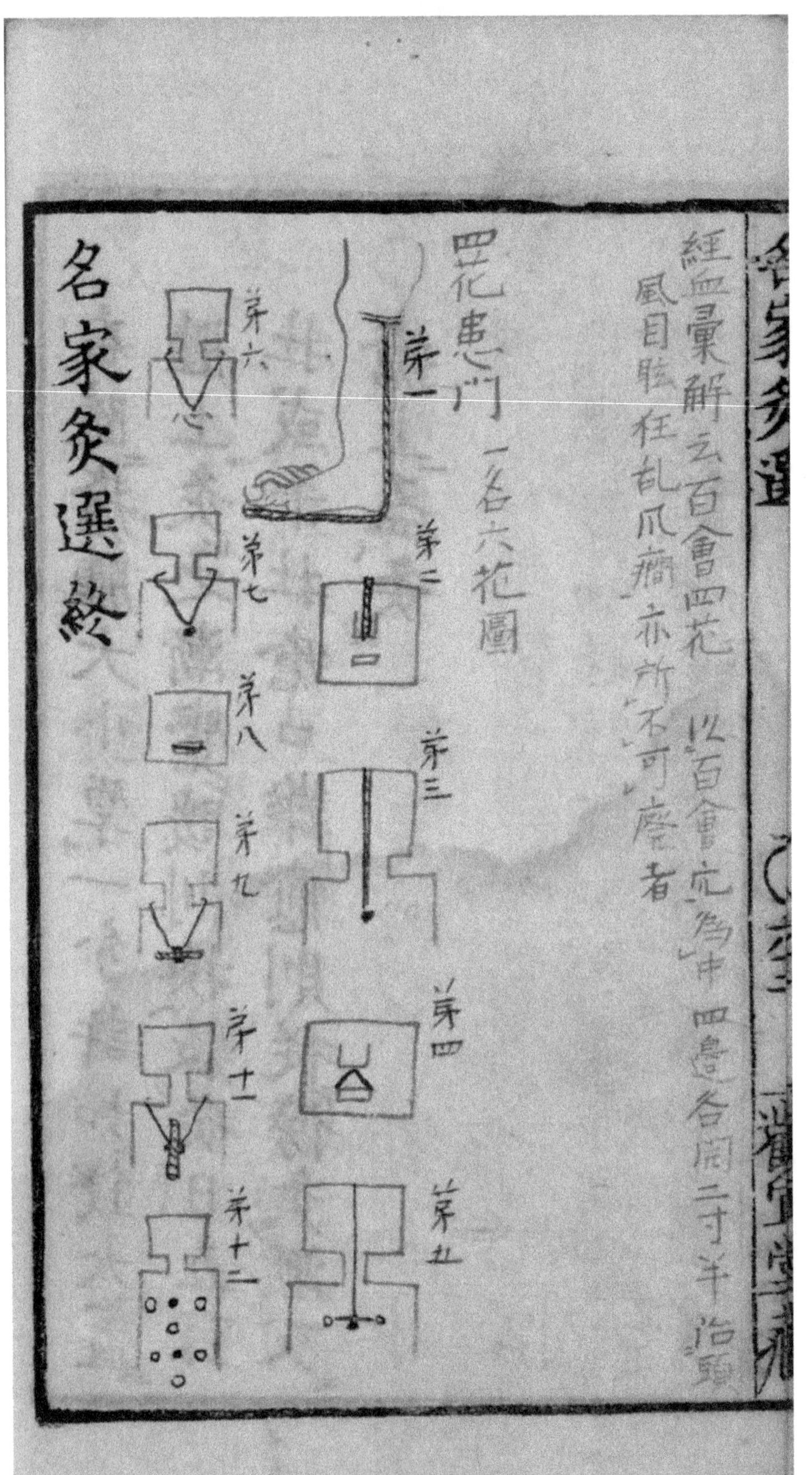
名家灸選
經血彙解云百會四花　以百會穴爲中四邊各開二寸半治頭風目眩狂乱風癇亦所不可廢者
四花患門　一名六花圖
第一
第二
第三
第四
第五
第六
第七
第八
第九
第十一
第十二
名家灸選終
觀宜堂藏

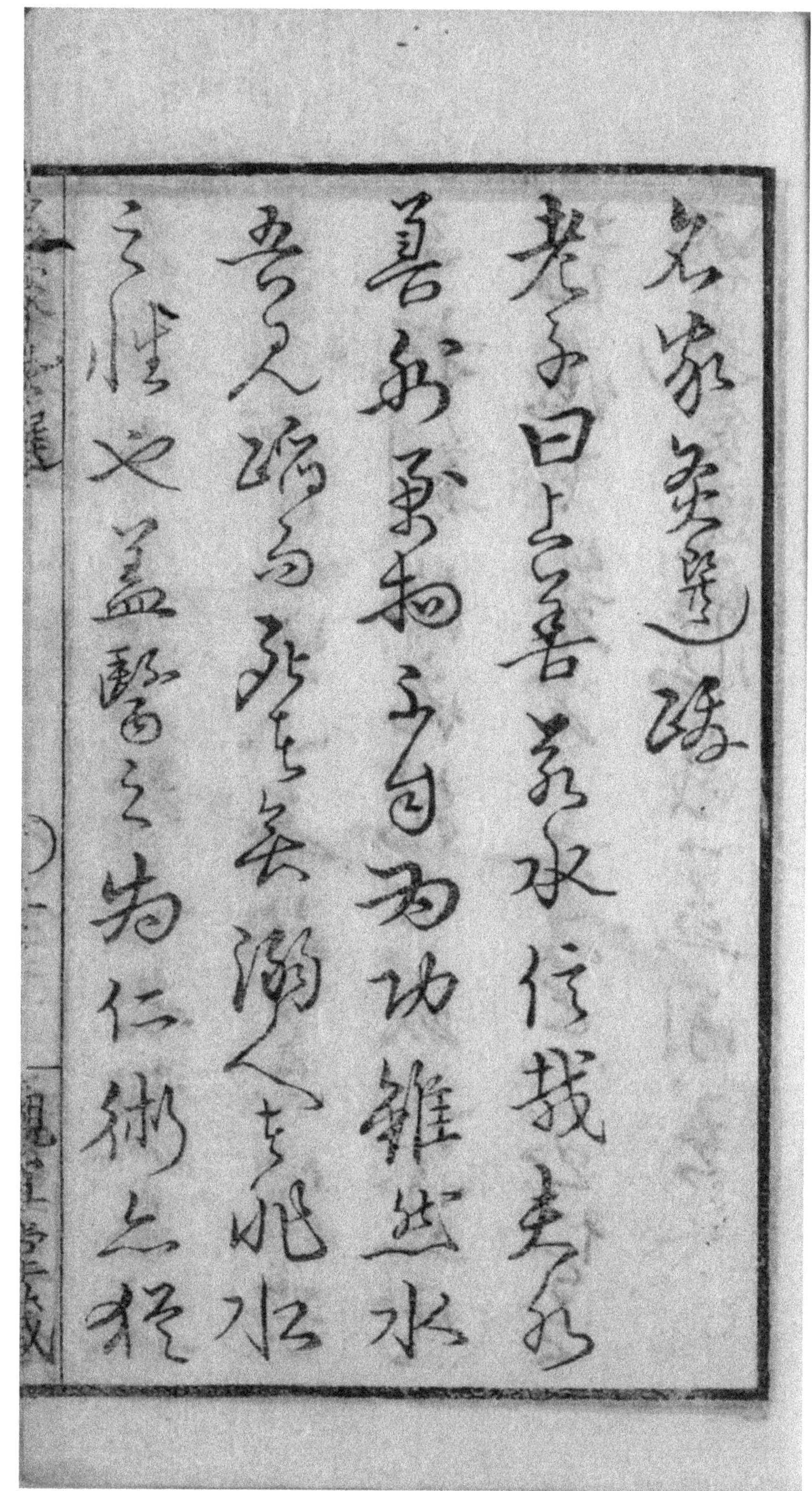

名家灸選序
老子曰上善若水信哉夫水
善利萬物而自為功雖然水
吾人蹈焉死者矣溺人者非水
之性也蓋醫之為仁術亦猶

余家世々以業醫者名更家技
自以為足出以奇技之能說
而援劍治病能不或求然乎
悲療之策未有意焉之心至仁之
一而不惜哉蓋聞矣

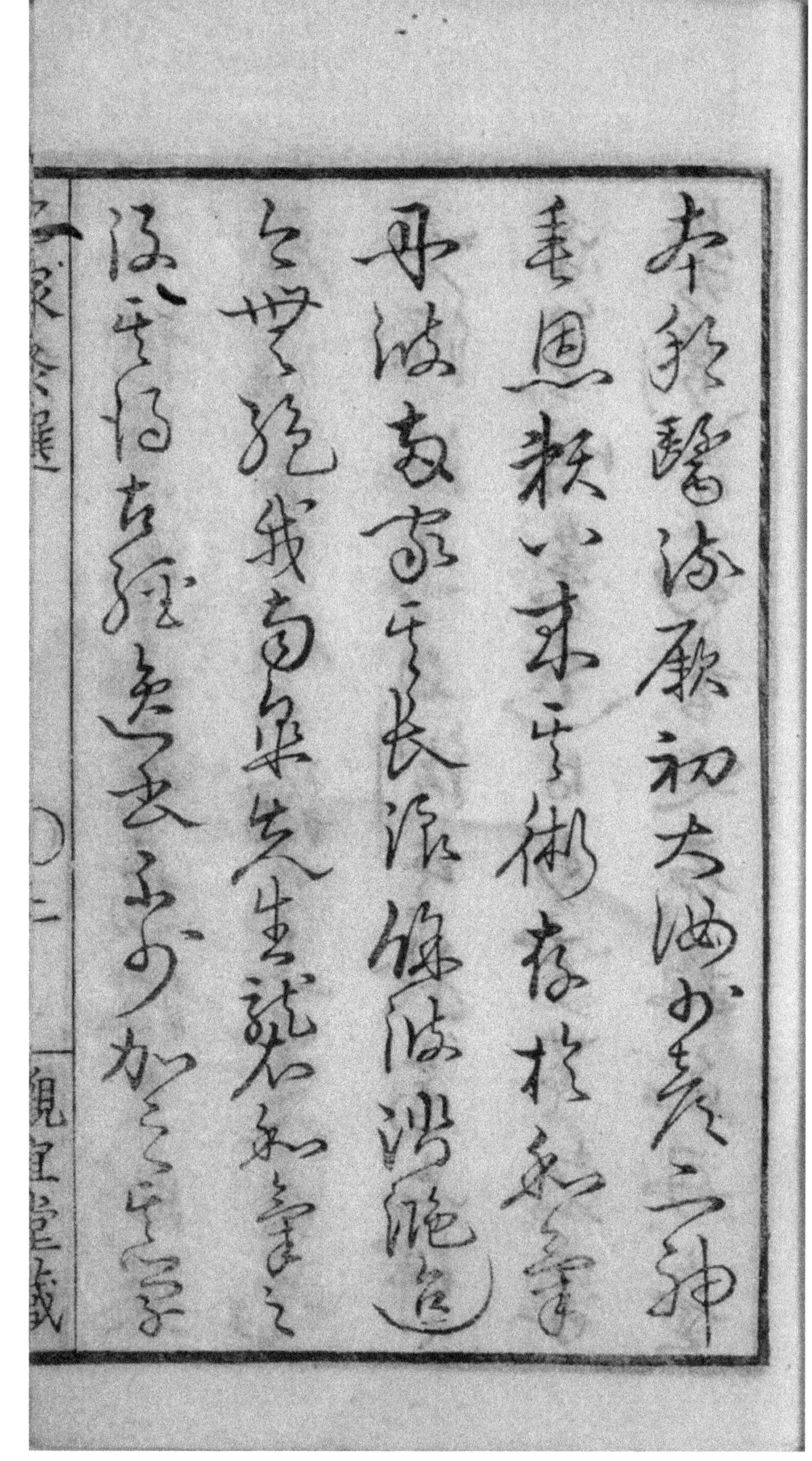

之博覽源委靈樞針經又

學涉丹尼而[illegible]書者[illegible]

以終涵來日瀏覽與法律之

予至味矣遂日以多蒙善名家

癸丑遂正月書於京都和田[illegible]

樓之桃花寺及諸家試驗乃
嘗讀古驗讀之瞭然不勤厭
謂善之者若此嘆之與凡矣
焫家之爲領首而來壽和高
之君先生之子自偐焉以之子

名家灸選　三　觀宜堂藏

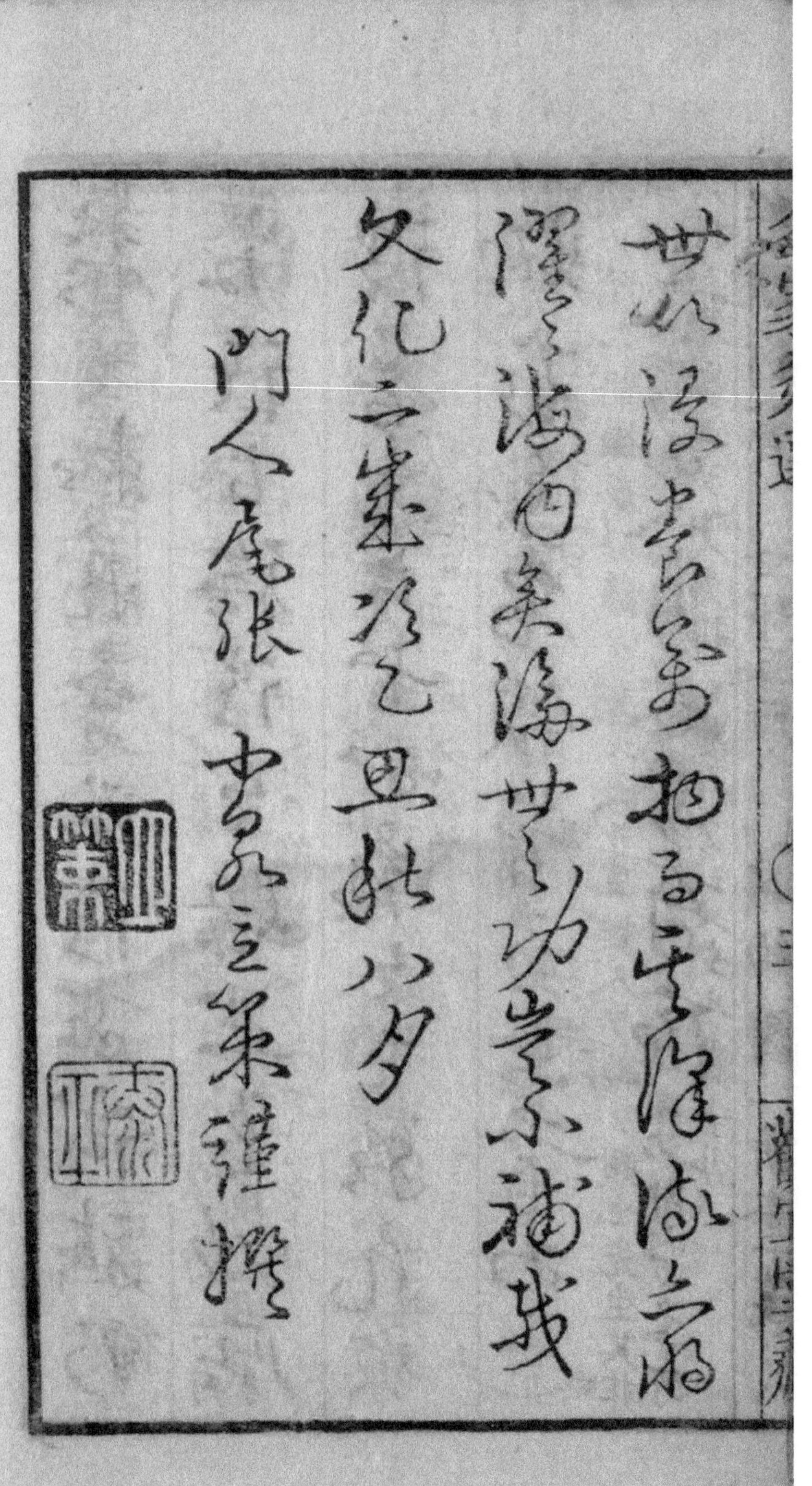

[illegible]
[illegible]豈不補哉
文化二年乙丑秋八月
門人尾張[illegible]謹撰

聚寶閣藏版醫書之部

京衣棚通姉小路上ル町　西村吉兵衛

黴瘡約言　淺井南皐先生著　二冊

此書ハ先生家方ノ薬剤ヲ以テ下疳便毒ヨリ一切黴瘡結毒類ヲ治スル方則ヲ簡約ニシテ示シタル書ナリ

黴瘡祕錄　明陳九部著　二冊

此書ハ明ノ陳九部奇方ヲ以テ黴瘡結毒ノ類ヲ治スルノ法ヲ述タル者ナリ

黴瘡祕錄標記　淺井南皐先生著　二冊

明ノ陳九部黴瘡祕錄ヲ著ス大ニ虛誕人ヲ欺ノ類也先生其非ヲ正シ其説ヲ評シテ標記ヲ加ヘタルナリ且ツ原書ノ鮮シガタキ所ハ村上君傍注ヲ加ヘテ辨シ易カラシメタル書ナリ

解體新書　全部五冊　同約圖　折本一箋

黴瘡鄙言　壹冊

醫方口訣頭書三冊

黴瘡祕錄別記　淺井先生門人　村上等順著　壹冊

此書ハ祕錄中ノ生々乳金鼎砒神水及ビ黴瘡必用ノ藥ロ傳ヲ得サレハ製シガタキモノ、類ヒ國字ヲ以テコレヲ造ルノ便法ヲ知ラシムルナリ標記ノ本ト合帙トナシテモ行ヒ又別本ト為テモ行フナリ

名家方選　淺井先生著　壹冊

此書ハ先生少カリシ時諸家之祕ヲ採リ集成シテ蔵シ置タルモノナリ

續名家方選　淺井先生門人　村上等順著一冊

此書ハ諸家經驗ノ奇方名方ノイチジルキモノヲ集テ初編ノ漏タルヲ補フ

名家方選三編

淺井先生門人
平井主善著一冊

此書ハ諸名家經驗ノ名方初續二編ニ遺タルヲ拾ヒアツメタル者ナリ

名家灸選

淺井南皐先生著　壹冊

此書ハ古ヨリ鍼灸ノ書ニ載ザル古傳ノ名灸又ハ諸名家ニ祕シテ世ニアマネク知ラザル灸アルヒハ又諸書ニ散見シテ經驗アルモノ多クハ其法ニヨリテ輸穴ニカヽハラザル者ヲ輯メ錄シタルモノナリ

續名家灸選

淺井先生門人
平井主善著一冊

此書ハ諸名家又ハ田家ノ俗中ニ祕シテ人ニ傳ザル名灸ナドヲ集メテ前編ノ闕タルヲ補フ者ナリ

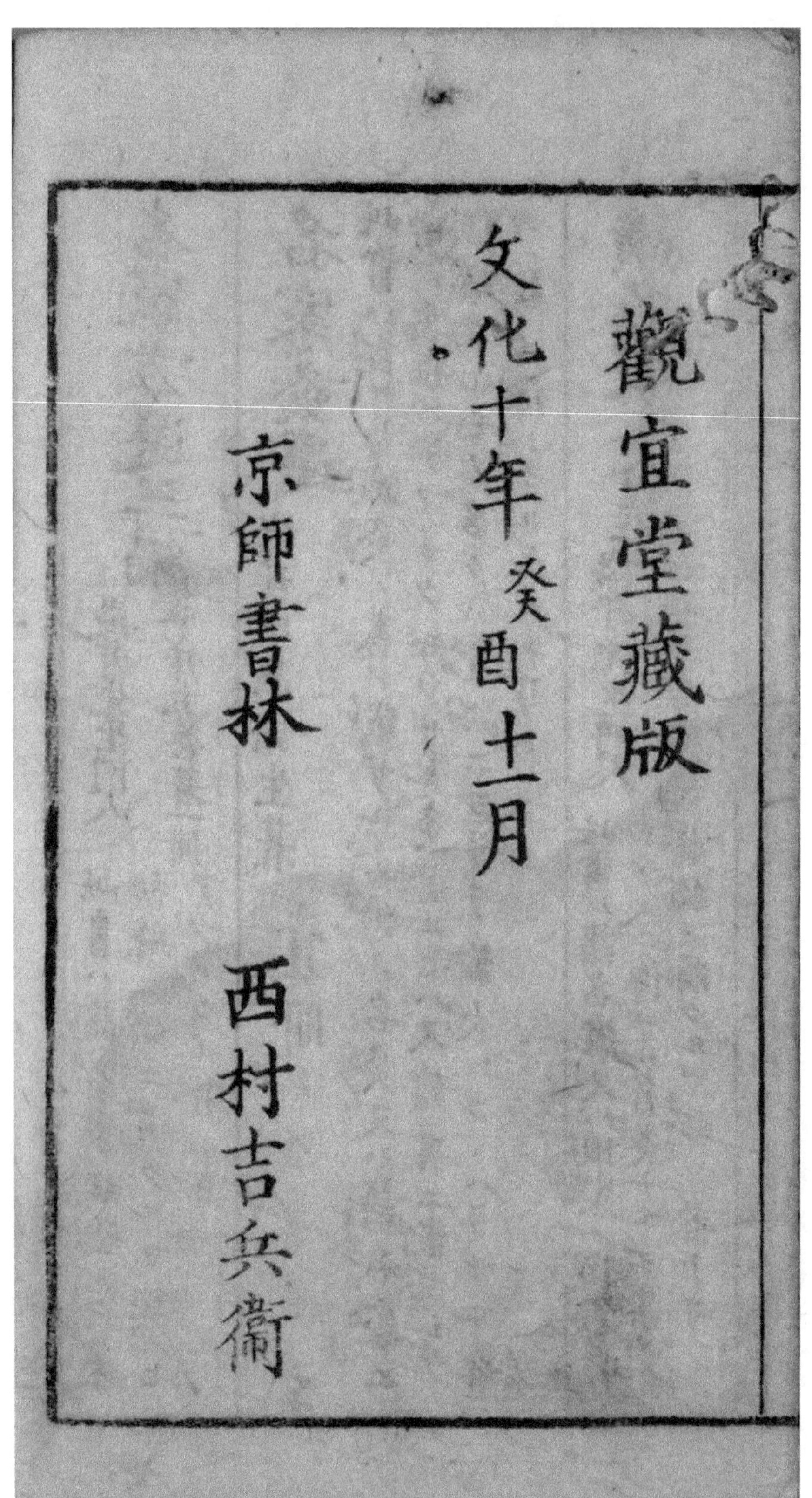
觀宜堂藏版
文化十年癸酉十一月
京師書林
西村吉兵衛

安藝
寓士川藏書

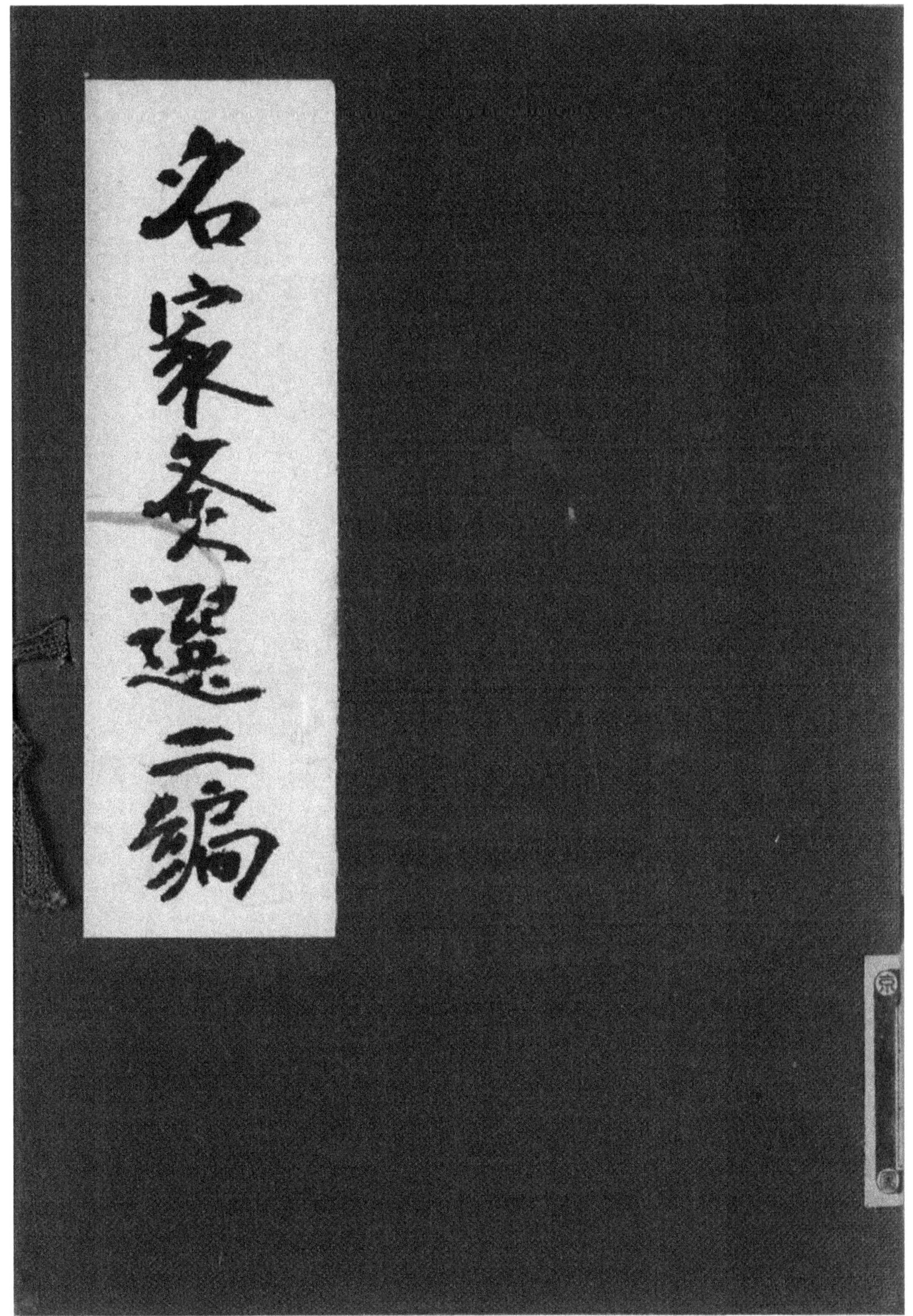
名家灸選三編

名家灸選二編

名家灸選三編　完
富士川本
メ
4

續名家灸選序

夫七年之病求三年之艾者不足以灼其病何則病久而攻病者未久也並之欲灼病者

不知灸以灼病之道而且用不足以灼病先是使人徒忍不可忍之熱耳乃若其甚者易焉灼無病之肌膚曰我能灼熱於

之病豈知肌膚焦爛血肉枯涸
殆者至弱弱者至不可救藥也
耶予幷子謹氏竊有戒懼之
心於是索前哲之隱補其師

之闕以編書一卷名曰續名家灸選將以使世之灼病者知七年之病無求三年之艾與其所以灼病之道會其於

款亭之才壽世之澤亦豈
鮮少乎哉及其上梓丐序於
主一因弁其端以數語云
文化三年丙寅冬十一月

續名家灸選序三

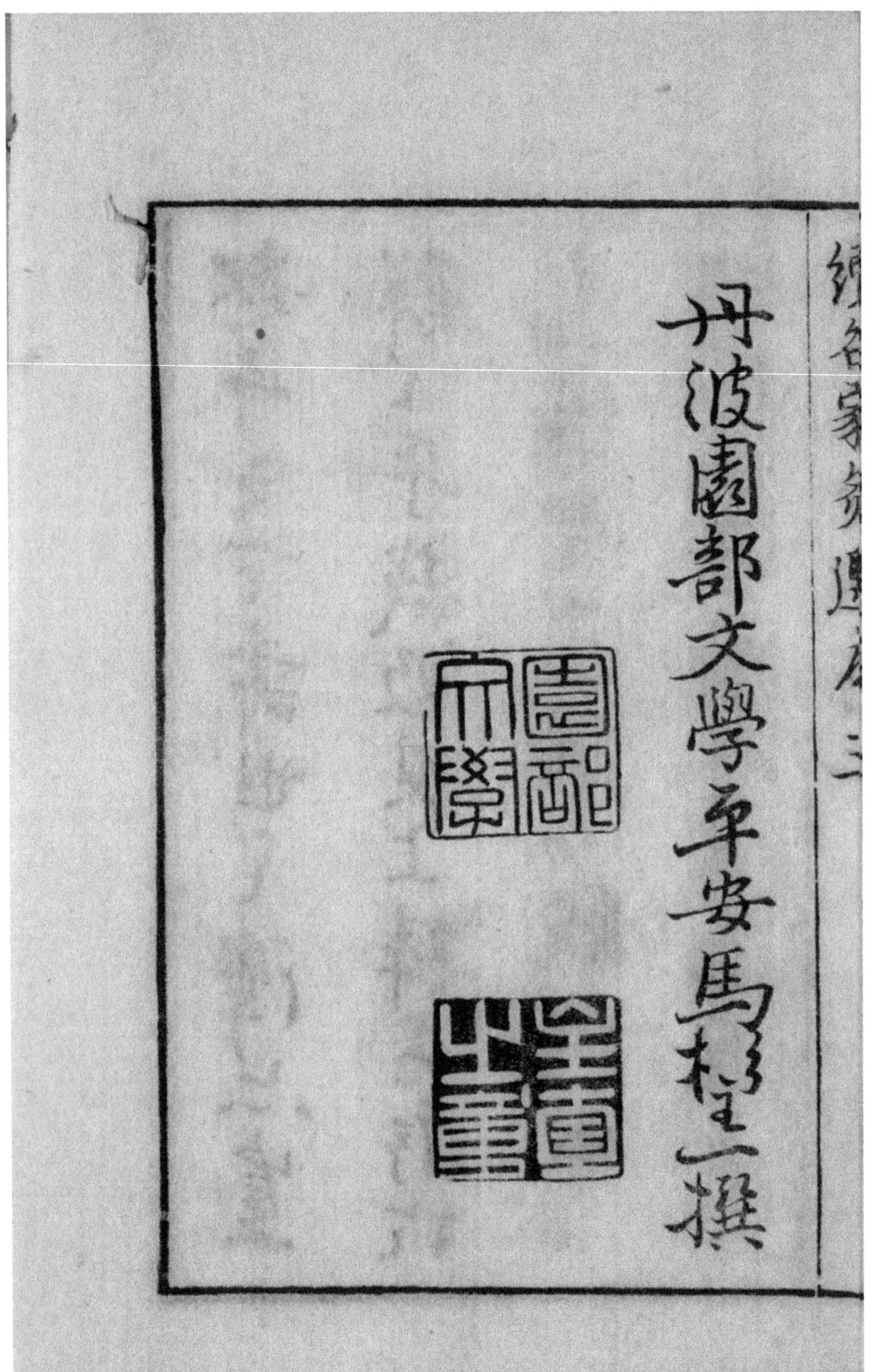

續名家方選卷之三

丹波園部文學平安馬柽一撰

續名家灸選序

丹州平井庸信以之最

醫而信吾祖業者也頃著

續名家灸選丐敍于予嗚

呼此舉也灸法大備實醫國之仁救民之術孰不嘉尚邪因書簡端以還之云

文化歲在丁卯四月

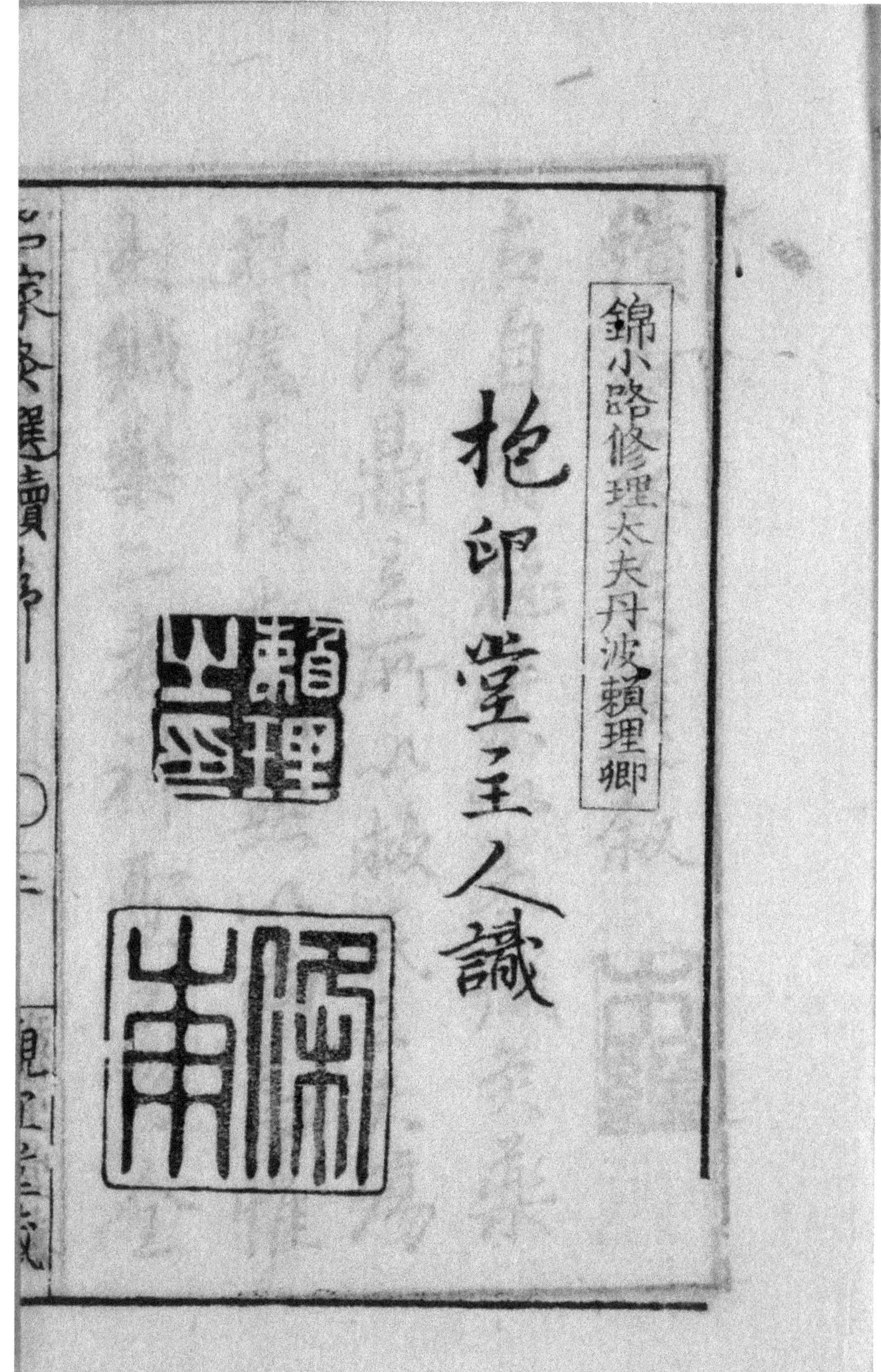

錦小路修理太夫丹波頼理卿

抱印堂主人識

續名家灸選叙

古自有樞素以來鍼灸藥三法鼎立所以救民之夭殤札瘥之法大備無以尚焉惟夫鍼藥二者神聖工巧全

備詳書唯其所取故曰醫者意也如灸病一途又頗有要矣有良工家其病様定其點法星火須刻則起癈愈痼肉瘠

蘇殼者不可舉數也而吾本邦古醫之所傳及遠境草莽之俗所秘反得至要者間有之予深憾其傳

之不廣焉是以名家遍
探廣索蒐選名家灸法以公
于世再卅年子謹深慕其
舉今又輯其散逸拾其
遺漏以作續編名曰子謹

脩術于鍼于藥莫不精密其於灸法亦如是之爲可謂具醫家之鼎趾者也於是乎言

文化四年丁卯五月

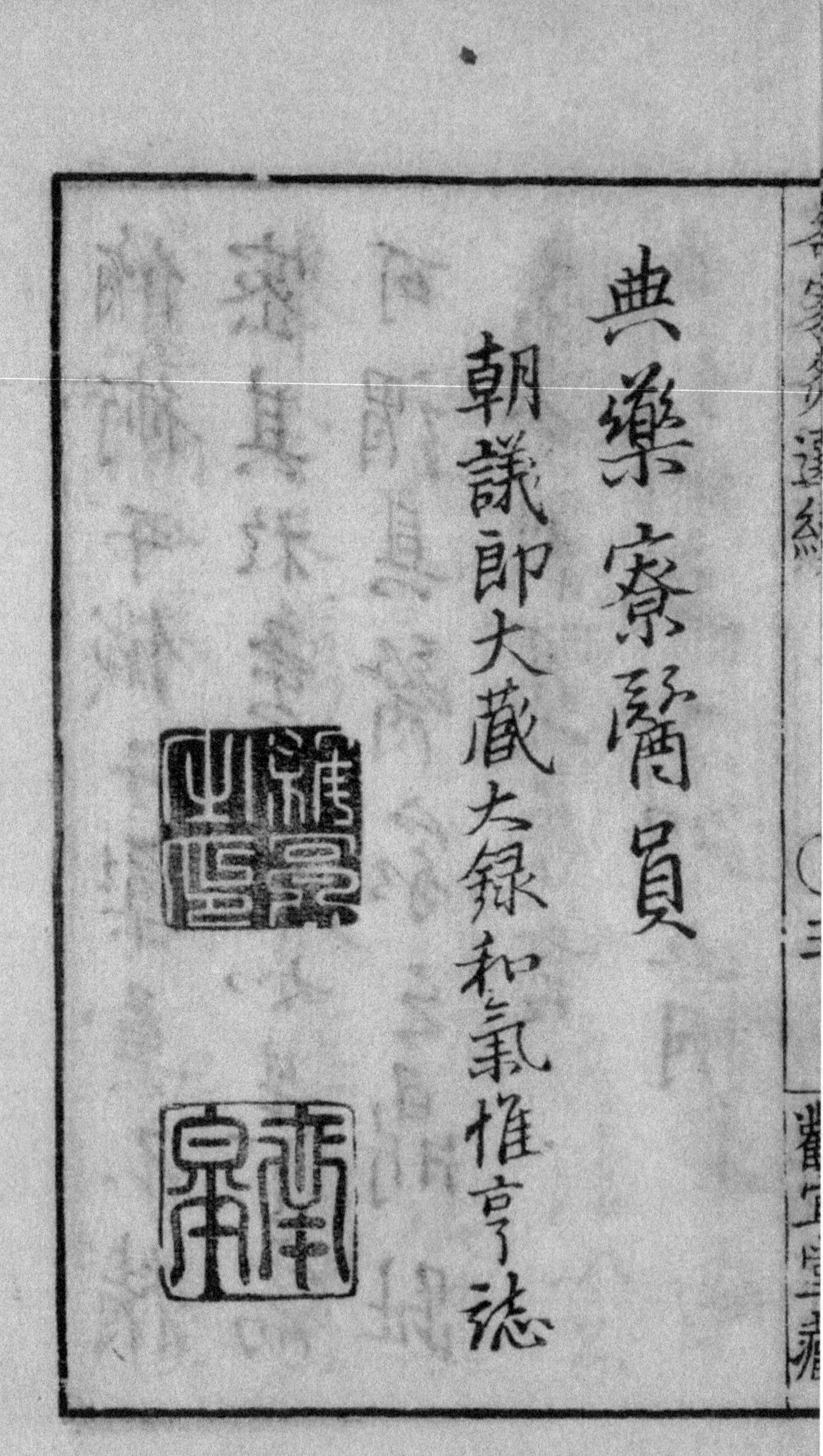
典藥寮醫員
朝議郎大藏大録和氣惟亨誌

總論

題言

往余學脉術於濃陽岐山河田先生而診得世多有因火為邪者遂懲羹吹虀絶不用灸焫一日竊謂孫真人有言若鍼而不灸灸而不鍼皆非良醫也鍼灸而不藥藥而不鍼灸尤非

良醫也夫治病之法有導引行氣膏摩鍼刺灸焫飲藥之數者能併用之而可謂良而已於是惽然覃思於鍼艾有年矣而鍼刺之道補瀉迎奪隨濟之法實為難矣世雖無明師人豈乏良材若夫性質安靜心思審諦刻意於墳典則能得窺其精蘊乎然人

各有䏻明目者可使視色聽耳者可使聽音其可使行鍼艾其可使導引行氣其可使按積抑痺者各得其䏻方乃可行耳若彼許學士見熱入血室已成結胸當刺期門者曰予不能鍼請善鍼者鍼之要之惟在䏻知其治法矣然則焉責備於一人乎灸炳

也者因證按穴心思詳諦則得之執乜者人人可華行之其十二經十五絡三百六十五俞及其切要之孔穴諸鍼灸之書可屈指吾　南皐先生採摭　本邦古遺法選名家灸法予又傚嚬輯錄其逸漏者以續貂尾示之子弟輩矣

一千金方云凡點灸法皆須平直四體無使傾倒灸時孔穴不正無益徒破好肉耳若此編所輯最多繩子度量之法依體之拳縮其差何惟毫釐乎哉殊要令平正或謂予曰孔穴也者其大法而已經絡府俞皮膚之外何得詳審乎惟灸骨隙則不中法度

又能奏效矣譬如鄉鄰遺火誰夫可以不驚騷乎曰阿是穴者適足治少病其他古法取五穴用一穴而必端取三經用一經而可正何其可失毫毛乎若予言則何啻誤孔穴乎哉又必灸不可灸者是盲醫瞎灸古所謂一徒寬炷務大也令予前吹虀者是而

已

一本邦之俗称養生灸寒暑之交或時時灸背俞及足三里蓋生質壯健陽氣充實無病之人灸之乃所謂壁囊添拄誅伐無過者也然以脉術腹診徵之則雖平素不病之時男子則寒疝積聚女子則帶下癥瘕或心虚痰

欝等症有宿疾者治々是也經曰陷下者灸之又曰陰陽虚者火當之以上諸症皆因心氣虚耗陽氣陷下血氣欝滯寒濕留着而得之須量其宜時々灸之散寒邪除陰毒開欝破滯助氣囬陽以防其未然則治未病之一端也奉生者豈其忽之乎

一明堂曰凡灸先灸上後灸下凡先陽後陰是灸法當然之理也古法灸四花患門者灸足三里寫火于擴此法凡灸腹背諸穴者皆灸足三里五七壯以使引火氣於下不上衝是試驗之良法也

一凡壯數多寡須因丁壯羸弱消息之

不可膠柱守株灸久病者或一二臘或至一二月若厭壯數多者初灸之起自八九壯日增二三壯漸至三四十壯又復初此法尤良矣

一凡治沈寒痼冷虛勞骨蒸淹病滯疾者灸之或一二臘或一二月而見效矣古灸法或隔日二三報或數報之

而未有一二月灸之者若一切久病則非二年報之所能治也本事方曰七年之病求三年之艾久而後知耳許学士不取陳艾之義謂無其速效者

一資生曰凡着艾得瘡發所患即瘥若不發其病不愈蓋灸之四邊紅暈灸痂蒼蠟光次如好瘡痂二三日少發

瘡者是内熱甚病為佳兆矣若老灰色無紅暈者必不發瘡或發水泡隨乾枯皆内有痼滯之候或毎灸大發瘡經久不愈者是濕熱内畜之候皆宜預藥餌以防未病矣

一凡例從初編故不贅于此

平井庸信誌

續名家灸選目次

中風　虛勞　勞瘵

注夏病　癲癇　狂　失心

痰飲　瘰癧

腫脹　黃疸

急需病　四十丁

卒厥　青筋　中惡　霍亂

卒中風　中寒

瘡瘍病　五十七丁

癰疔諸悪瘡　瘰疽頭面瘡腸癰

雜證　六十三丁

打撲　狐臭陰臭　癜風　癬瘡

通計百二十四法

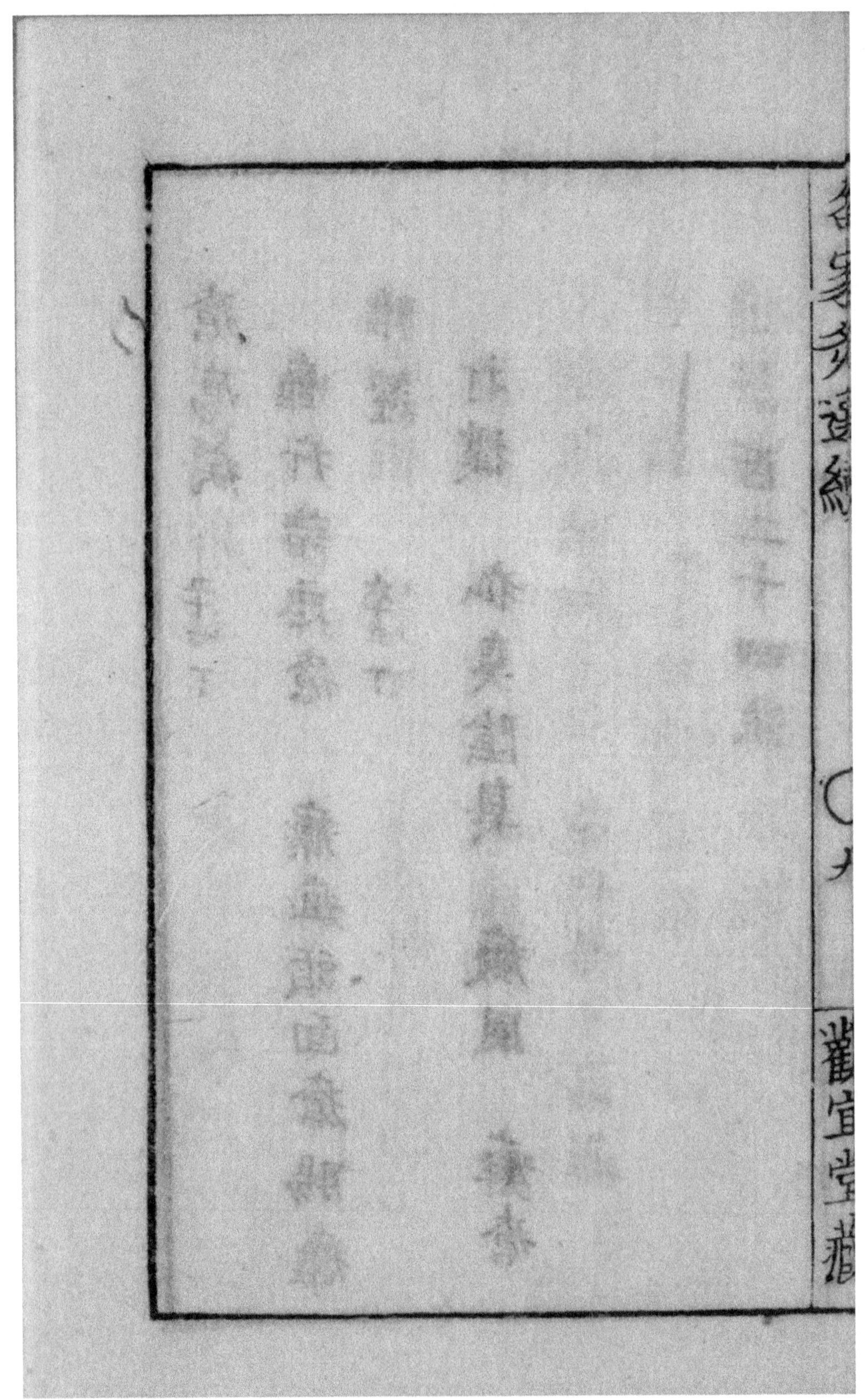

續名家灸選

丹波　平井主善庸信撰
石原子固房貞校

○上部病

眼目

○治卒生翳目赤澁痛法試効

灸耳中珠子内側五壯左灸左右灸右

△珠子耳前起肉俗曰小耳是也穴近于手太陽聽宮穴

圖

聽宮

是穴

○又法 千金

灸手大指節横紋三壯在左灸右在

右灸先良

△明堂灸經治小兒雀目夜不見物灸手大指甲後一寸內節橫紋頭白肉際各一壯即此穴

○治倒睫拳毛法灸炳塩土傳

患在右眼者右手搭左手肘前其食指當肘尖如將握之狀則小指本節

處是穴乃心包經所過之處

圖

【鼻】

○治衄血不止法　類經圖翼

灸項後髮際兩筋間宛中穴三壯盖

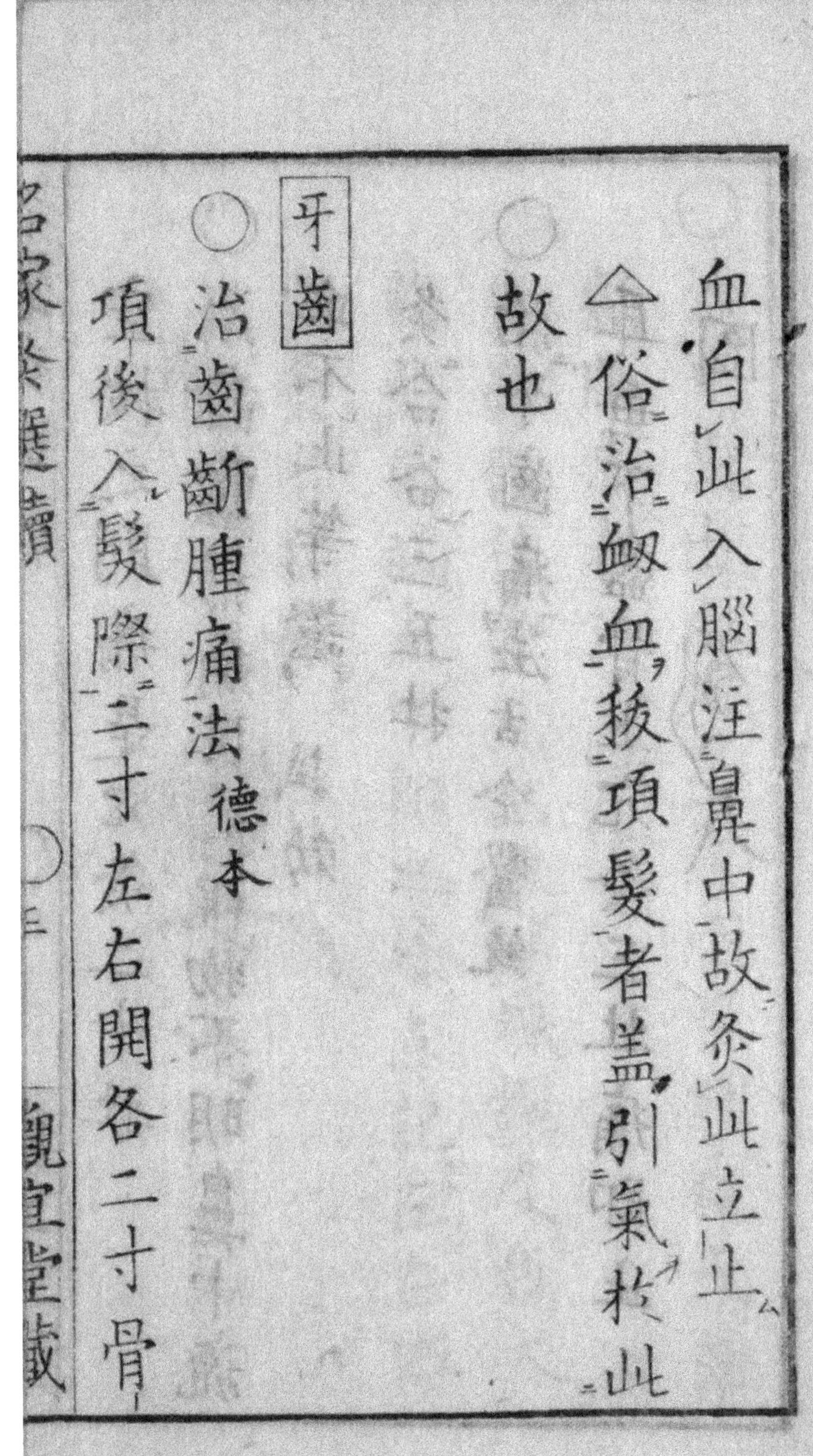

血自此入腦注鼻中故灸此立止

△俗治衂血，移項髮者，盖引氣於此故也

牙齒

○治齒齗腫痛法　德本

項後入髮際二寸左右開各二寸骨

空按之則痛是穴灸二十壯

○治齒䘌朽痛目翳視物不明鼻中流血不止等證　試効

灸合谷三五壯

○治牙齒痛法　古今醫統

耳垂下盡骨上穴灸三壯痛即止

圖

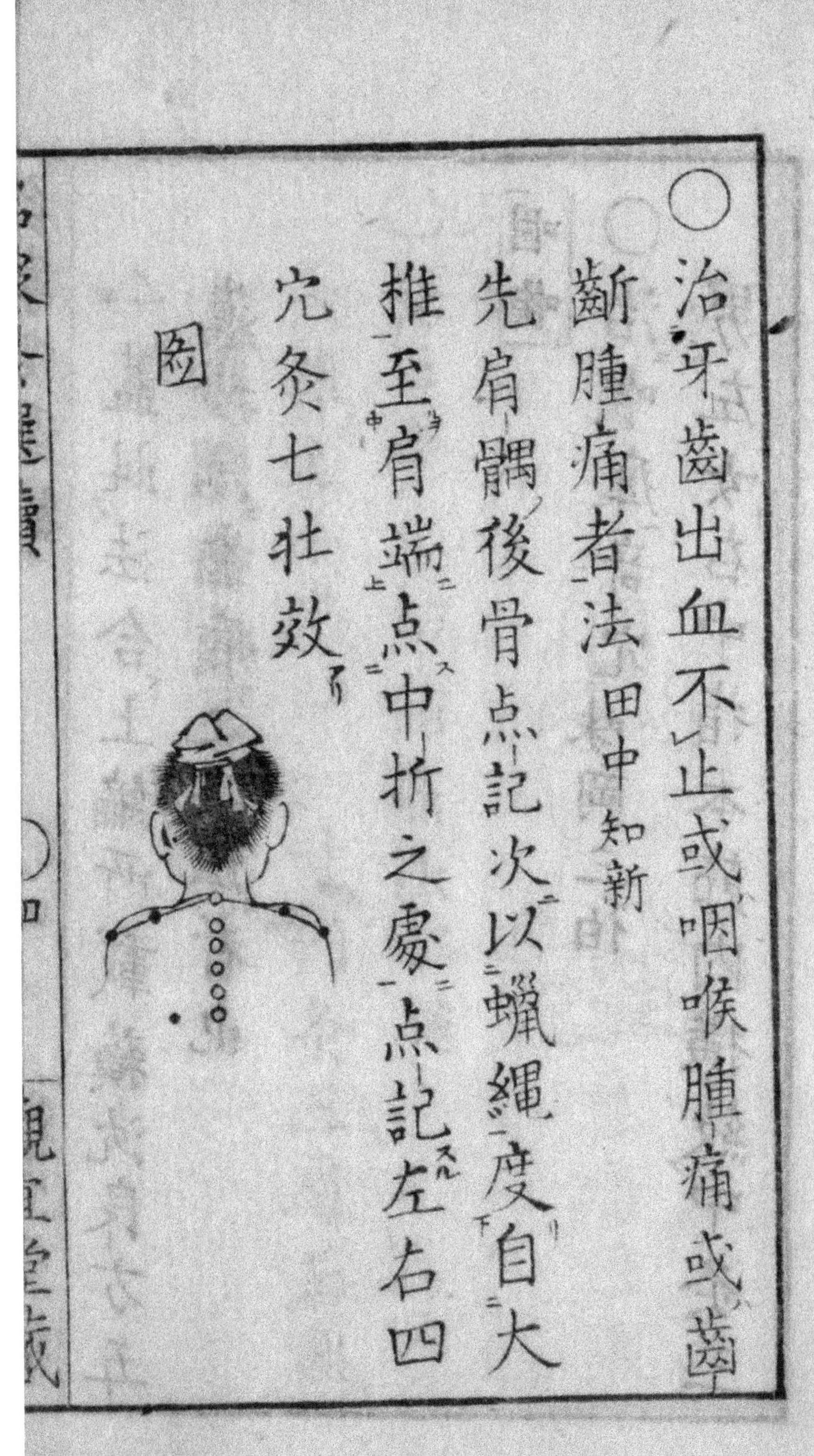
○治牙齒出血不止或咽喉腫痛或齒齗腫痛者法　田中知新

先肩髃後骨点記次以蠟縄度自大椎至肩端中点中折之處点記左右四穴灸七壯效

圖

△蓋此法合上編所載蘇沈良方五蘊抄治齒痛之二法者也

咽喉

○治喉痺奇穴　味岡三伯

男左女右中指本節內横紋中灸三

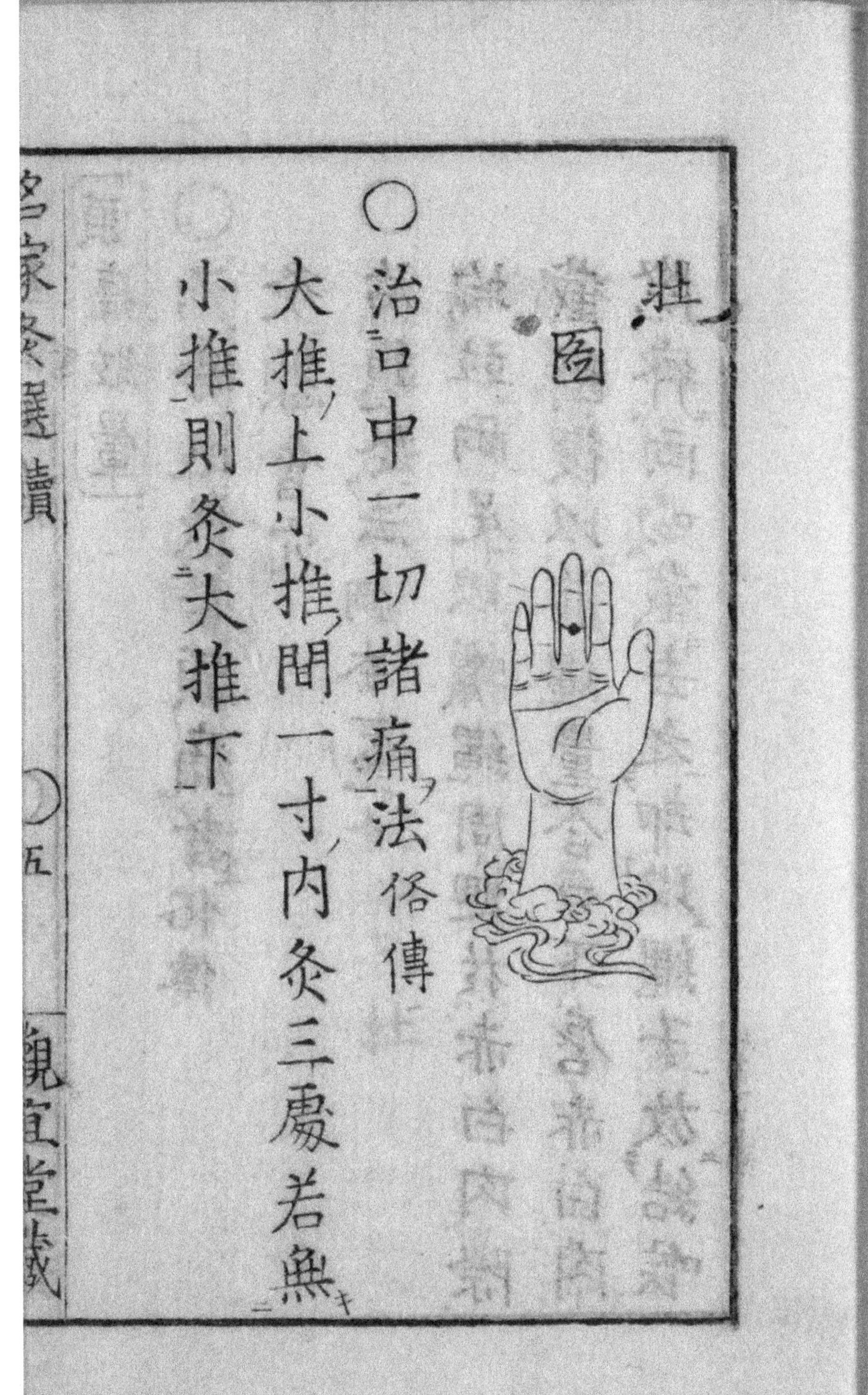

壯
圖

○治口中一切諸痛法　俗傳
大推上小推間一寸内灸三處若無
小推則灸大推下

頭痛眩暈

○治每過飲若頭痛者　俗傳

灸顖會穴

○治頭疼法　岡本一抱子

均並兩足以蠟繩周廻於赤白肉際截斷復以前繩量合口下唇赤白肉際齊兩吻截去之却以繩子放結喉

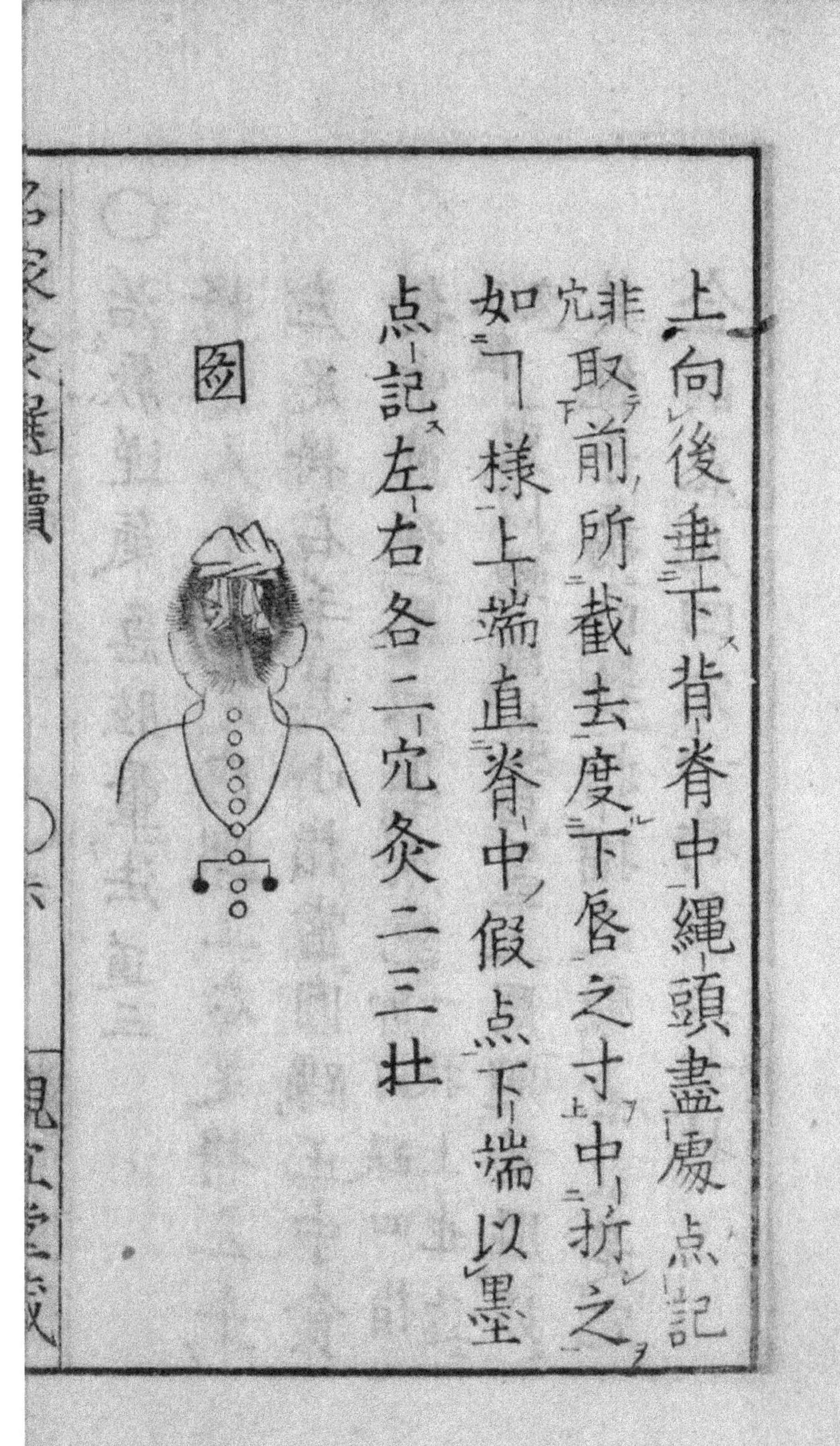

上向後垂下背脊中縄頭盡處点記
非穴取前所截去度下唇之寸中折之
如様上端直脊中假点下端以墨
点記左右各二穴灸二三壮

図

○治厥逆氣急眩暈法　道三

將患人手當足內踝上右足將左手左足將右手其小指當內踝正中食指中節當處以墨点記即內踝四指扶上也近三陰交

更以蠟繩起自墨上周迴足脛以其繩子為四折折摺之處点記是穴合前点凡四穴一時灸二七壯

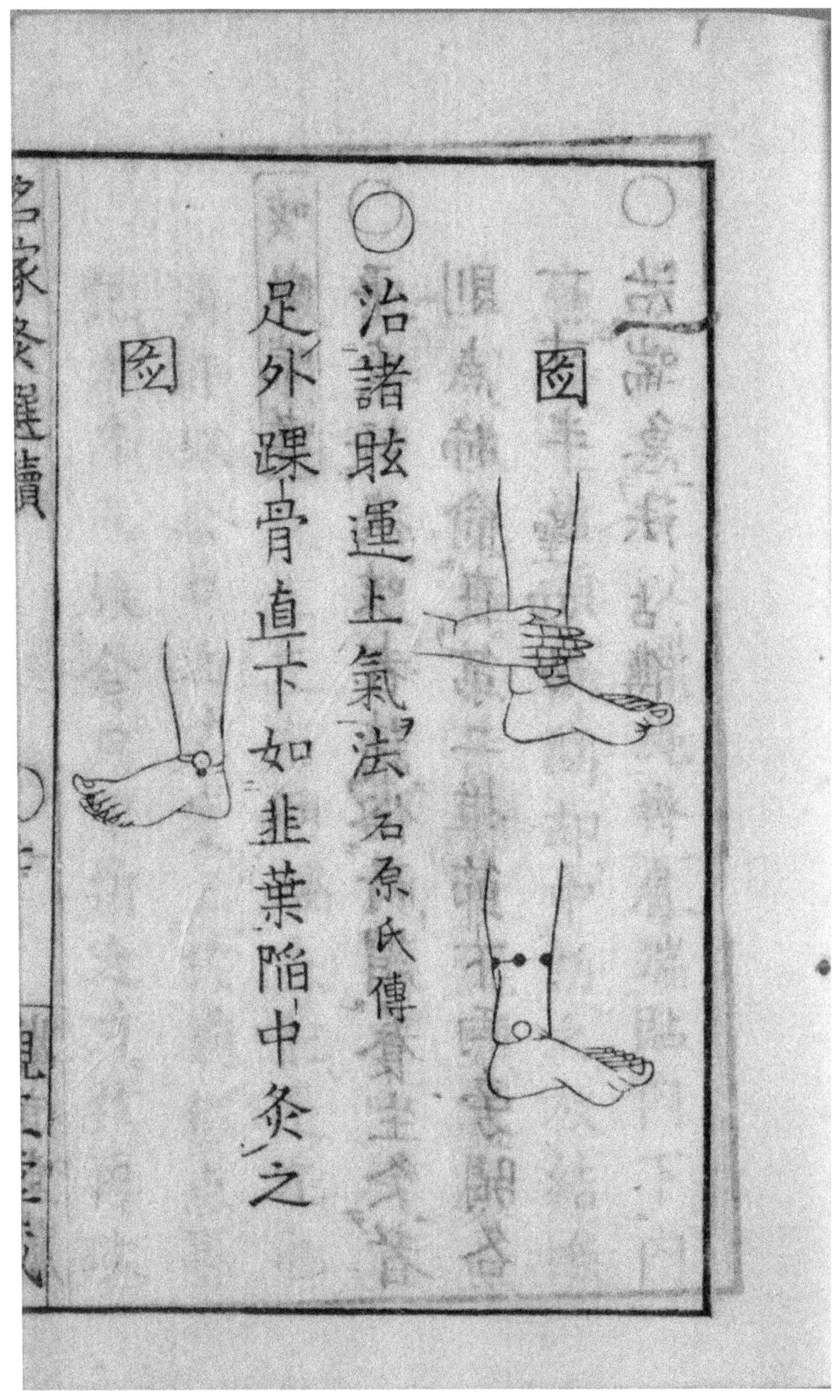

◯治諸眩運上氣法石原氏傳

足外踝骨直下如韭葉陷中灸之

圖

咳嗽喘哮

○平素好病咳者請俗所謂養生灸者則点肺俞在第二推節下両旁開各一寸半 聖功方

○治喘急法 古傳

男左女右以蠟繩齊肩端貼肉下内廉齊中指頭截斷却中折之放結喉上向後雙垂於背脊中繩頭盡處点記非穴次度合口兩角横寸中折之放前假点上左右兩端点記是穴也再亦以合口之寸度上於前假点墨記非穴又放合口中折之寸於再次

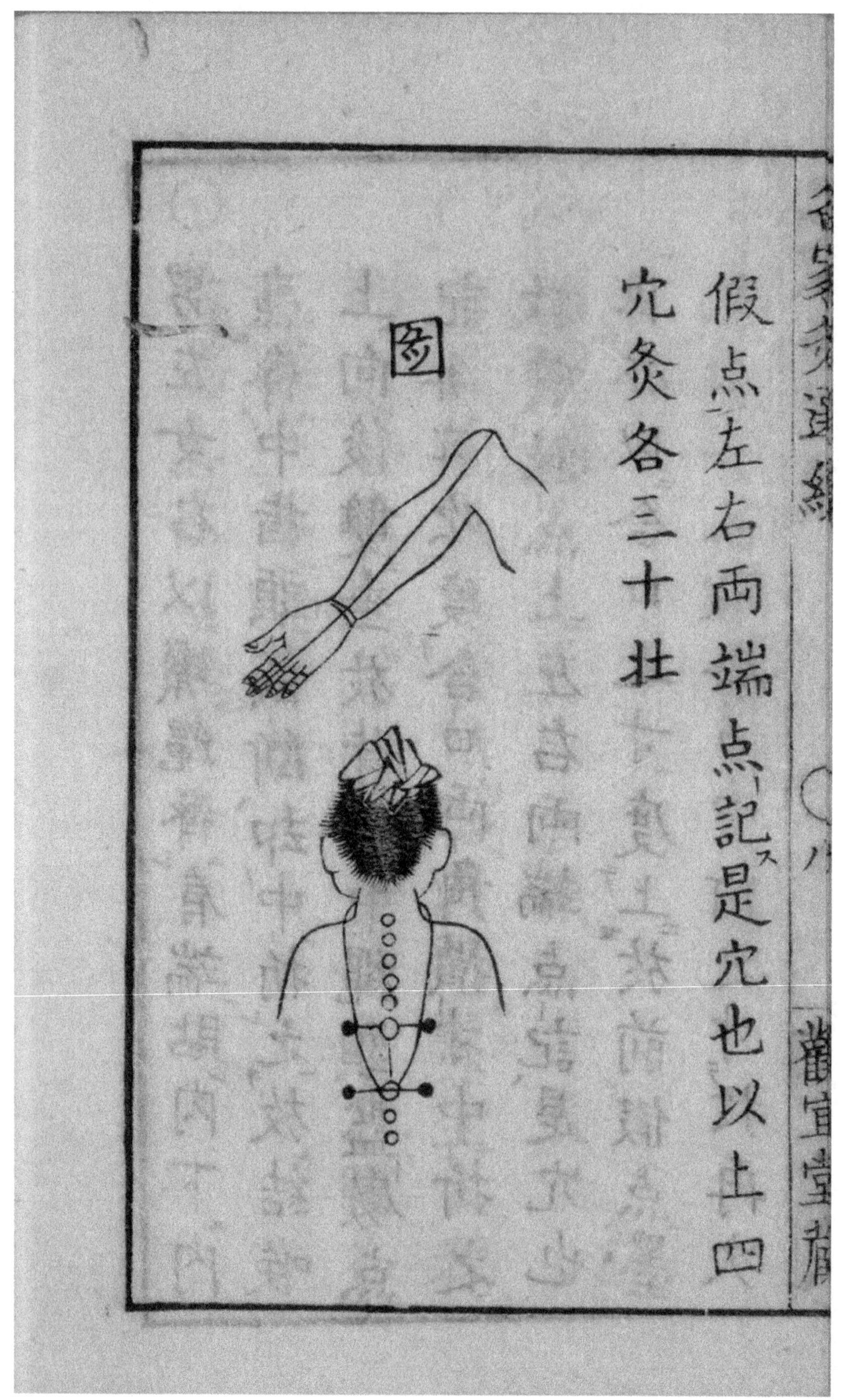

假点左右両端点記是穴也以上四穴灸各三十壯

图

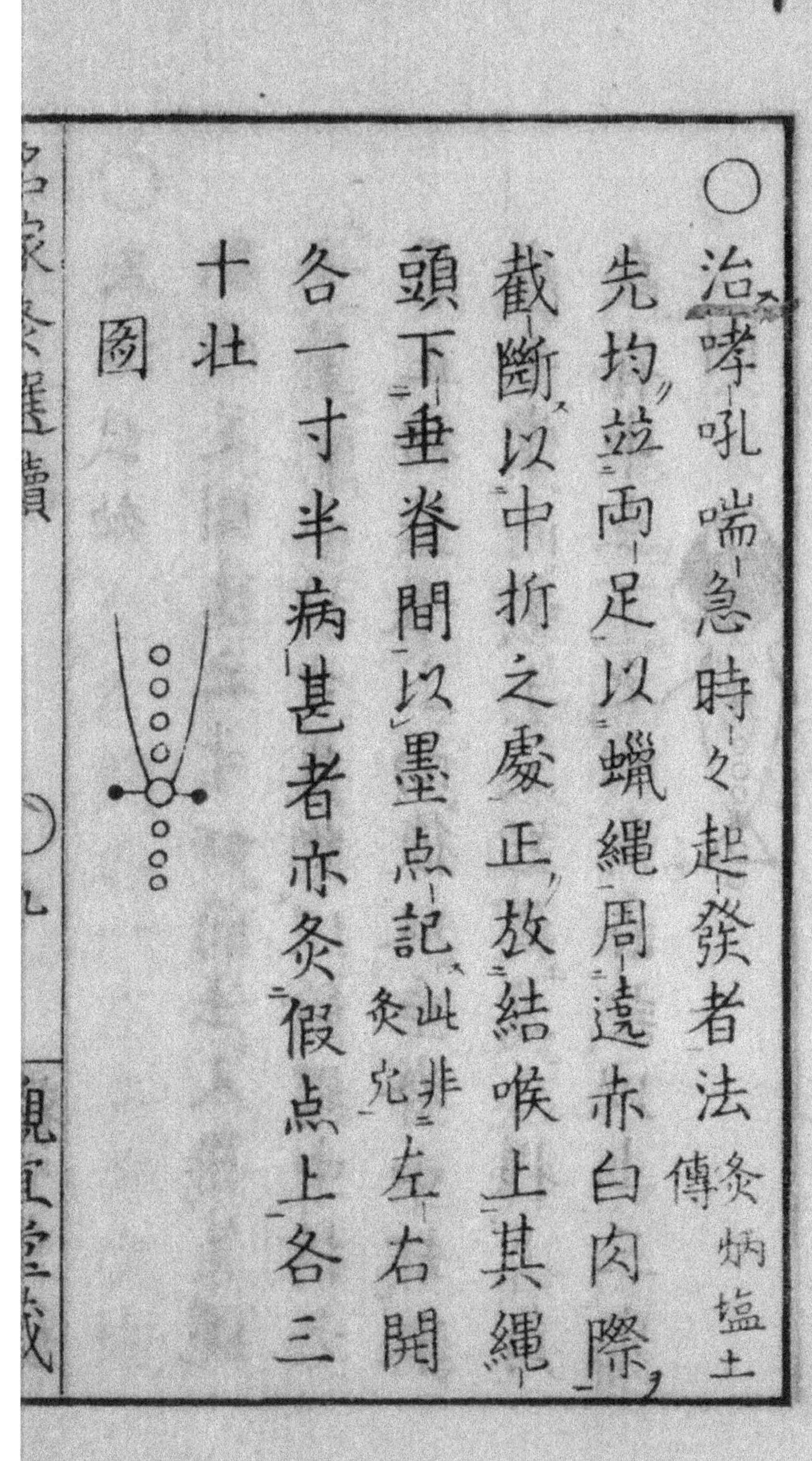

○治哮吼喘急時々起發者法　灸炳塩土傳

先均並兩足以蠟繩周遶赤白肉際截斷以中折之處正放結喉上其繩頭下垂脊間以墨点記（此非灸穴）左右開各一寸半病甚者亦灸假点上各三十壯

圖

名家灸選續　九　觀宜堂藏

○又法試効

取両足周遶之寸如前法又将其縄子量掌中横寸截断以餘縄中折之處正按結喉上向後双垂脊中却取度手掌所截去之短縄為△様上角直脊中点下之両角点記以上三穴

図

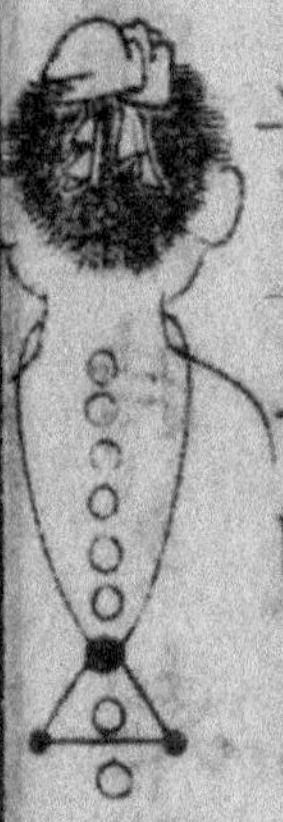

○又法　灸炳塩上傳

先取繩子量患人兩吻赤白肉際截斷以為三隅△樣上隅直五椎節下下兩隅墨記之二穴次取別繩度兩乳間再摺之當結喉向後至大椎骨合兩繩下垂脊中繩頭盡處假点又將同身寸左右開各一寸二穴次均

併兩足以繩子周匝赤白肉際將中折之處正按結喉上向後垂下脊中繩頭盡處点記一穴以上五穴灸各三十壯

圖

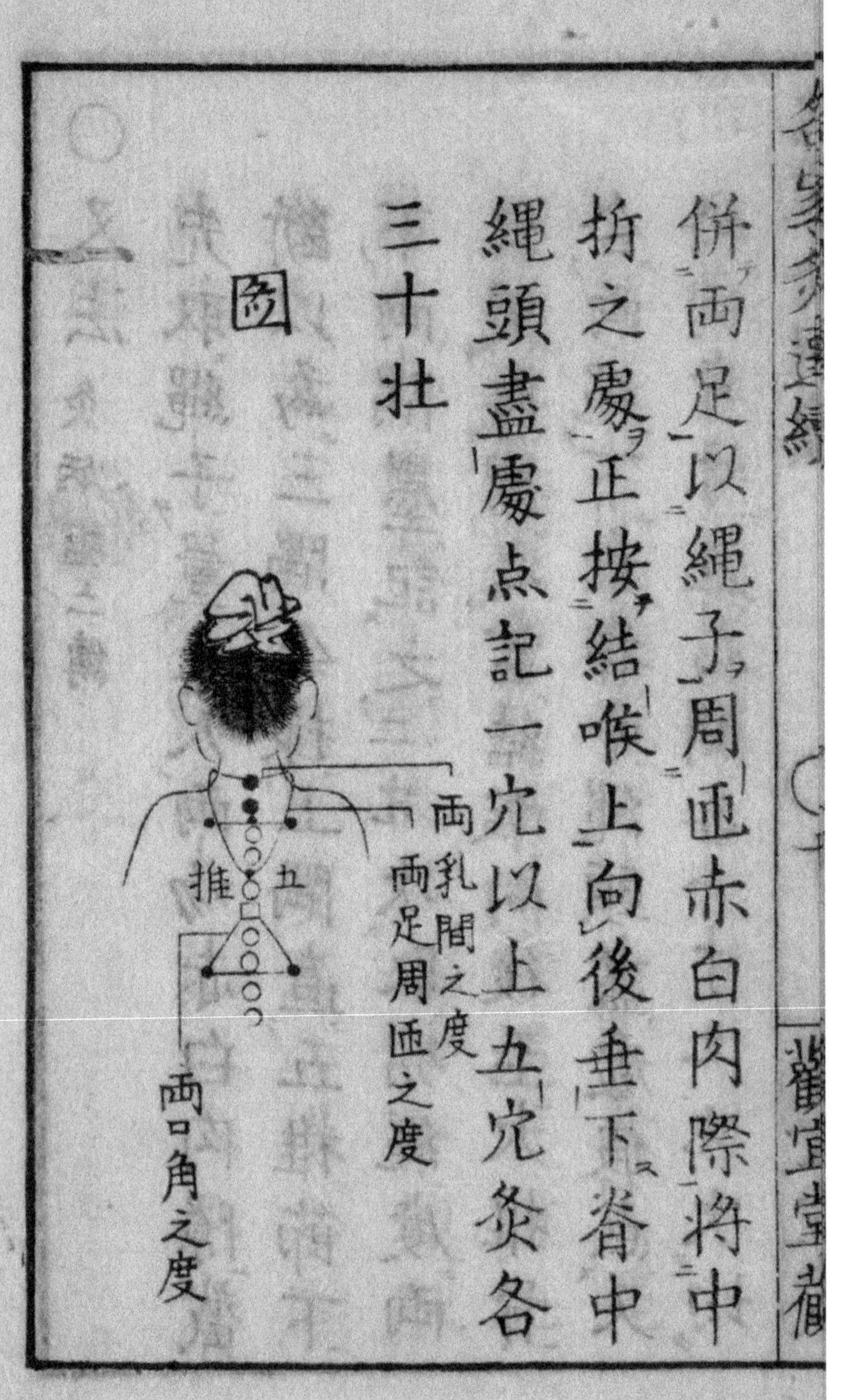

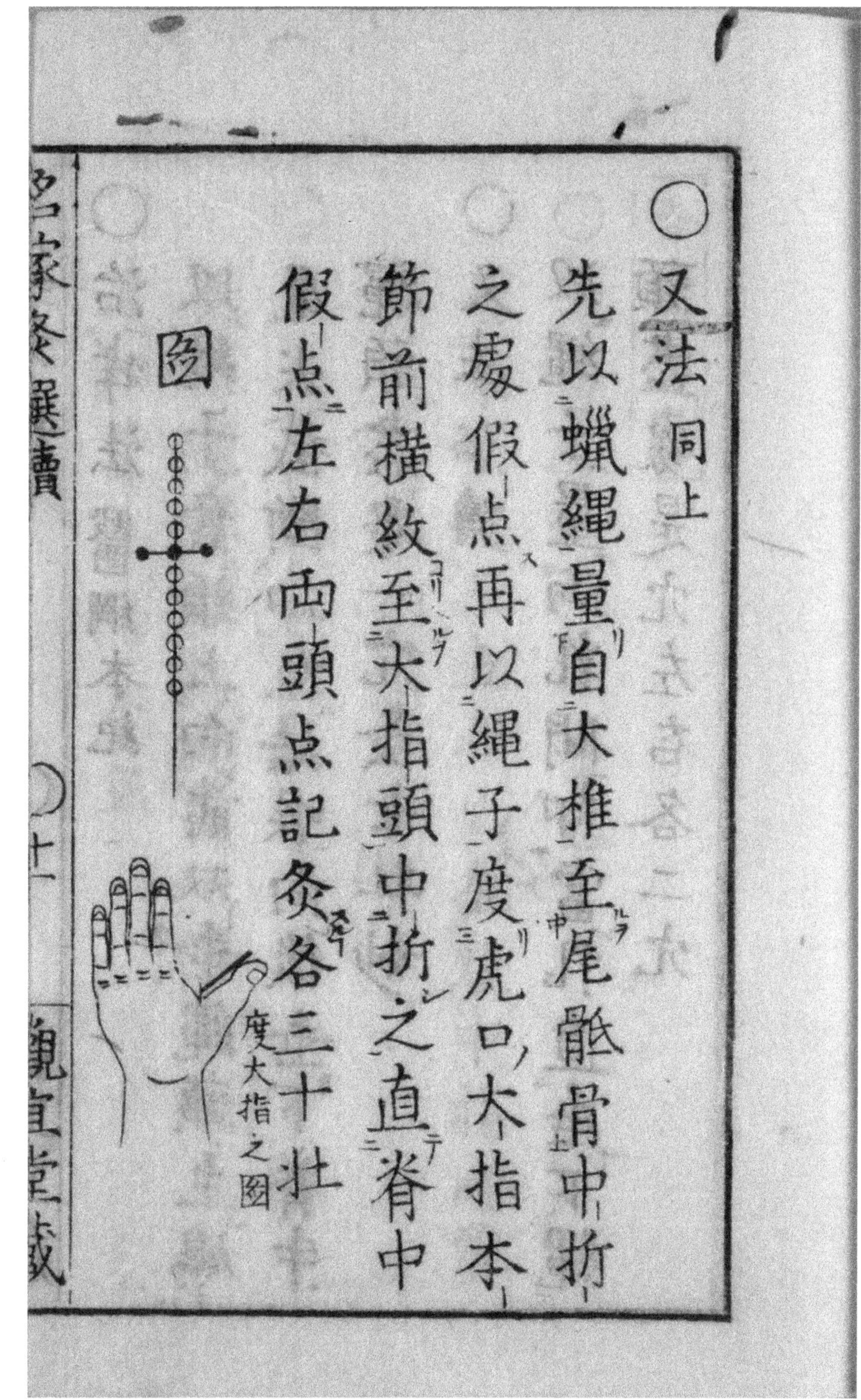

○又法 同上

先以蠟繩量自大椎至尾骶骨中折之處假点再以繩子度虎口大指本節前横紋至大指頭中折之直脊中假点左右兩頭点記灸各三十壯

圖

度大指之圖

○治哮法 醫綱本紀

以繩子套頸上向前双垂繩頭至鳩尾尖截斷却放結喉向後垂下脊中繩頭盡處一穴灸七壯妙

○又法 俗傳

以繩子量兩乳間却當乳直垂下繩頭盡處是穴左右各二穴

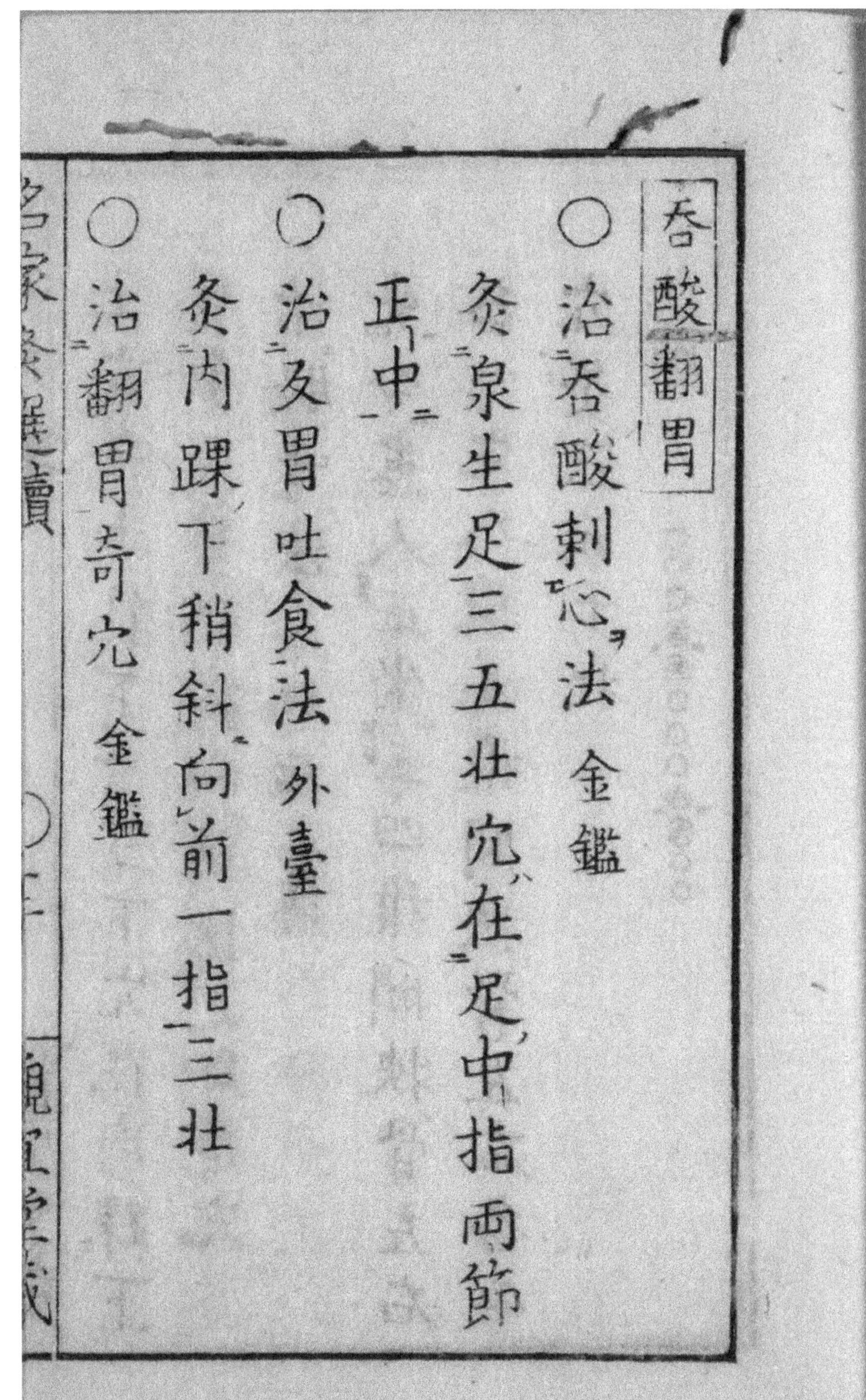
吞酸翻胃

○治吞酸刺心法　金鑑
灸泉生足三五壯穴在足中指兩節正中

○治反胃吐食法　外臺
灸內踝下稍斜向前一指三壯

○治翻胃奇穴　金鑑

名家灸選續　　　觀聚堂藏

上穴在両乳下一寸下穴在内踝下

用手三指稍斜向前排之即是穴

○

治膈噎法　灸炳塩土傳

先令患人正坐三四推間挾骨左右

各一穴八推九推間挾骨左右各二

穴灸三五十壮

圖

○○○㊂㊃○○○㊇㊈○○

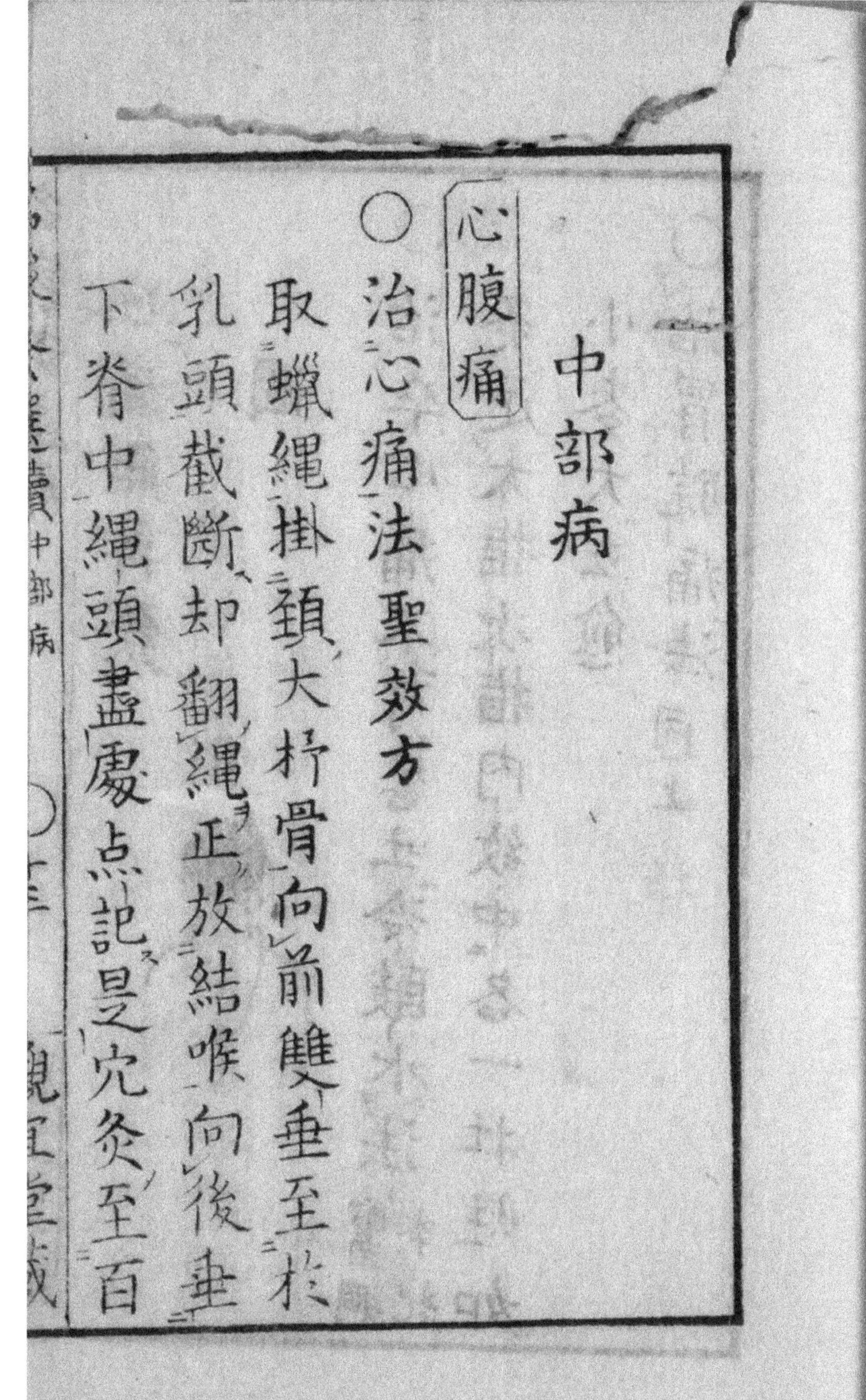

中部病

心腹痛

○治心痛法聖效方

取蠟繩掛頸大杼骨向前雙垂至於乳頭截斷却翻繩正放結喉向後垂下脊中繩頭盡處点記是穴灸至百

壯痛無再發

圖

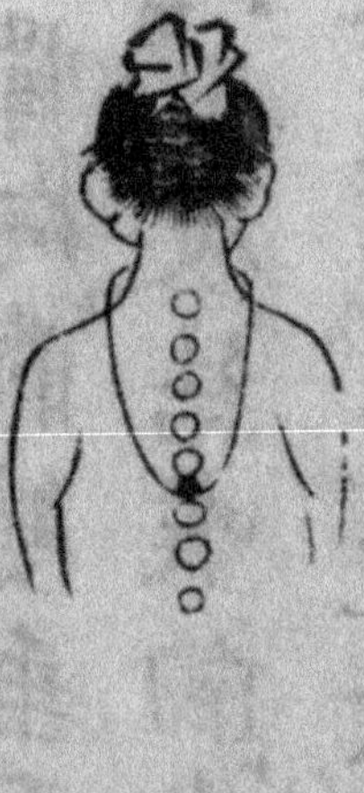

○治卒心痛不可忍吐冷酸水法 醫綱本紀

灸足大指次指内紋中各一壯炷如小麥大立愈

○治胃脘痛法 同上

灸両乳下一寸三十壮

積聚癥瘕

○五灸別法古傳　男婦一切痞積或婦人赤白帯下絳閉諸疾等證悉主之　先將蠟縄掛頸向前双垂頭與臍齊双頭一齊截斷却翻縄正放

結喉向後其繩頭下垂脊中之處点記次将同身寸法二寸中折其中摺處直脊中点上下盡處假以墨点記又中摺處橫放上下假点上左右両頭点記凡五穴一時下火二五十壯

一圖

○五條灸法古傳 主治婦人血塊無孕或積聚疼痛男子疝瘕日久及下血不止等證如神

先將蠟繩度男左女右手背腕後横紋中至中指頭令患人正坐取前繩子均尾骶骨上脊骨繩頭盡處点記

非穴

第二次将繩子横度掌中當横紋中揩之横放骨上假点两頭盡處点記非穴

第三次以同身寸法三寸揩之作三隅如△様下邊中央以墨記之△如此以墨記處安兩旁假点上三隅点記是穴男灸左旁二穴女灸右三穴

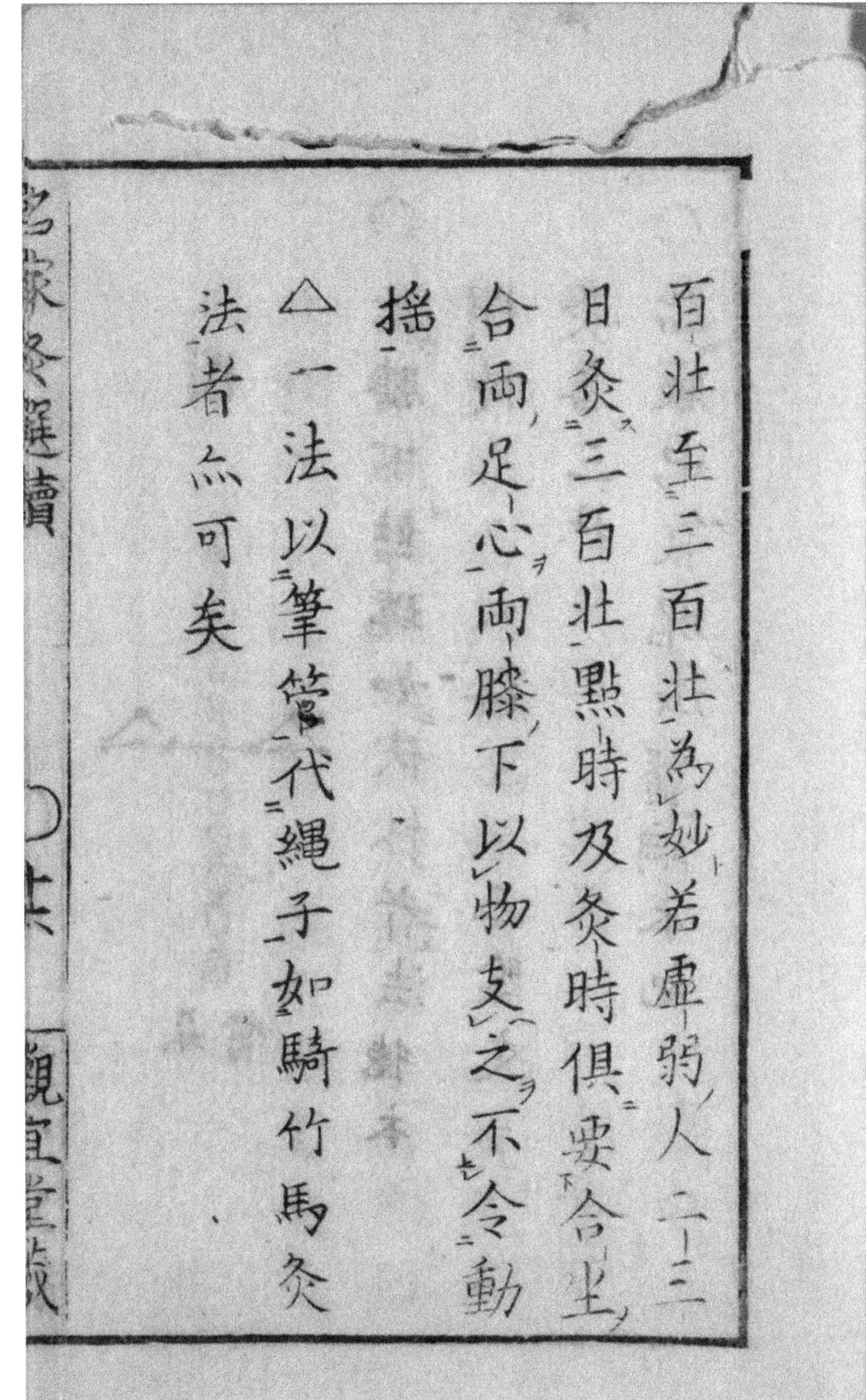

百壯至三百壯爲妙若虛弱人二十三日灸三百壯點時及灸時俱要合坐合兩足心兩膝下以物支之不令動搖

△一法以筆管代繩子如騎竹馬灸法者亦可矣

名家灸選續　卷　觀宜堂藏

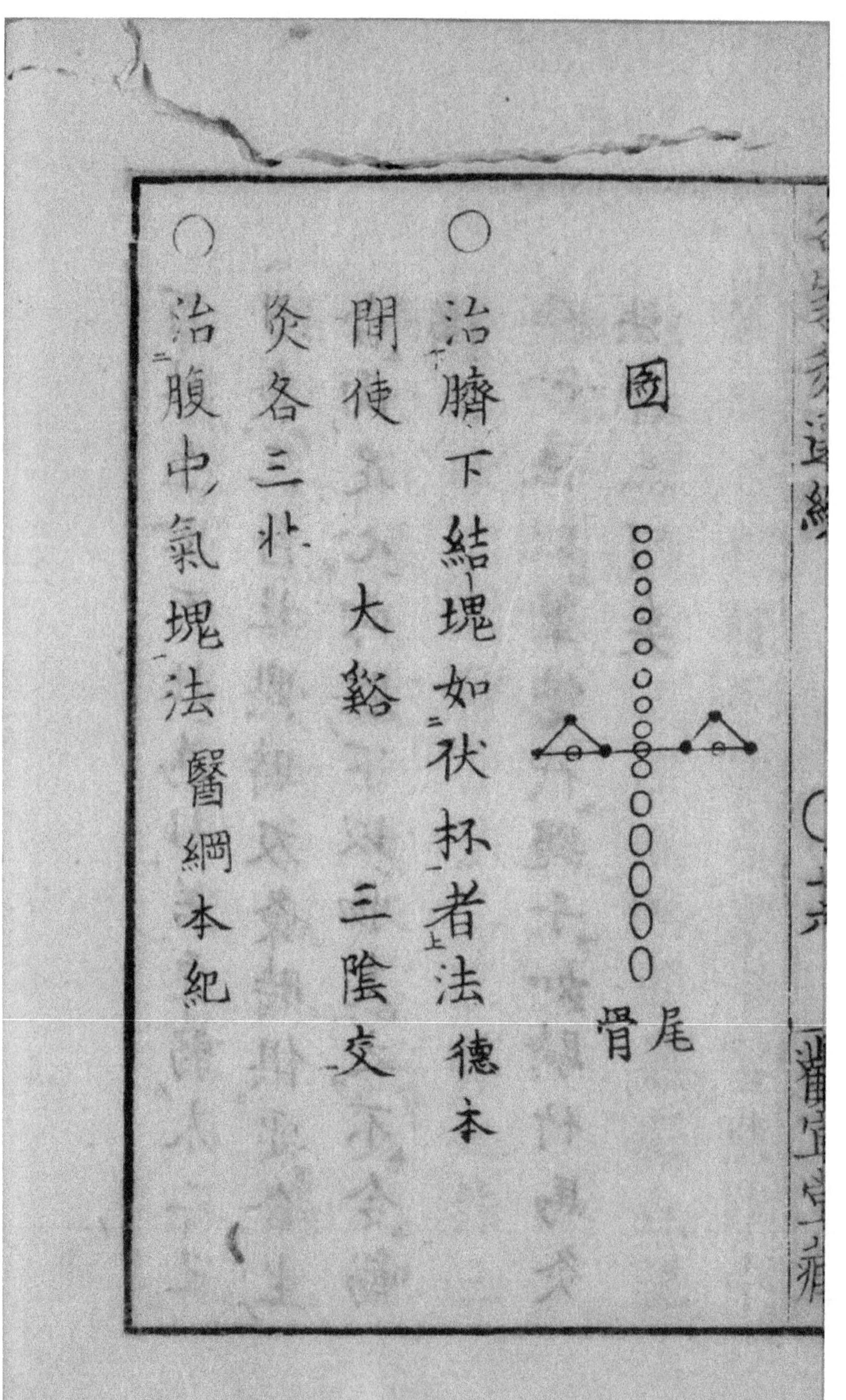
圖

○治臍下結塊如伏杯者法　德本

間使　大谿　三陰交

灸各三壯

○治腹中氣塊法　醫綱本紀

塊頭上一穴灸二七壯　塊中一穴灸三七壯　塊尾一穴灸七壯

△長桑君治積塊癥瘕塊上首尾三處先鍼訖灸之立愈德本長由氏曰按積塊堅痛應手之處用大艾灸之妙

腰痛

○治一切腰痛法試効

十九推骨上一穴左右開各二寸即

膀胱俞灸二七壯

△或兼灸十四推兩旁相去一寸五

分與臍平即腎俞及十六推兩旁相

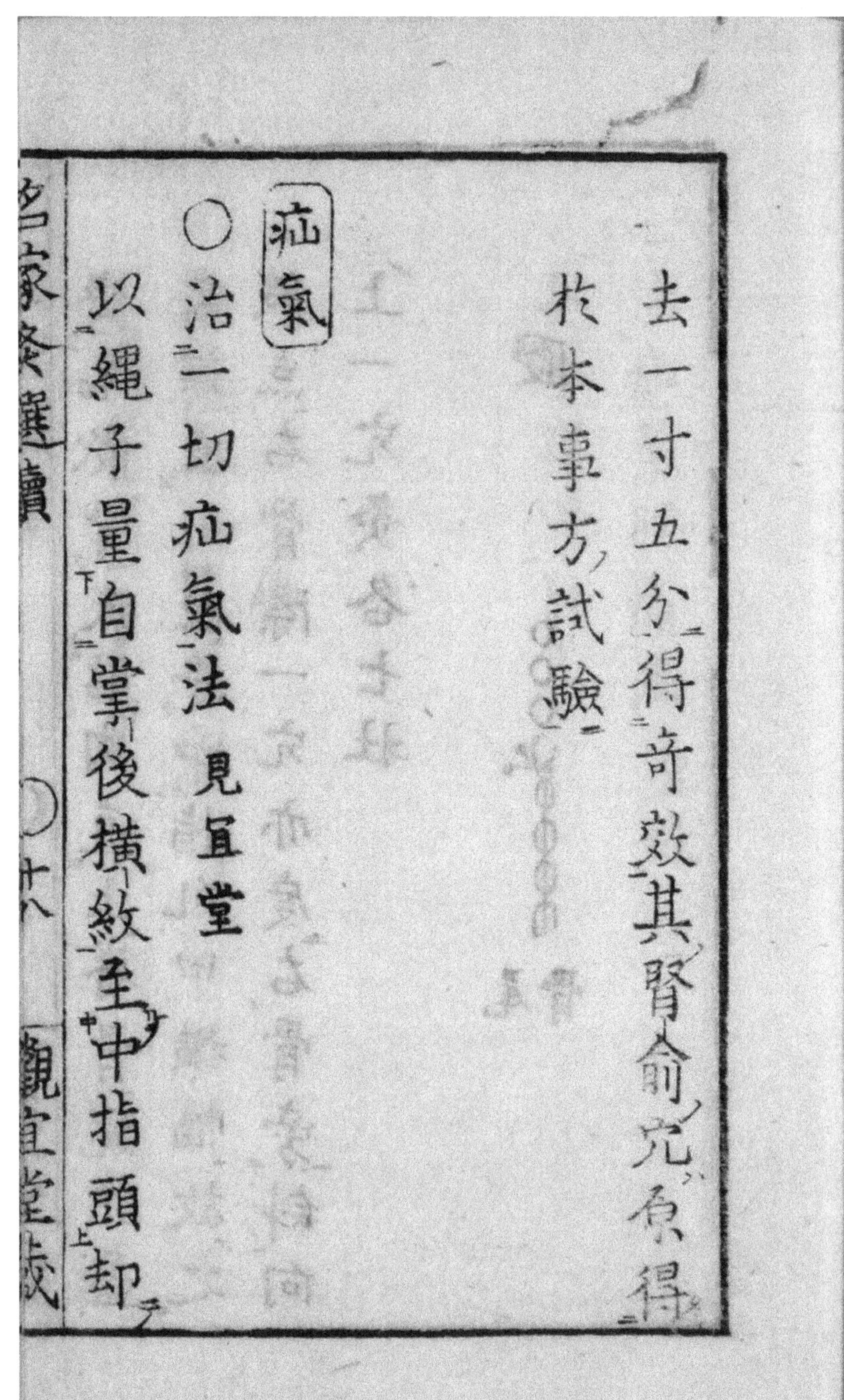

去一寸五分得奇效其腎俞究原得於本事方試驗

疝氣

○治一切疝氣法　見宜堂

以繩子量自掌後横紋至中指頭却

齊尾骶骨尖貼肉直上脊骨繩頭盡處假假点又量手中指爪甲横幅放之假点右骨際一穴亦度右骨旁斜向上一穴灸各七壯

圖

尾骨

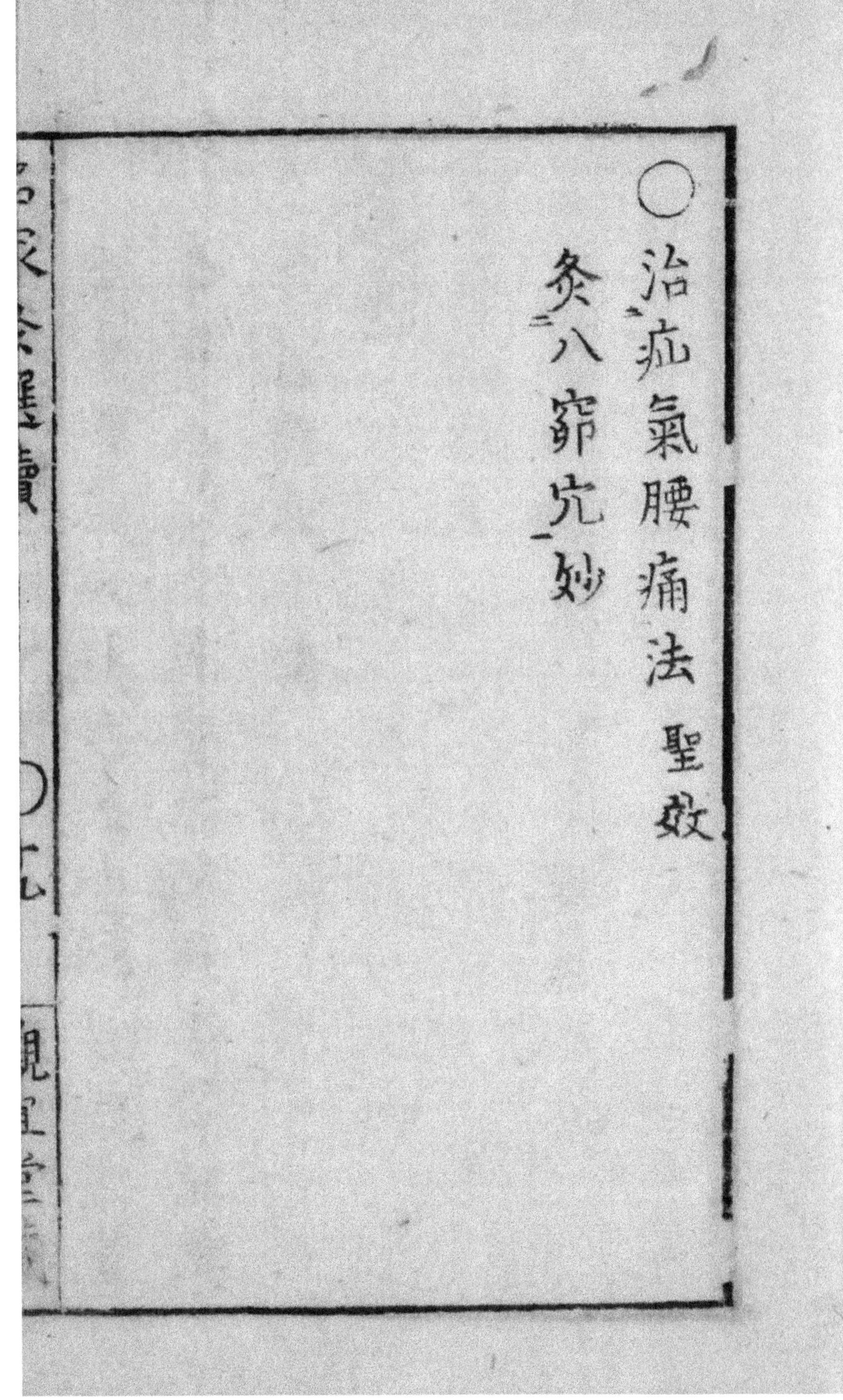

○治疝氣腰痛法　聖效

灸八窌穴妙

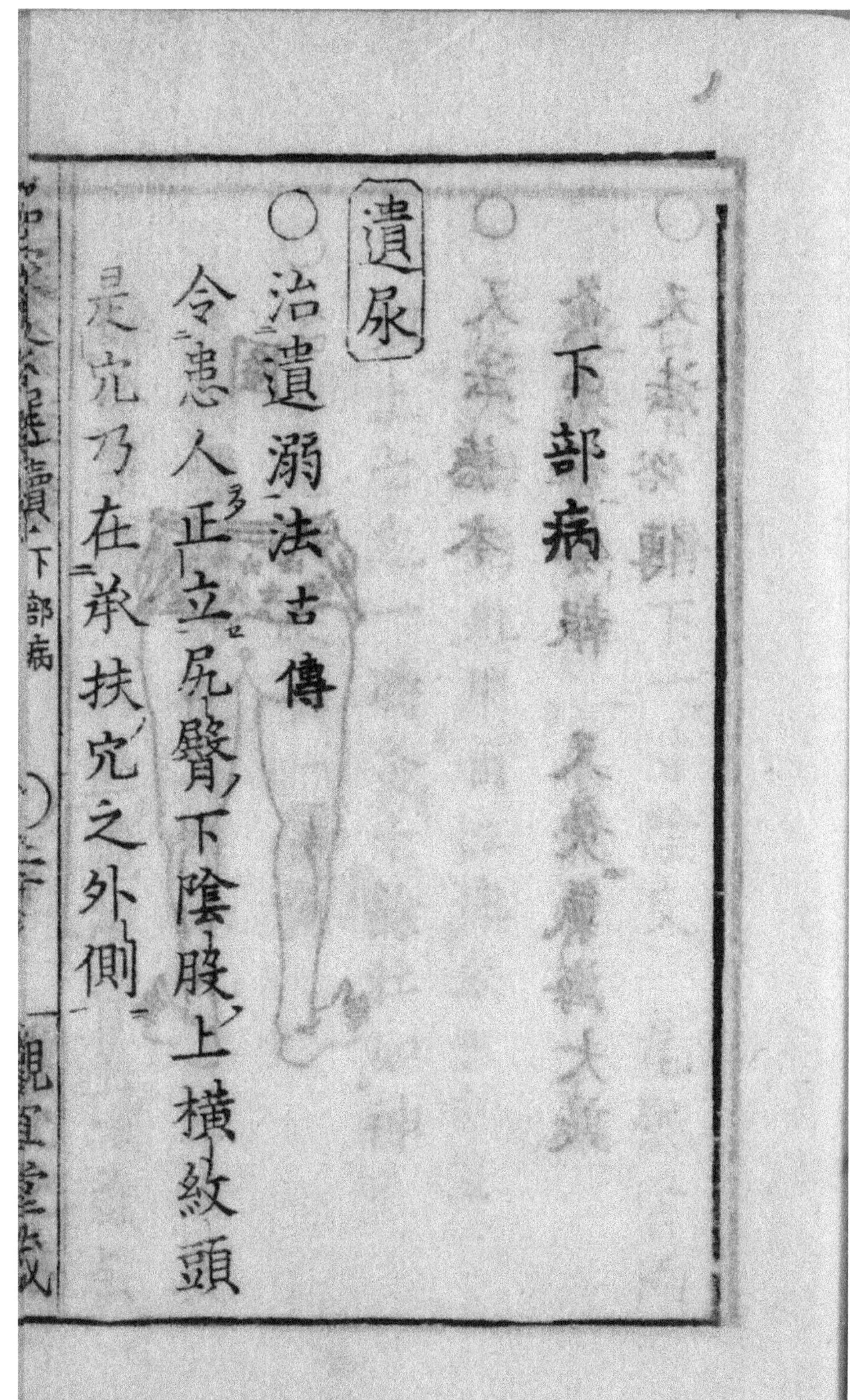

下部病

遺尿

治遺溺法　古傳

令患人正立尻臀下陰股上横紋頭是穴乃在承扶穴之外側

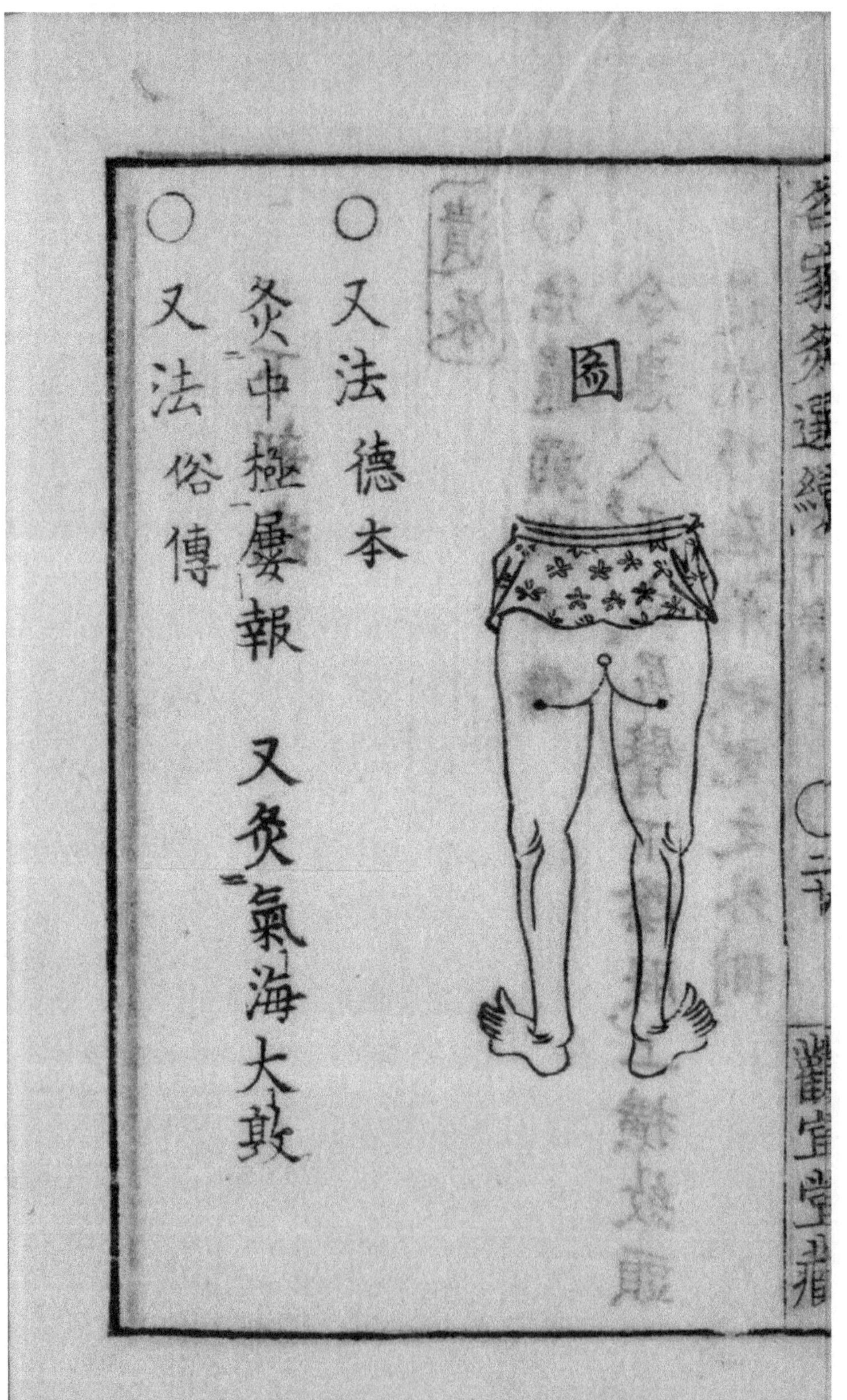
圖
○又法德本
灸中極、屢報
又灸氣海大敦
○又法俗傳

百會　臍下一寸陰交　尾骶骨兩
傍俠骨二穴　尾骶骨尖一穴
足大拇指爪甲角二穴
以上七穴一時灸七壯餘壯如神
○治小兒尿床法　一醫傳
先將蠟繩量同身寸法九寸三折之
如△字樣一角直亀尾骨上一角点

記是穴又足大栂指外側爪甲角左右二穴以上四穴灸二七壯

圖

尾骨

○治婦人遺尿不知時出法 千金翼

灸橫骨當陰門七壯

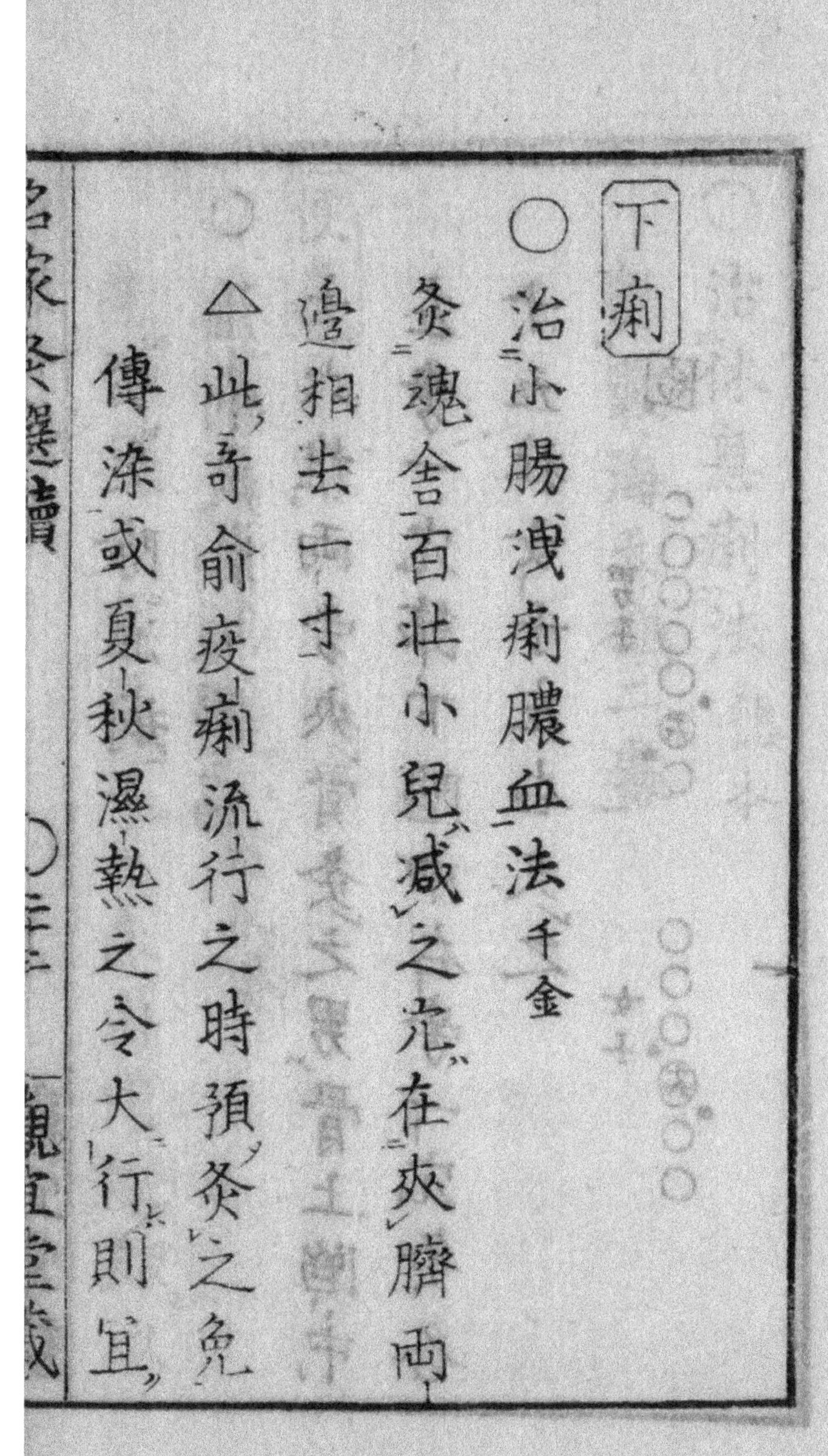

下痢

○治小腸洩痢膿血法　千金

灸魂舍百壯小兒減之穴在夾臍兩邊相去一寸

△此奇俞疫痢流行之時預灸之免傳染或夏秋濕熱之令大行則宜

灸之除泄痢

○治痢疾法　味岡三伯

十六椎兩旁夾骨灸之男骨上陷中左旁一穴節下陷中右旁一穴灸各十五壯女子左右反之

圖

男子

女子

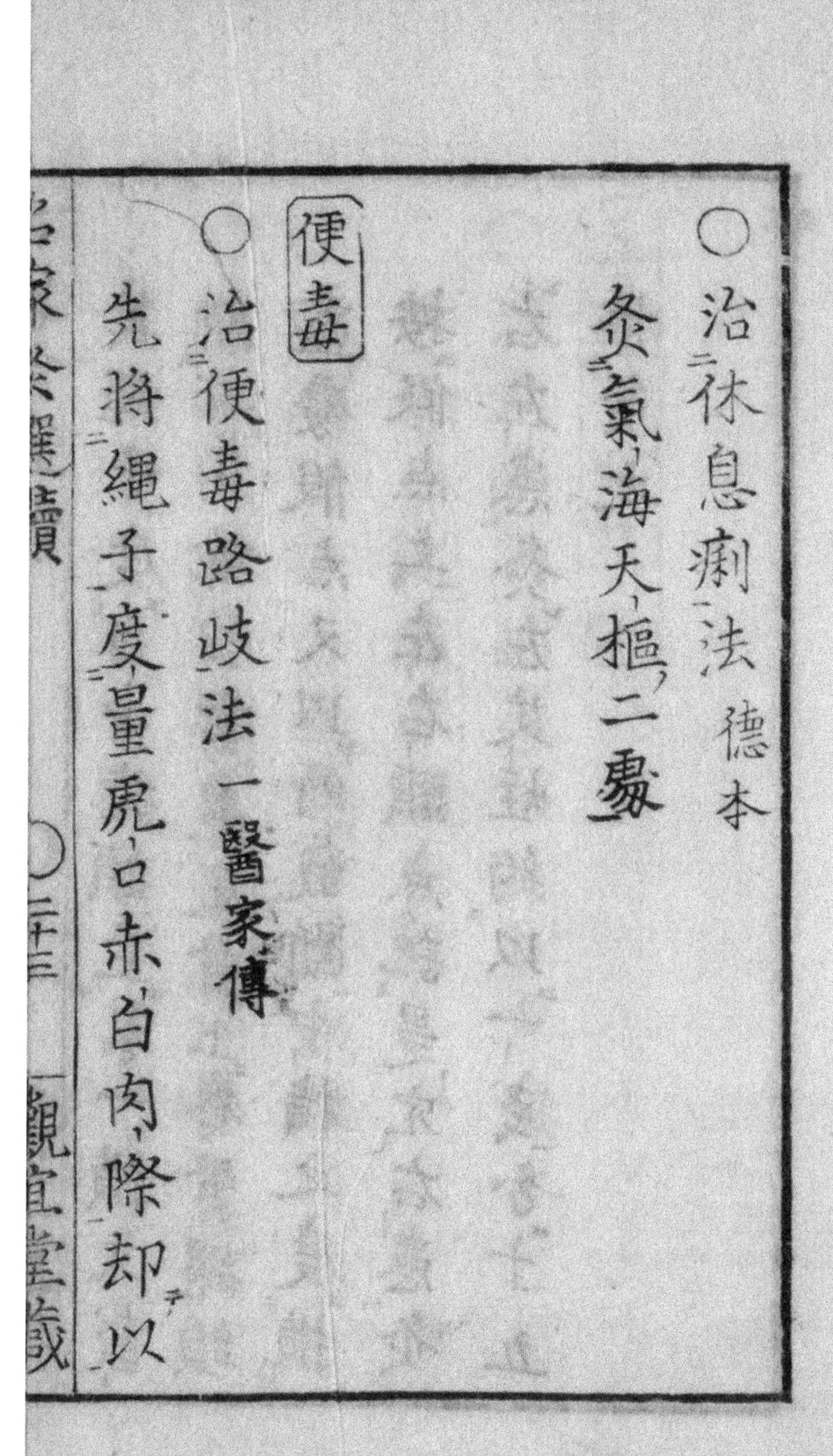

○治休息痢法　德本

灸氣海天樞二處

便毒

○治便毒路岐法　一醫家傳

先將繩子度量虎口赤白肉際却以

其繩子寸度自中指頭至第一横文截
斷以其餘寸當亀尾骨上脊骨繩頭
盡處假点又以所截斷中指之度横
按假点上左右頭点記是穴右患灸
右左患灸左艾炷約以一戔分十五
壯灸之

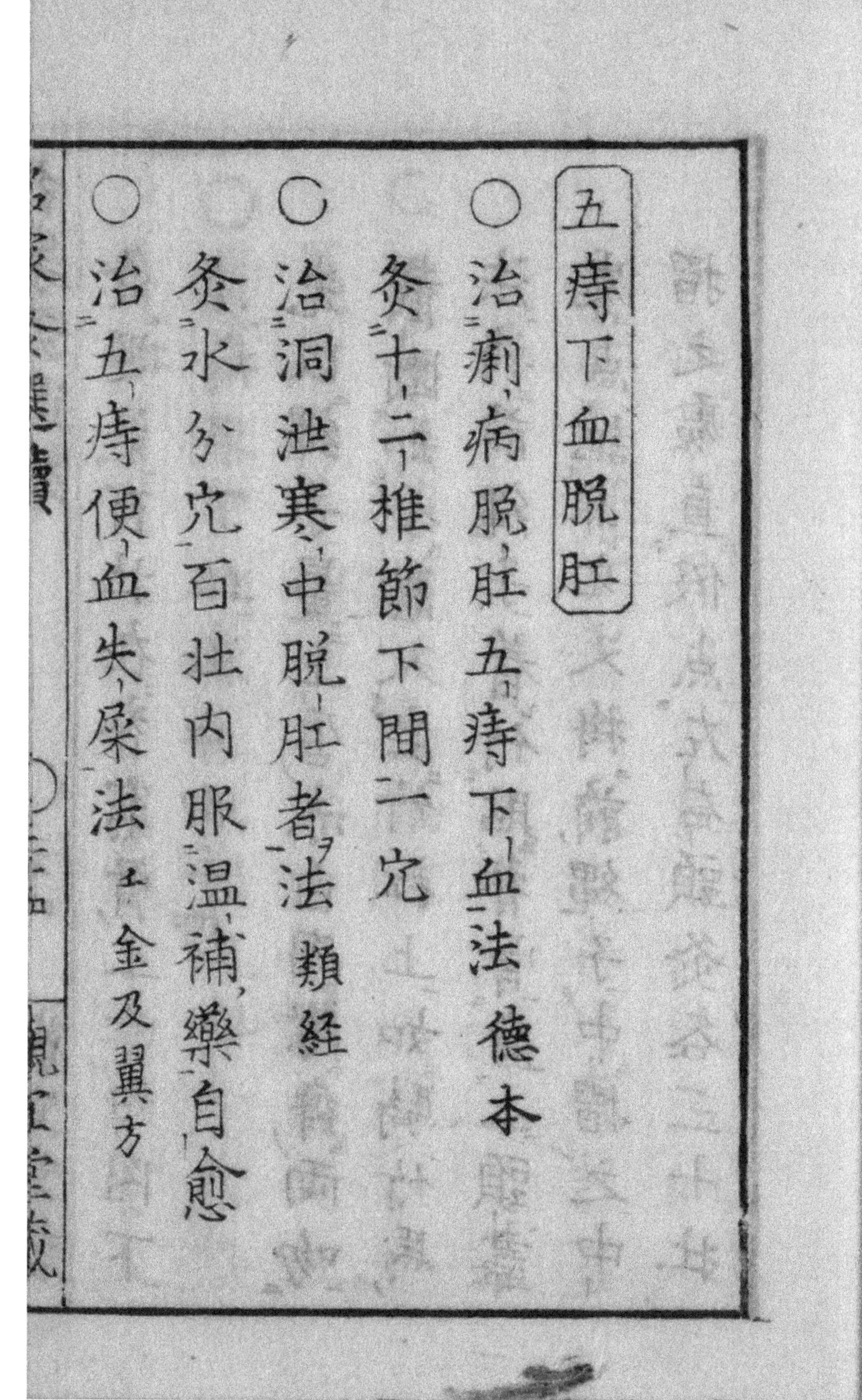

五痔下血脫肛

○治痢病脫肛五痔下血法 德本

灸十二椎節下間一穴

○治洞泄寒中脫肛者法 類經

灸水分穴百壯內服温補藥自愈

○治五痔便血失屎法 千金及翼方

○灸廻氣百壯在脊窮骨上赤白肉下

○治痔漏下血法中山三抑

先以繩子量上唇赤白肉際齊兩吻截斷却令患人坐衎杠上如騎竹馬法將前繩子着衎竹貼脊骨直上頭盡處点記非穴又將前繩子中摺之中摺之處直假点左右頭灸各三十壯

△此法与丹波時長公秘法治婦人赤白帶下者同矣点法少有詳略耳

○治痔作漏者法　聖功方

單用生姜切薄片放痔漏處用艾炷於薑上灸之覺微熱則止勿令大熱其姜片從漏大小艾炷亦要滿姜上

姜片焦枯則代之灸至三十壯灸後

以樂數之數樂方　爐甘石煅小便浸乾

牡蠣煅　右二味等分細末擦之

△凡痔疾腫大勢甚者亦用此法黄

水即出自消散矣若有両三個者

過三五日照依前法遂廿灸之神

效

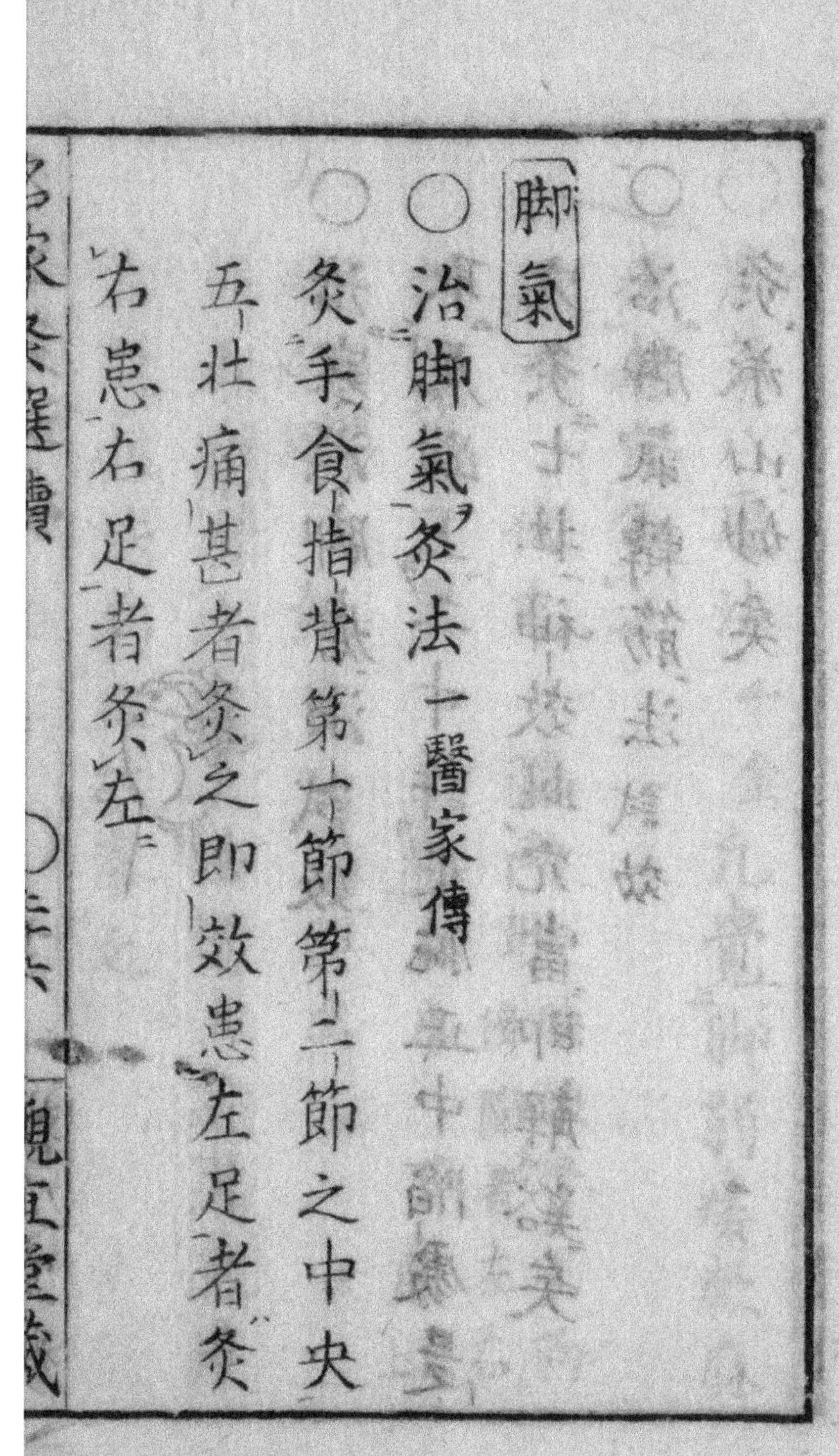

脚氣

○治脚氣灸法　一醫家傳

○灸手食指背第一節第二節之中央五壯痛甚者灸之即效患左足者灸右患右足者灸左

○治寒濕脚瘡法試效

取足趺上二寸許足腕正中陷處是穴灸七壯神效此穴當即解谿矣

○治脚氣轉筋法試効

灸承山妙矣

○脚氣八處法 千金

凡覺脚弱痿軟麻痺者宜灸之

風市 伏兎 膝兩眼 膝頭骨下兩傍陷者左右

犢鼻 三里 上廉四處 下廉上以

五穴陽明胃経 絶骨少陽胆経

右八處九穴之法世上遍用多異説此法為正故舉之

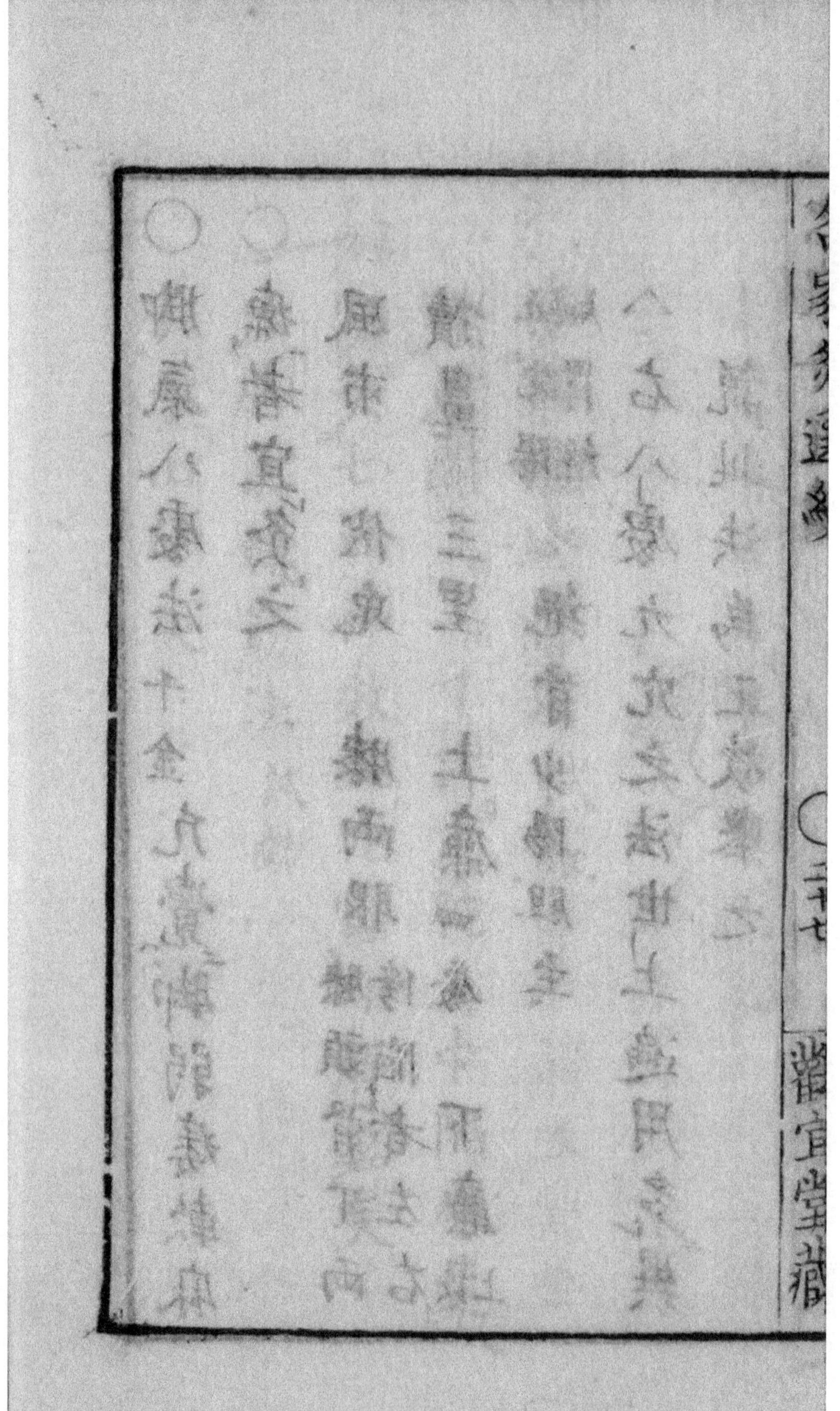

名家灸選　○二十七　醫宜堂藏

凡此灸法者王叔和[illegible]
八右八處灸九宛之法也上通用多其
[illegible]臍[illegible]寄少陽經云
續[illegible]三里上廉四合下廉[illegible]
風市伏兔犢鼻兩膝眼[illegible]
○[illegible]宜[illegible]之
○脚氣八處灸法千金凡[illegible]

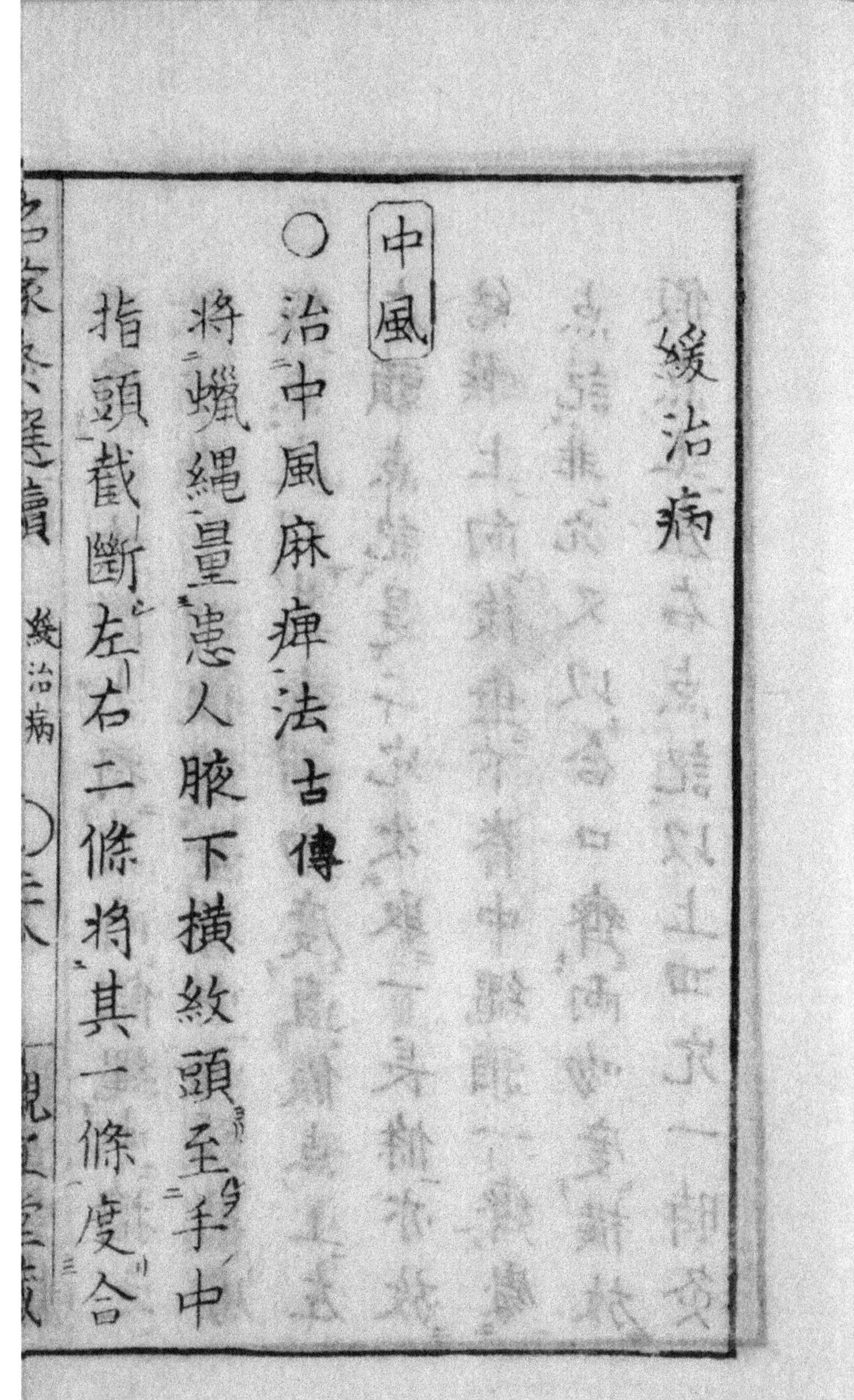

續治病

中風

○治中風麻痺法古傳

將蠟繩量患人腋下橫紋頭至手中指頭截斷左右二條將其一條度合

口齊兩吻斷去將其所餘繩中摺之放結喉上向後雙垂脊中兩頭盡處假点之以其齊兩吻度直假点上左右頭点記是二穴次取一長條亦放結喉上向後垂下脊中繩頭一齊處点記非穴又以合口齊兩吻度横放假点上左右点記以上四穴一時灸

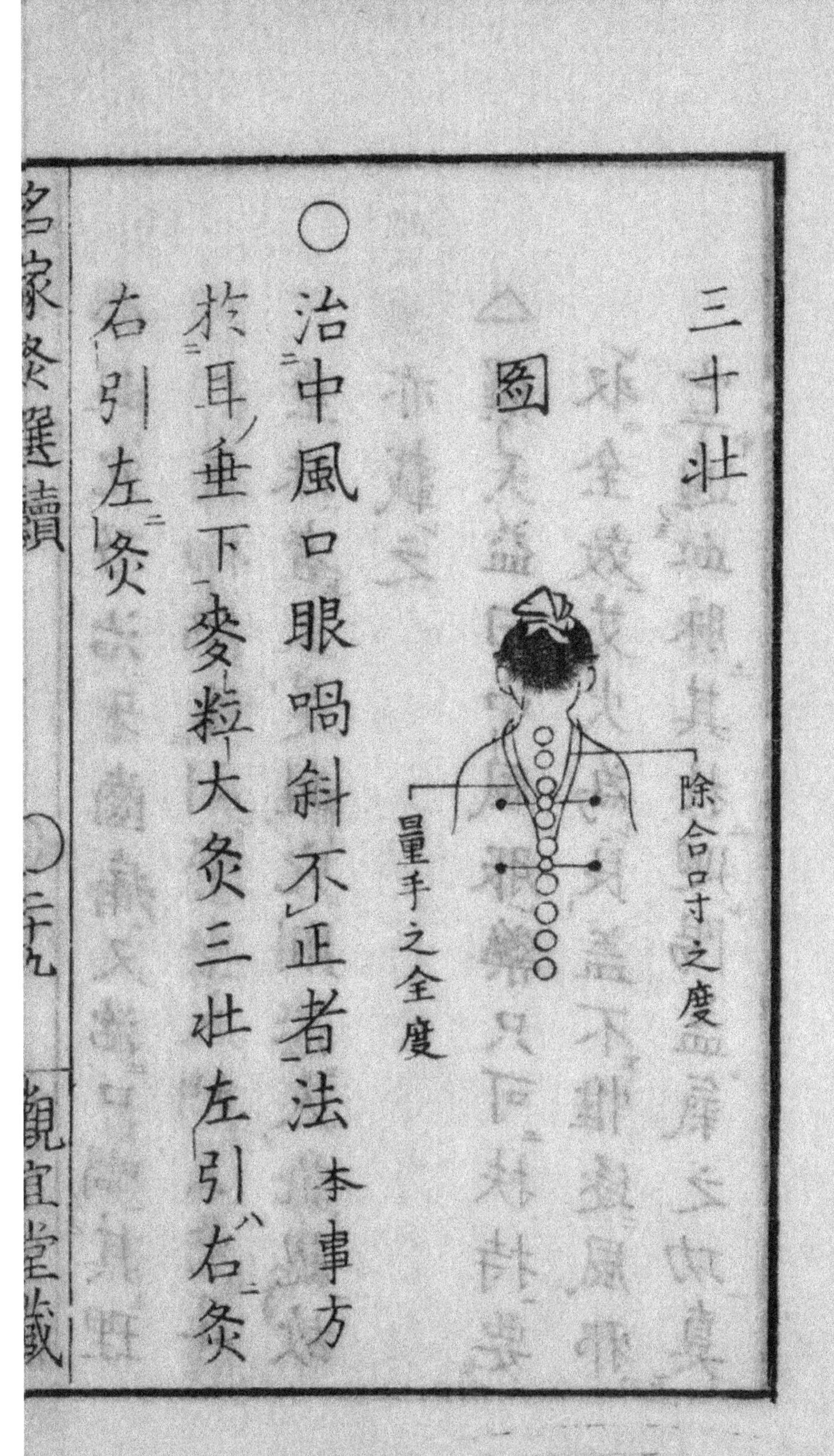

三十壯

△圖

○治中風口眼喎斜不正者法 本事方

於耳垂下麥粒大灸三壯左引右灸右引左灸

△此穴乃治牙齒痛又治口喎其理一矣初編已引醫學入門云灸耳垂珠者又是此穴則恐人訛認故亦載之

△羅天益曰中風服藥只可扶持要收全效艾火為良蓋不惟逐風邪宜通血脈其於迴陽益氣之功真

有莫能盡述者

勞瘵

○治男婦五勞七傷氣血虛損骨蒸潮熱咳嗽痰喘五心煩熱四肢困倦羸弱等證并皆主之法原導道古傳

令患人正坐按脊椎自十一椎至十四椎男子十一椎十四椎節下挾骨左旁点記又十二椎十三椎節下夾骨右旁点記以上四穴女子左右反之号日本四花穴

圖

男子

○○⑪⑫⑬⑭⑮⑯

○八華灸法

治同前兼積聚塊痞疼痛等症主之

先度其乳間中折以縄子度両乳間若婦人両乳垂下

者度手中指頭至掌更以他草度去

後横紋代乳間之度又以別縄度

米已即以両隅相拄也両乳間中折

之去其半併前縄乃擧以度其背令

為三隅△如此

其一隅居上齊背大椎両隅在下當

其下隅者肺之俞也左右兩隅中間又下一度則上角當脊骨上假点記其假点也以下倣之復下一度心之俞復下一度左角肝之俞也右角脾之俞也復下一度腎之俞也是謂五藏之俞灸刺之度也云云

今此法五藏別俞法出血氣形志篇而三宅貞亨意安著灸炳塩土傳

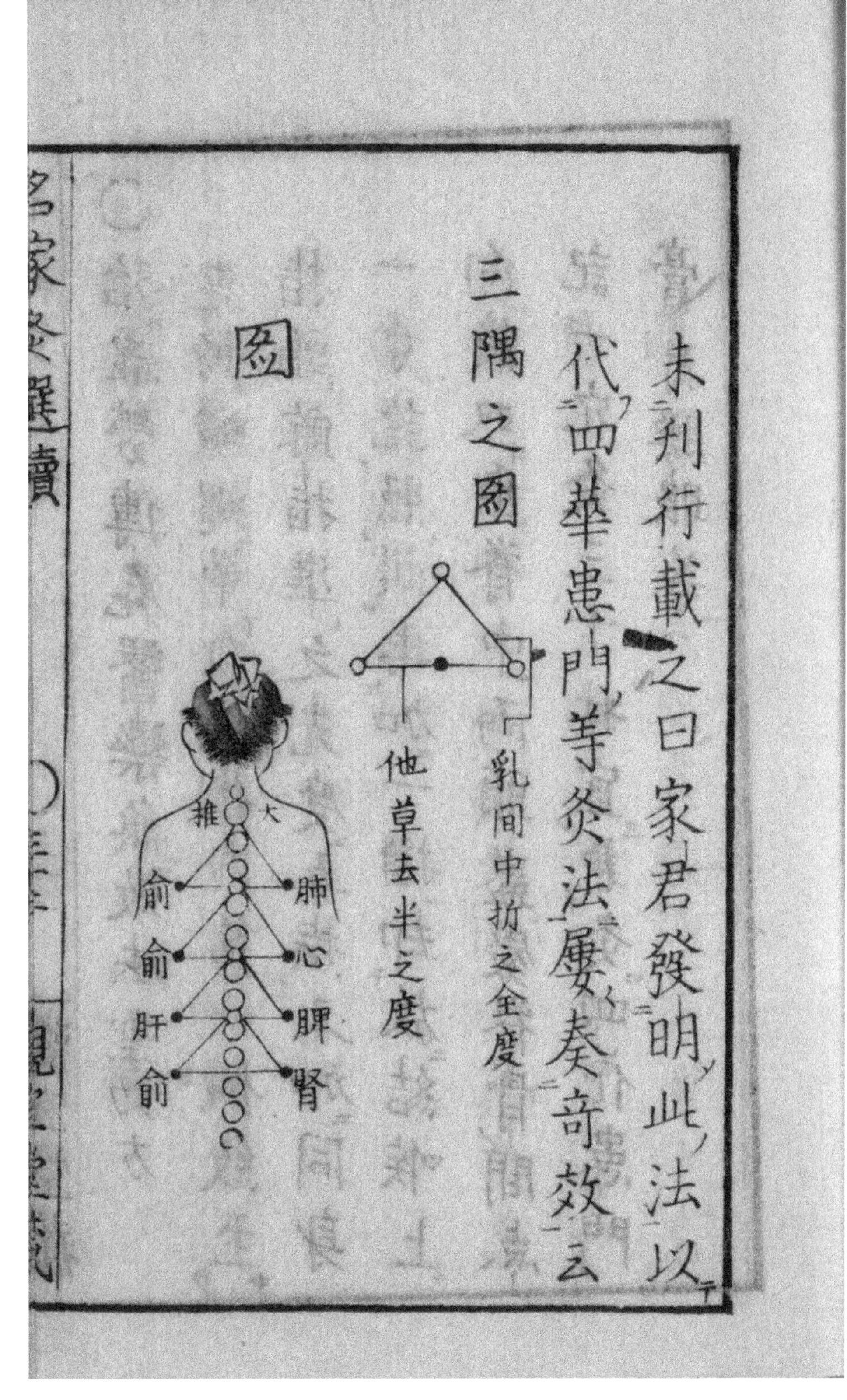
未刊行載之曰家君發明此法以
代四華患門等灸法屢奏奇效云
三隅之圖
乳间中折之全度
他草去半之度
圖
椎
大
肺
俞
心
俞
脾
肝
腎
俞
名家灸選續

○治虛勞傳屍醫藥無效法　聖功方

先將蠟繩量自大指內第一橫紋至中指頭餘指準之先度五指又加同身一寸訖照此再加一摺却放結喉上向後双垂脊中兩頭盡處脊骨間点記一穴灸三十壯宜兼灸四花患門膏肓腰眼等

△此法与梅花無盡藏所載者少有異同又与上編所載江州老醫所傳之治勞灸法亦大同少異矣盖彼是一源也

注夏病

○治注夏病頭眩眼花腿酸脚軟五心煩熱口苦口乾無力好眠食少胸膈不利法 德本

膏肓 肺俞 患門

癲癇狂

○治大人癲癇小兒驚癇法千金

灸背第二椎上及下窮骨尖二處乃以繩度量上下中折復量至脊骨上點記之共三處畢復斷此繩取其半者前繩至于此已為四折而用其一也為三折而參合如△字以上角對中央一穴其下二角正夾脊両邊同灸之凡五處也各

名家灸選續　○三十四　観宜堂蔵

百壯

図

○治癲癇驚風瘈瘲法俗傳以蠟繩量自大椎至亀尾骨中折之復量至脊骨上正中處点記又将同身寸上下左右各一寸点記以上五

穴灸百壯屢試屢驗

大椎

尾骨

○治癲癇法　味岡三伯

用同身寸臍下五分一穴臍左旁一寸一穴又臍下五分左旁一寸一穴凡三穴男婦共灸左旁也

圖

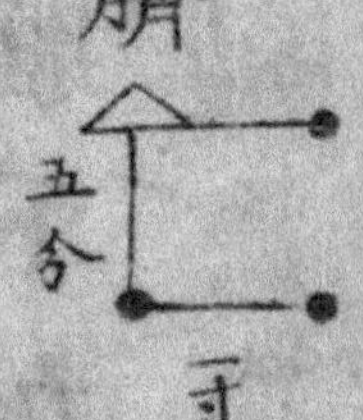

臍

五分

寸

○又法 灸蛃塩土傳

先令患人正坐直背脊用蠟繩量自大椎至亀尾骨中斷之自大椎下垂脊中一点 初点穴 次以中斷之縄再中斷 又作四折 以其一直大椎垂下一

点次以四折之繩子直初点垂下盡處一穴次以四折之一又中斷之以其半當初点左右盡處点記以上五穴或併大椎尾骶骨共七穴灸之亦得矣灸各十五壯或二十壯從病輕重酌量之巳灸後十餘日欲試病巳愈未愈者蒟蒻細末糊丸梧子大服

三五丸病未愈必再發又灸依前法病愈後禁房事凡一年所而永愈矣

○治呆痴法　醫綱本紀

神門　少商　湧泉　心俞

痰飲

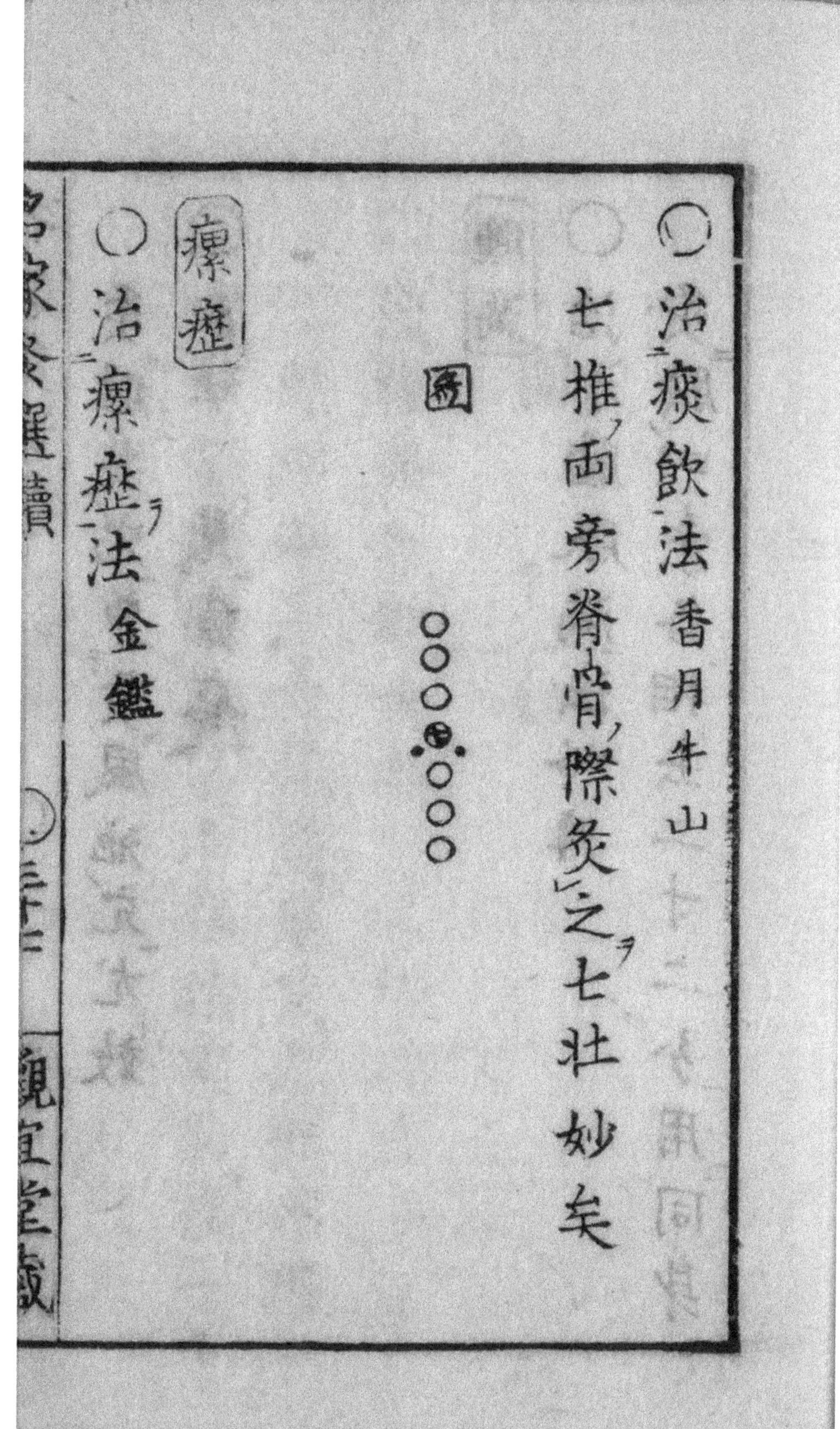

○治痰飲法　香月牛山

七推兩旁脊骨際灸之七壯妙矣

圖

瘰癧

○治瘰癧法　金鑑

灸肘尖穴兼灸風池穴尤效

○又法　見瘡瘍

腫滿

○治水腫脹滿法　俗傳

灸臍四旁各相去一寸二分用同身

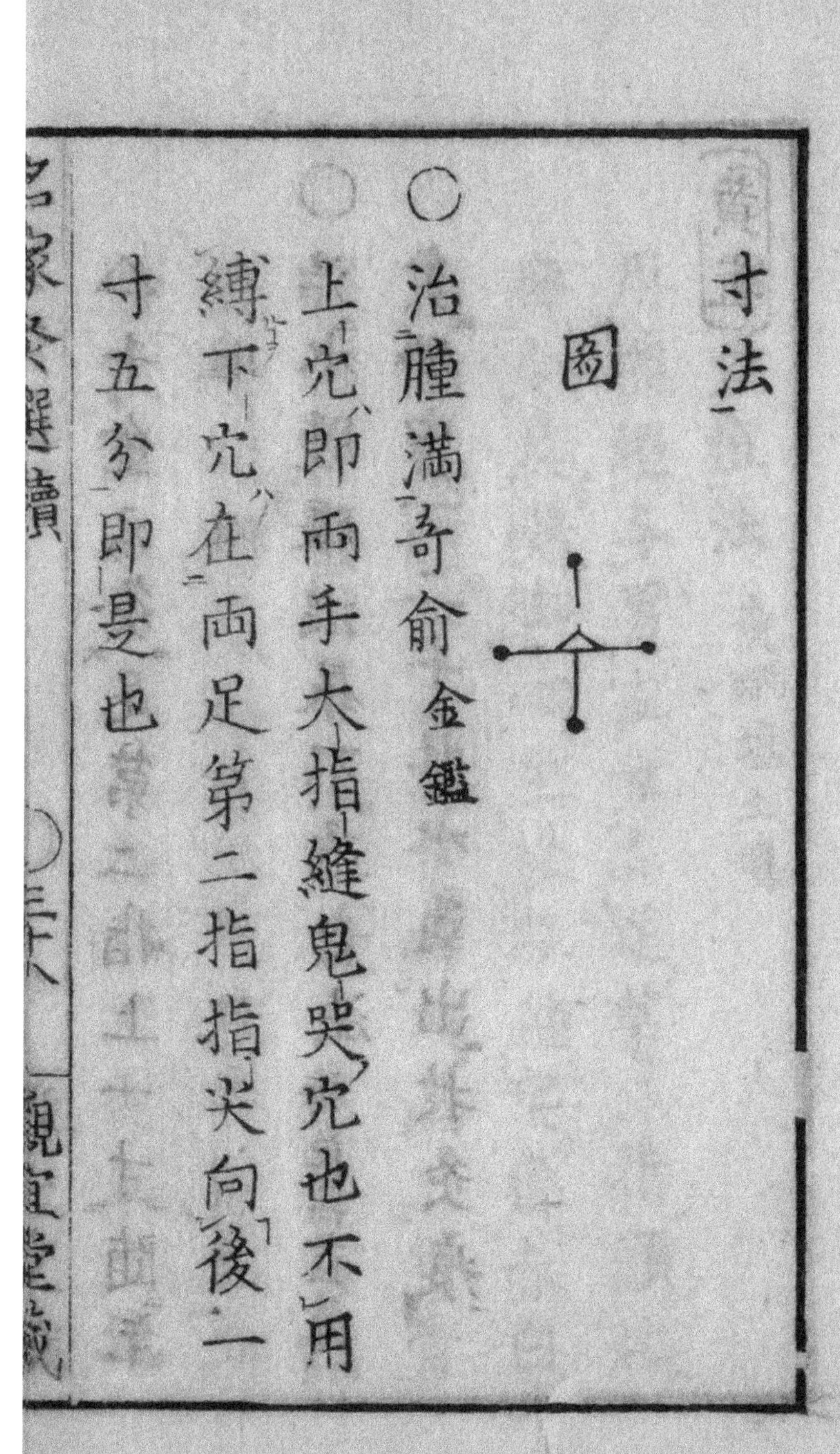

寸法

圖

○治腫滿奇兪　金鑑

○上穴即兩手大指縫鬼哭穴也不用縛下穴在兩足第二指指尖向後一寸五分即是也

名家灸選續　三十八　觀宜堂藏

名家灸選續

三十八

△千金云灸足第二指上一寸隨年壯

○治水腫脹滿尿不通者法梅花無盡藏

灸臍中一二十壯水氣出於灸痕

黄疸

翻宜堂藏

○治黄疸法　灸炳塩土傳

用蠟縄与男左女右足第二指頭比齊令其順脚心至後跟踏定齊赤白肉際截斷着尾骶骨貼肉直上脊骨縄頭盡處以墨假記之次屈手食指量中指内廉外面為一寸再摺為二寸放假点上左右各一寸灸五十壮

發灸瘡膿水出而病愈若灸瘡未發再灸之更灸肺俞四十以上者灸之百發百中

圖

尾骨

急需病

卒厥青筋中悪

○治中尸諸注法千金翼其狀皆腹脹痛急不得息氣上衝心胸两脇或踝踴起或引腰脊者主之

灸乳後三寸男左女右可灸二七壯若不止多其壯數愈

△此法治中惡尸疰客忤邪祟等症效

○治卒厥青筋法 梅花無盡藏

穴在腋下患人之手一扶下肋骨間灸三壯男左女右

△此法當即前千金翼乳後三寸之穴少後又千金方治飛尸諸注以繩量病人兩乳間中屈之乃從乳頭向外量使當肪罅於繩頭盡處是穴云々正与此相同盖德本氏變其点法耳

△卒厥青筋腹痛煩悶不省人事或

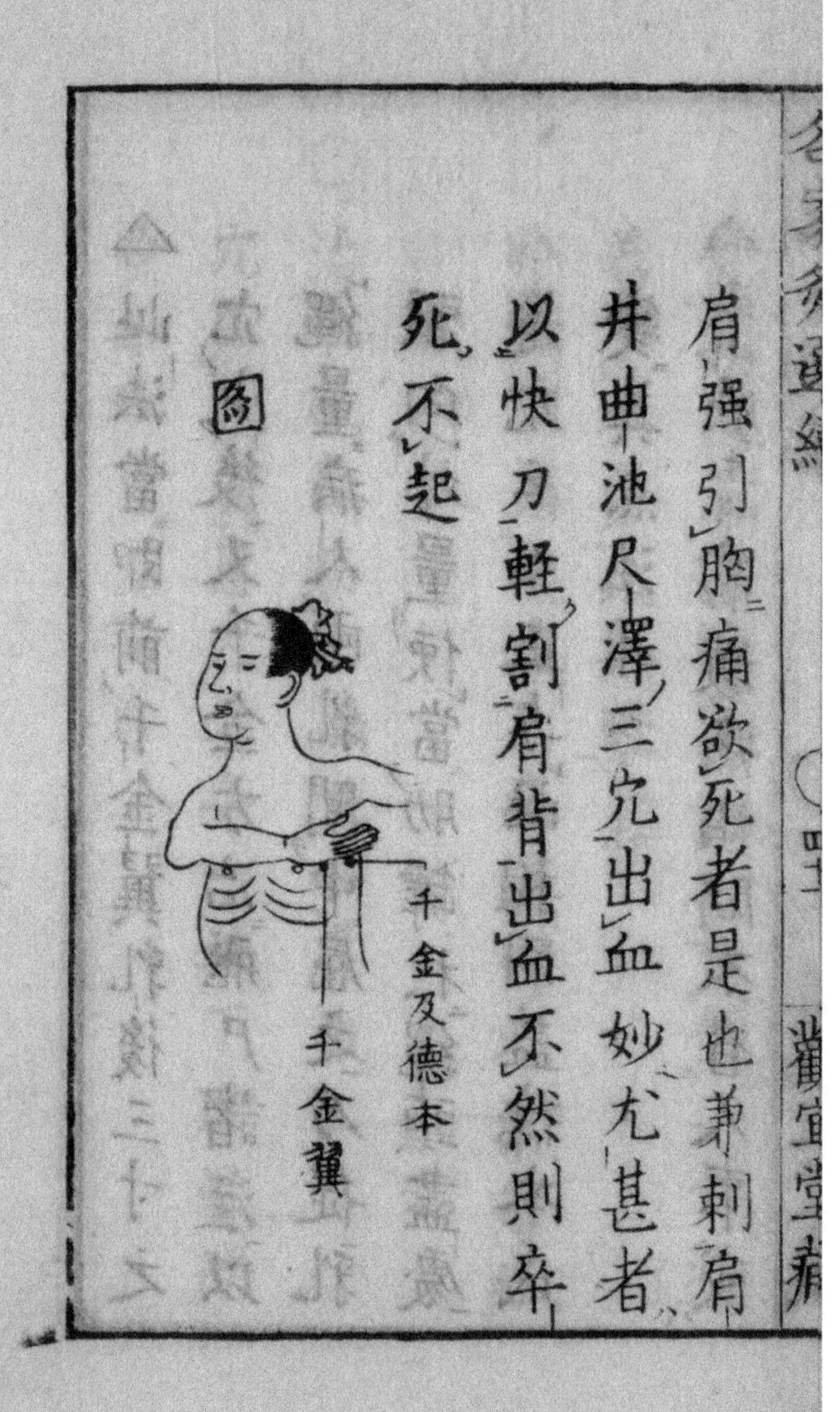

名家灸選續編　觀宜堂藏

肩強引胸痛欲死者是也兼刺肩井曲池尺澤三穴出血妙尤甚者以快刀輕割肩背出血不然則卒死不起

圖

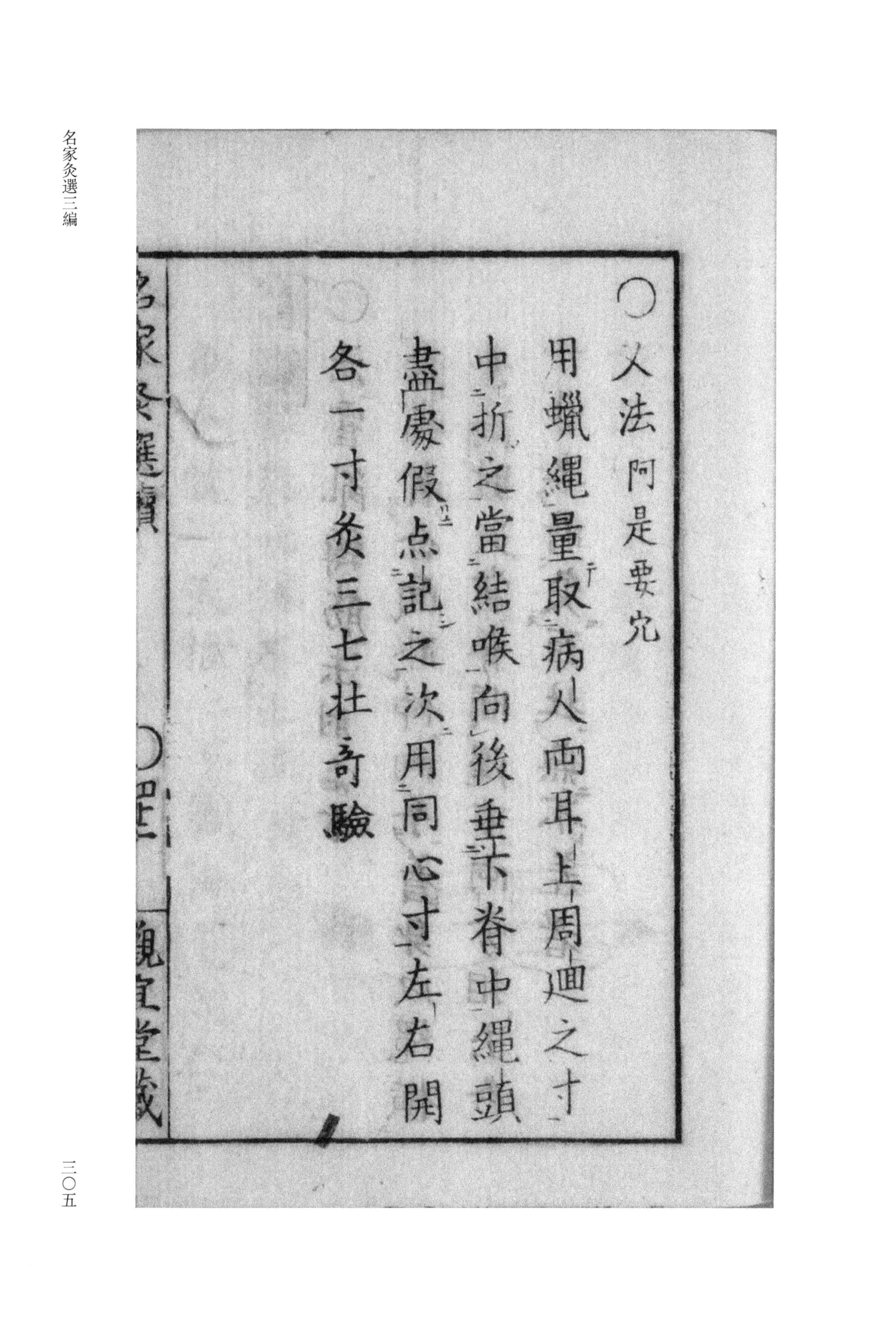

○灸法阿是要穴

用蠟繩量取病人兩耳上周迴之寸中折之當結喉向後垂下脊中繩頭盡處假点記之次用同心寸左右開各一寸灸三七壯奇驗

霍亂

〇治霍亂轉筋法肘后方

令病者合面卧伸兩手着身以繩横牽兩肘尖當脊間繩下兩旁相去各一寸半所灸百壯無不差者

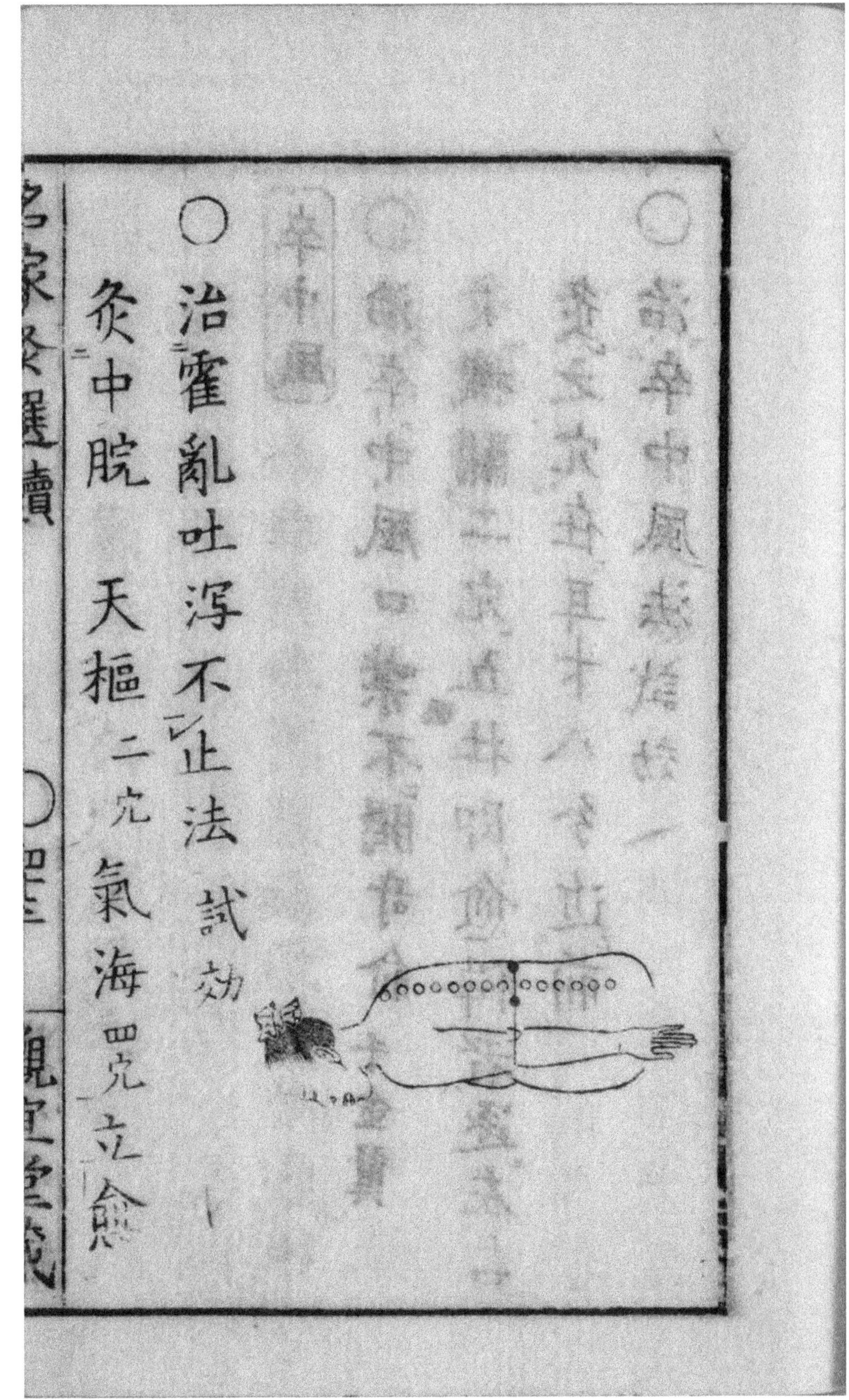

○治霍亂吐瀉不止法　試効

灸中脘　天樞二穴　氣海四穴立愈

卒中風

○治卒中風口噤不開奇俞　千金翼

灸機關二穴五壯即愈僻者逐左右灸之穴在耳下八分近前

○治卒中風法試効

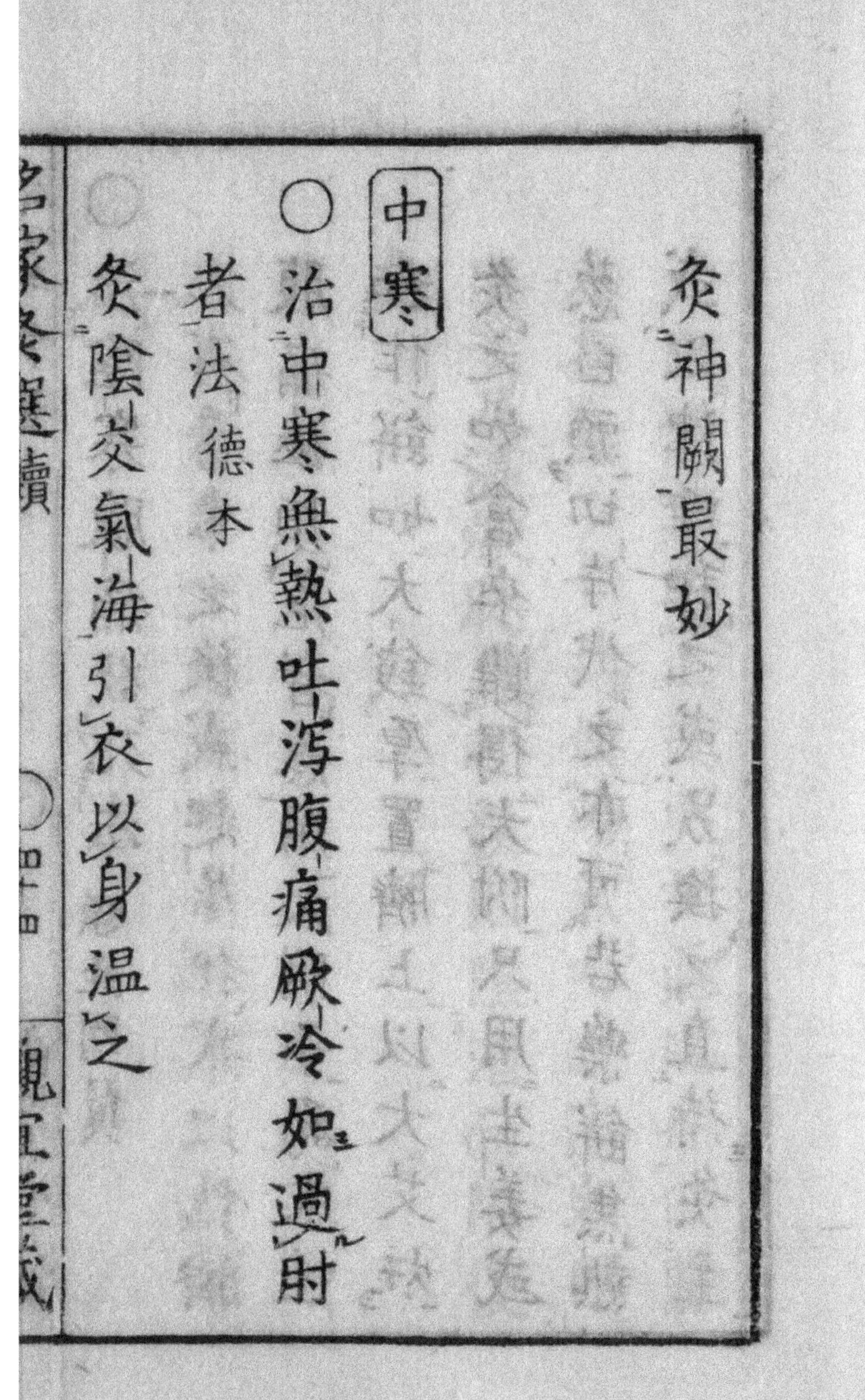

灸神闕最妙

中寒

○治中寒與熱吐瀉腹痛厥冷如過時者法德本

灸陰交氣海引衣以身温之

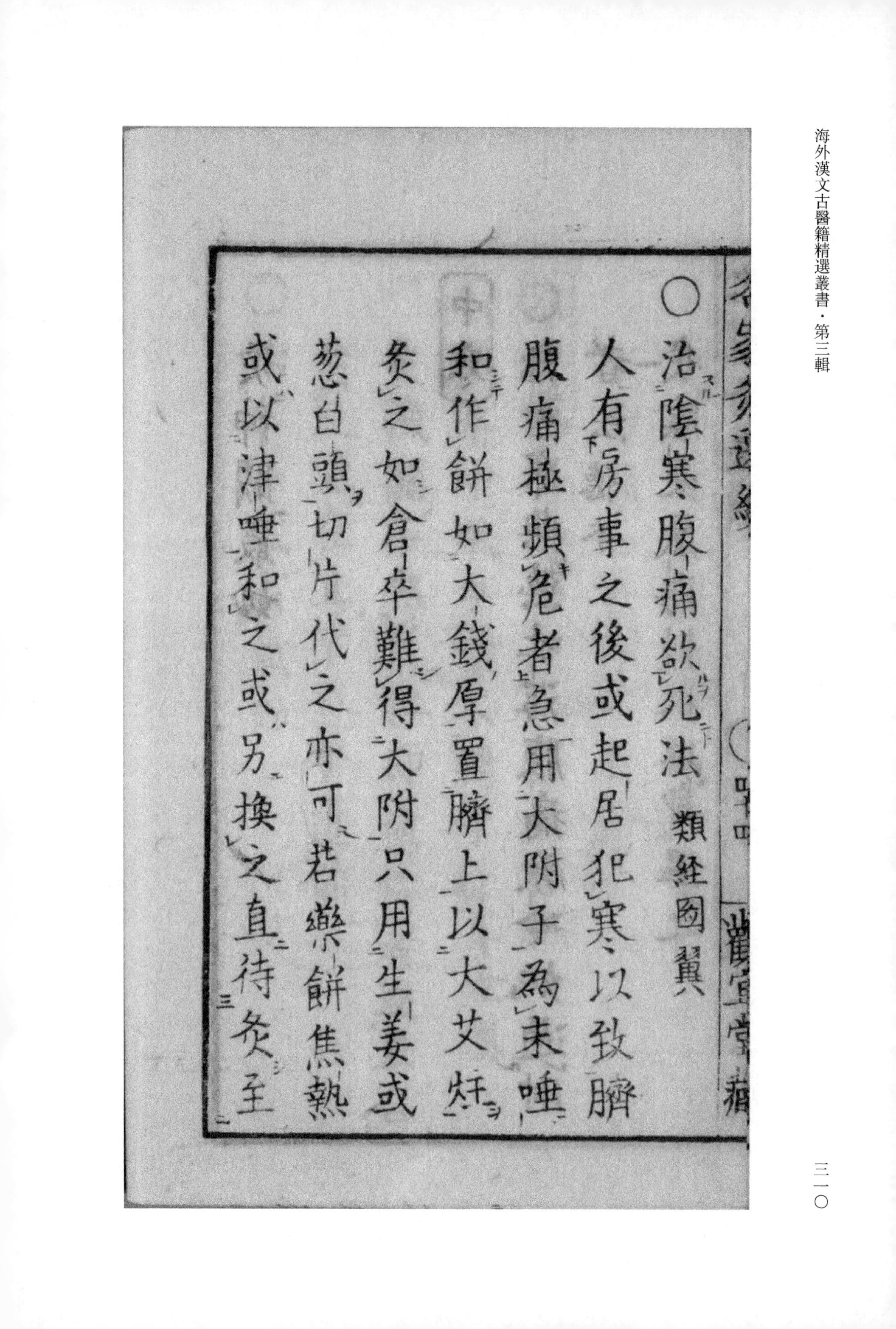

○治陰寒腹痛欲死法　類經圖翼

人有房事之後或起居犯寒以致臍腹痛極頻危者急用大附子為末唾和作餅如大錢厚置臍上以大艾炷灸之如倉卒難得大附只用生薑或葱白頭切片代之亦可若藥餅焦熱或以津唾和之或另換之直待灸至

瘧疾

汗出體温爲止或更於氣海丹田關元各灸二七壯使陽氣内通遍寒外出手足温煖脉息起發則陰消而陽復矣

○治瘧疾法　灸炳塩土傳

脊中齊於臍骨上一穴　用竹扶法　又取鼻橫寸夾脊骨左右二穴以上三穴灸三壯

○截瘧灸法

先量患人兩乳間中折之直乳頭垂下繩頭盡處一穴男左女右灸七壯

○又法　灸炳塩土傳
均茲患人両足起自大栂指頭周廻赤白肉際截斷却放結喉垂下脊中双頭盡處是穴壯數從瘧發數

○截瘧奇俞　家秘法
發日清晨灸膽俞近脊骨二十壯隱白七壯奇效

○又法和漢三才圖繪
手大指中節内側横紋頭灸一壯足
大指亦效
△此穴即鬼當

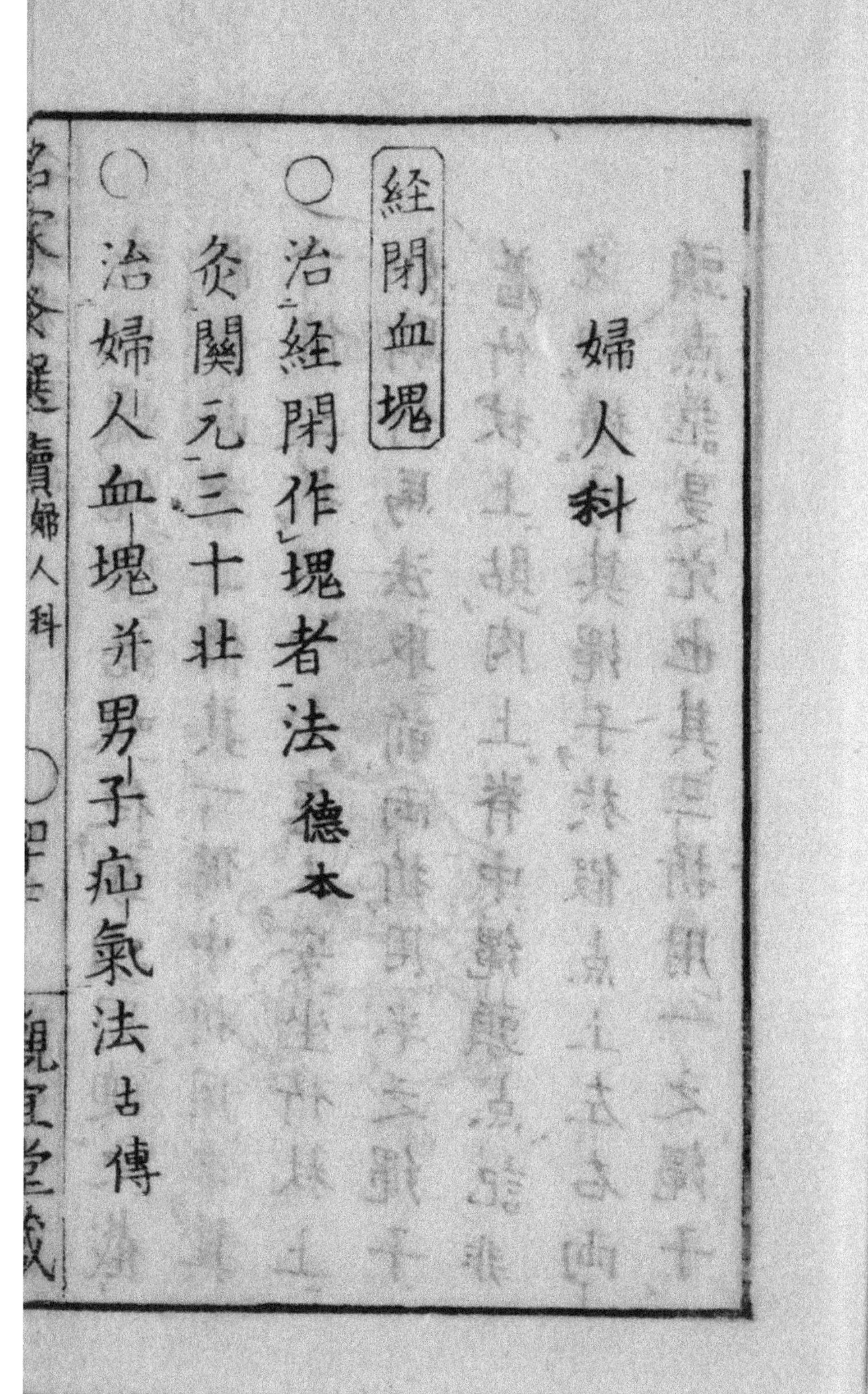

婦人科

經閉血塊

○治經閉作塊者法德本

灸關元三十壯

○治婦人血塊并男子疝氣法古傳

先以蠟繩當結喉從頸項周迴之截斷如此者二條其一條中折用半其一條三折用一令患人安坐竹杖上如騎竹馬法取前兩折用半之繩子着竹杖上貼肉上脊中繩頭点記非穴即橫按其繩子於假点上左右兩頭点記是穴也其三折用一之繩子

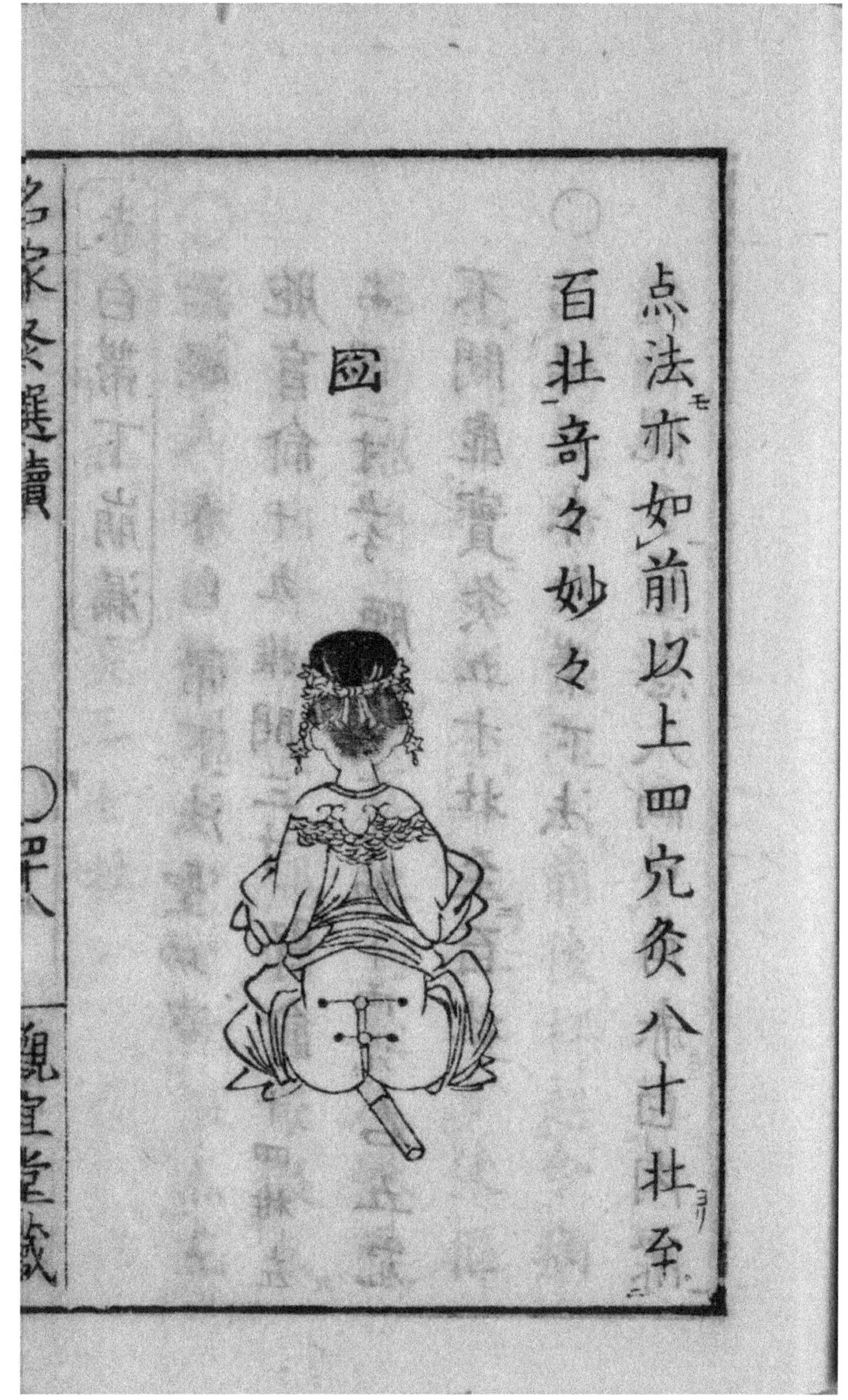

点法亦モ如前以上四穴灸八十壮ヨリ至百壮奇々妙々

図

名家灸選續　○四　観宜堂蔵

赤白帶下崩漏

○治婦人赤白帶下法 聖功方

胞肓俞十九椎開三寸 腎俞十四椎左右開一寸五分 腰俞十二節下兩穴 右五穴不問虛實灸五十壯至百壯

○治婦人赤白帶下法

○先將繩子量患人兩口角赤白肉際

截斷却用竹杠一條令病人脱去下衣正身騎定使兩人前後杠起令病者脚不着地仍令二人扶之勿使傴僂動搖將前所量竹杠坐處尾骶骨下着杠貼脊骨直上繩頭盡處假点非穴又量口吻繩子中折放假点左右点記二穴灸三七壯

○又法 香月牛山

脊十一椎左右二穴灸二七壯即愈

○治婦人漏下赤白月水不利法 千金

灸交儀穴在內踝上五寸又灸漏陰穴三十壯穴在內踝下五分微動脉上

産科

○婦人易産灸法　中條流傳

將繩子量右手中指齊中節外廉作一寸再加二揩當亀尾貼脊骨直上繩頭盡處假点又取前線更為兩折斷去其半而用半以其中揩處直假

点左右各点記灸十一壮此穴臨産月預灸之則免産難之患

○婦人欲絶産灸法 類経図翼

臍下二寸三分灸三壮或七々壮即終身絶孕

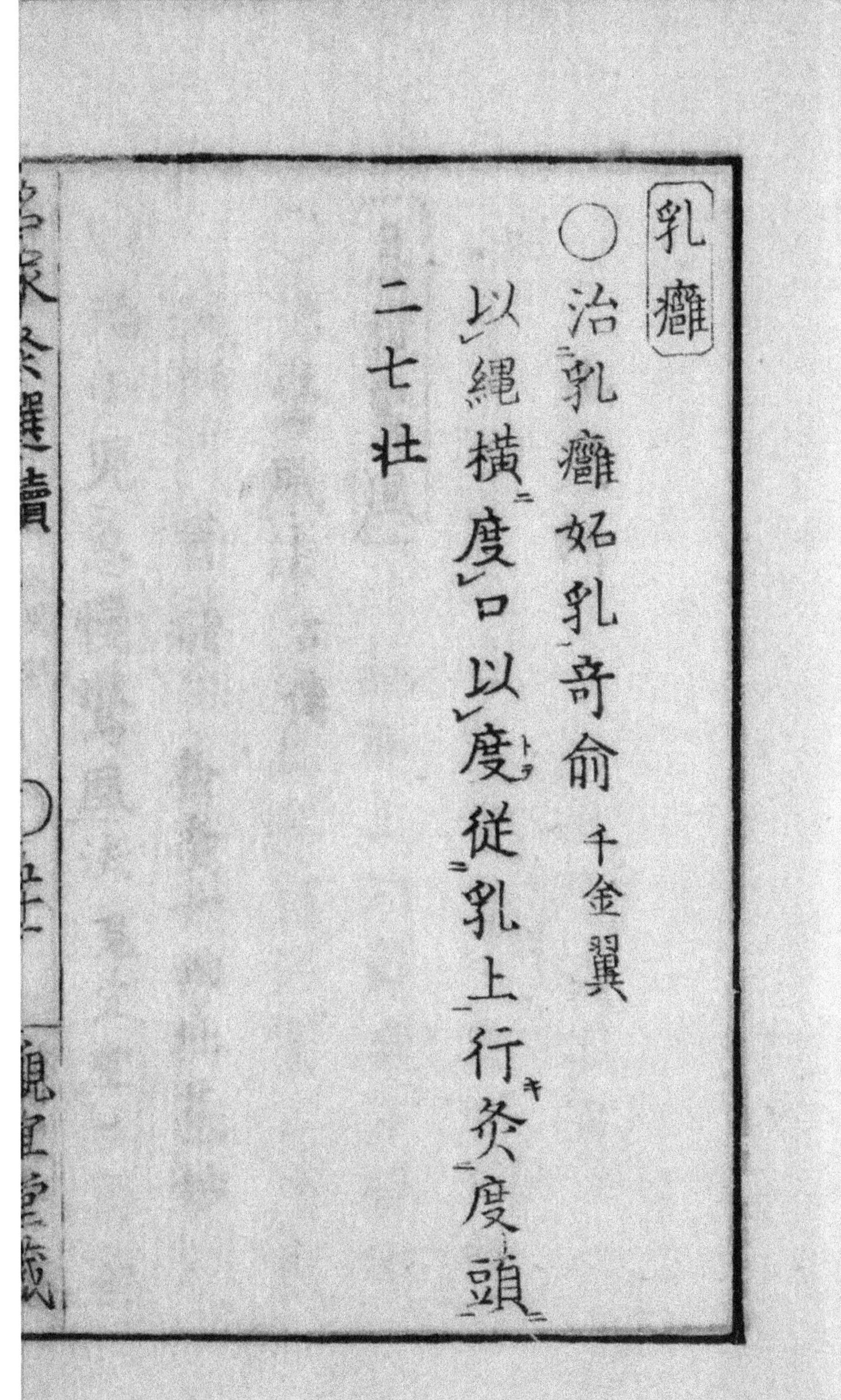

乳癰

○治乳癰妬乳奇俞 千金翼

以縄横度口以度従乳上行灸度頭

二七壯

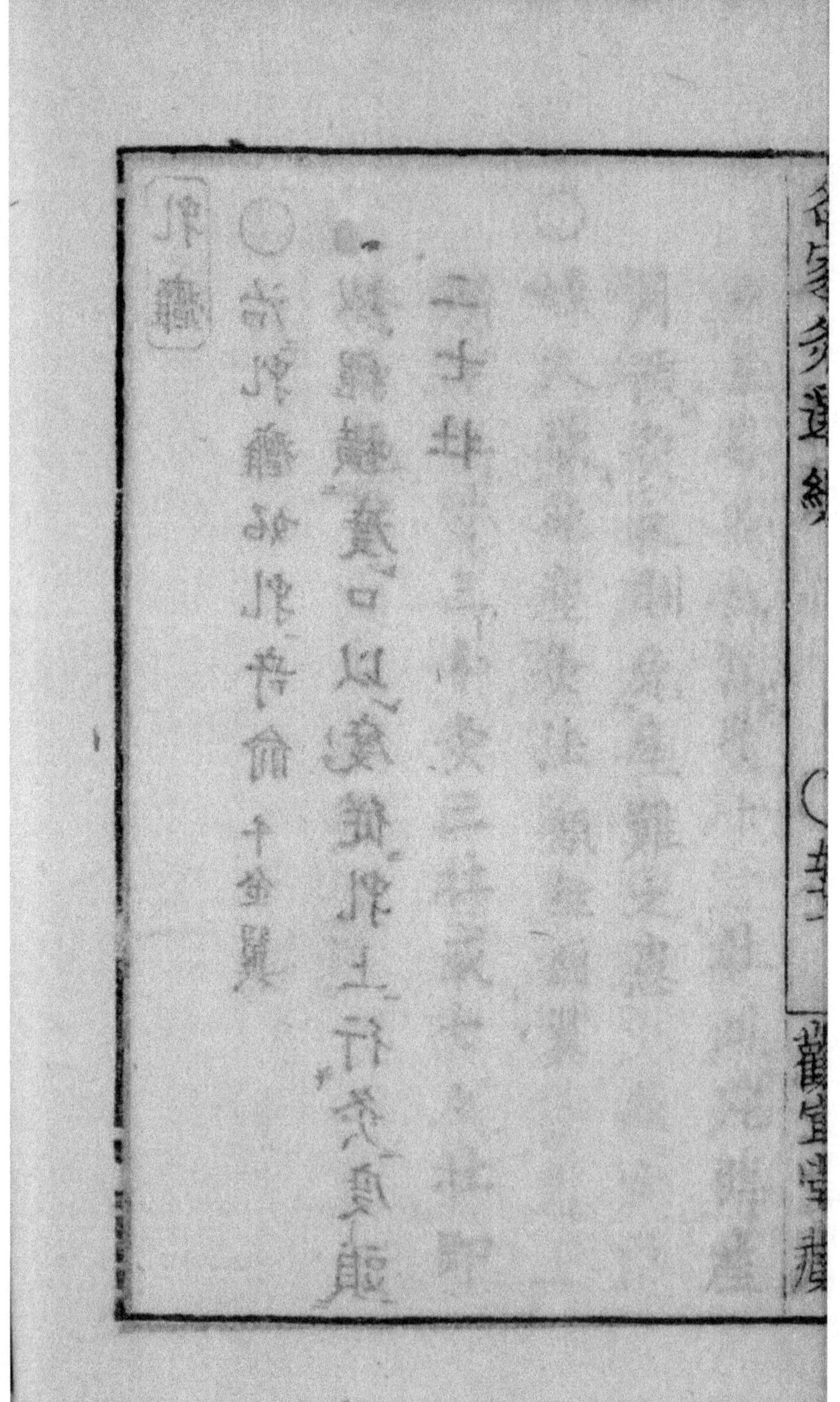

百七壯

●取病瘦羸瘠口以度從乳上行如度頭

○治乳癰妬乳乳并命千金翼

乳癰

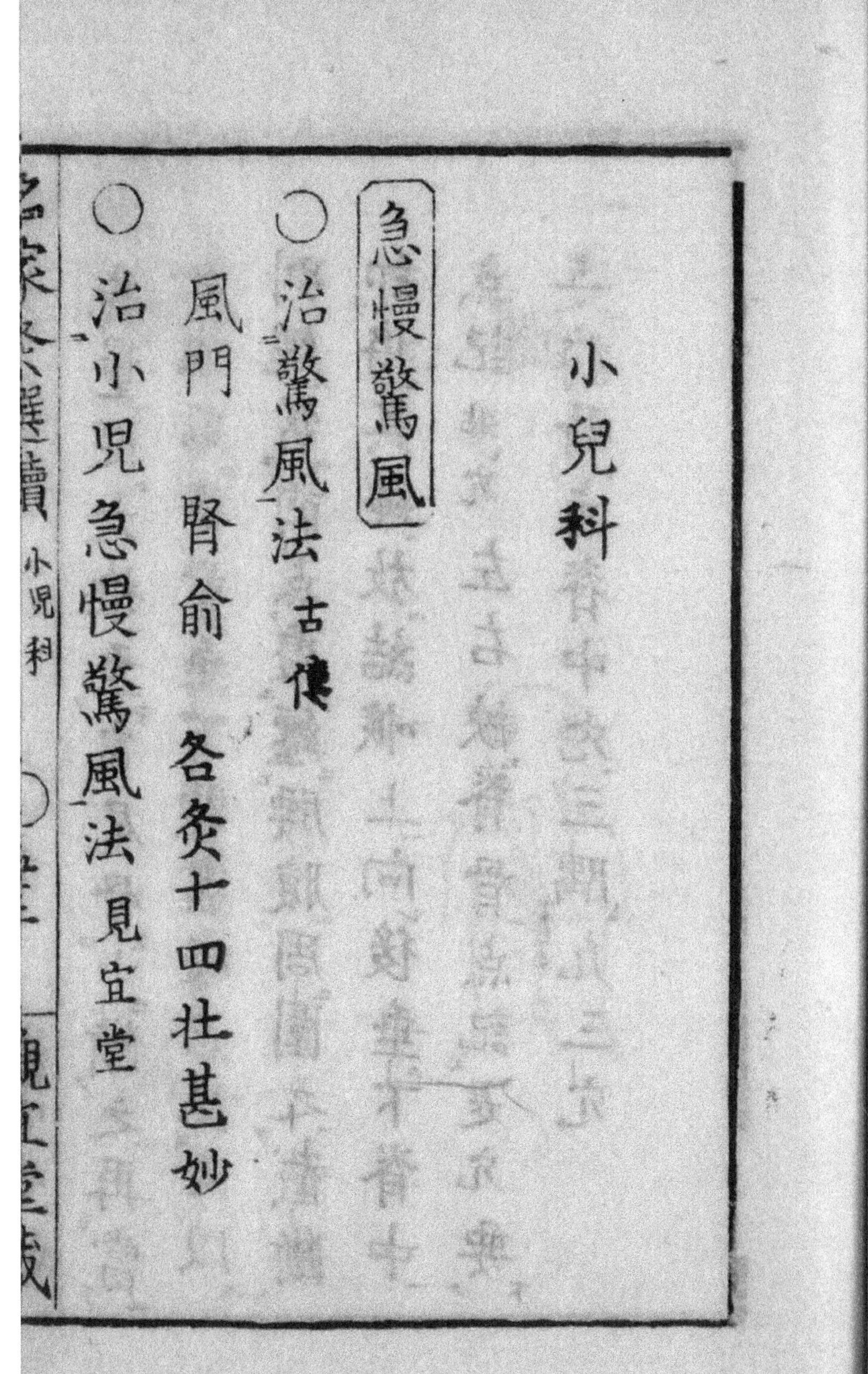

小兒科

急慢驚風

○治驚風法　古傳

風門　腎俞　各灸十四壯甚妙

○治小兒急慢驚風法　見宜堂

先量從大椎至亀尾骨中斷之再當大椎貼脊骨垂下頭盡處点記又以別繩當前点處纏腰腹周圍之截斷却将其繩放結喉上向後垂下脊中点記非穴左右挾脊骨点記是穴要与前所点脊中穴三隅凡三穴

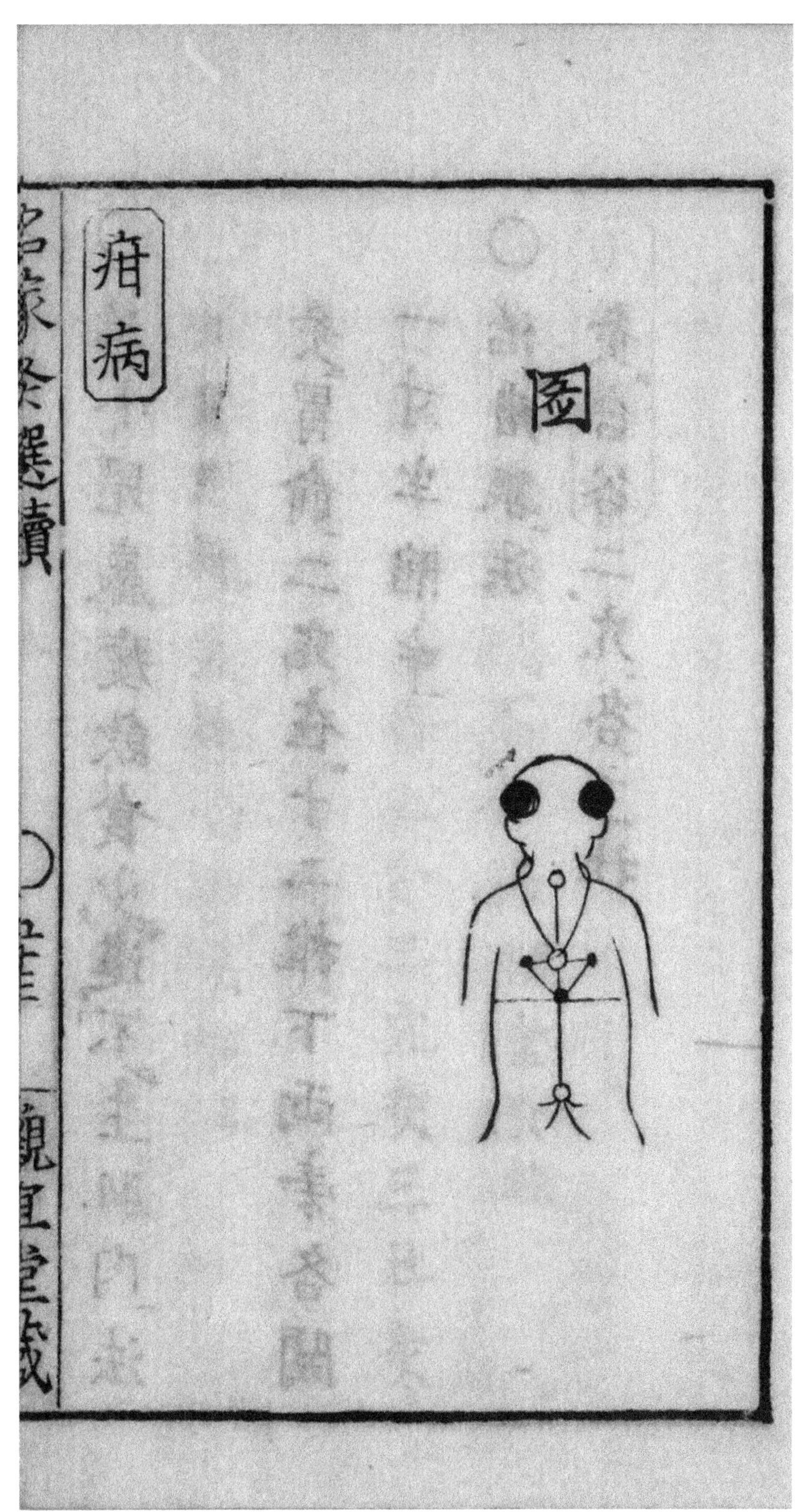

痔病

圖

名家灸選續 全 觀宜堂藏

○治小兒羸瘦飲食少進不生肌肉法

明堂灸經

灸胃俞二穴在十二椎下兩旁各開一寸半陷中

○治疳眼法

灸合谷二穴各三壯

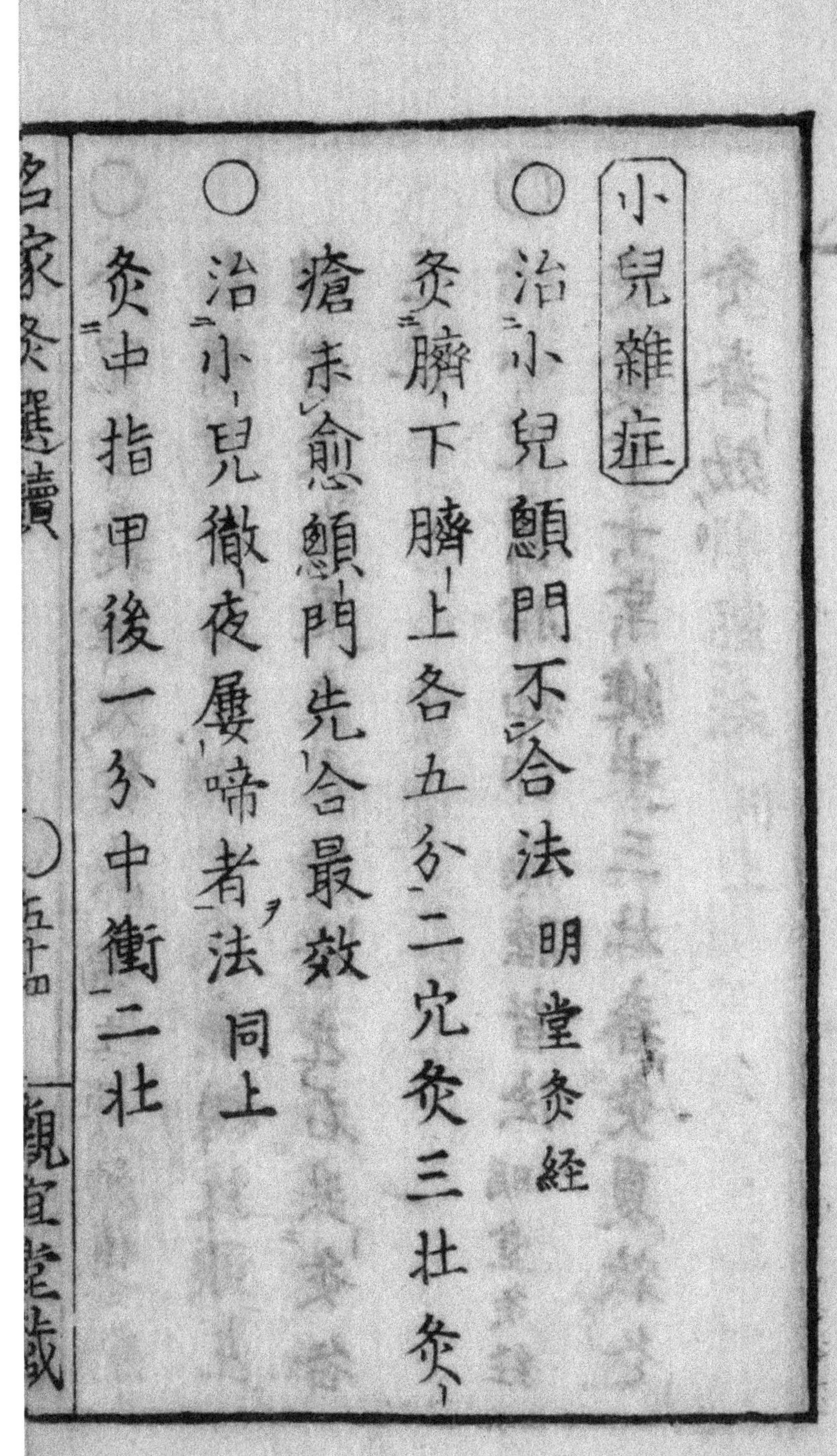

小兒雜症

○治小兒顖門不合法　明堂灸經

灸臍下臍上各五分二穴灸三壯灸瘡未愈顖門先合最效

○治小兒徹夜屢啼者法　同上

灸中指甲後一分中衝二壯

○小兒陰囊腫大灸法 獨立禪師傳

右腫者灸左足膕中内廉横紋頭左腫者灸右足右腫者左右共灸各三壯

○治小兒禀胎疝卵偏腫者法 明堂灸經

小灸囊下十字縫中三壯春灸夏效冬灸春効

○治小兒陰腫法 同上
灸內崑崙二穴各三壯在內踝後五分筋骨陷中

○治小兒睡中驚掣法 同上
灸足大指次指之端去甲如韭葉各一壯

○治小兒疳痢脫肛體瘦渴飲形容憔

悴諸醫不効者法
灸尾骨上三寸陷中三壯
○治小兒秋後冷利不止者法
灸臍下二寸三寸間動脉中
○治小兒三五歲不語者心氣不足舌
本無力難轉者法
灸心俞穴三壯在五椎下兩旁各一

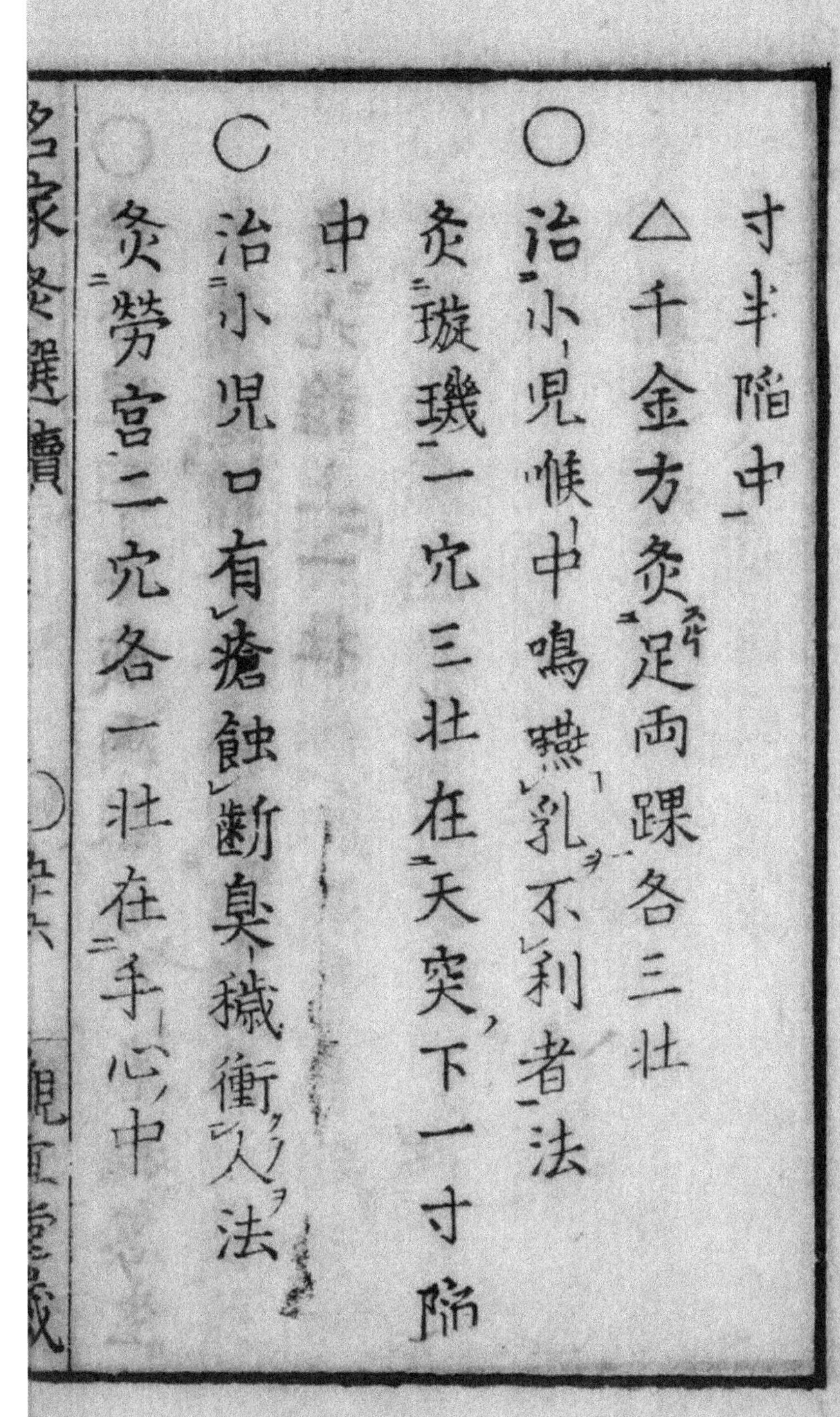

寸半陥中

△千金方灸足兩踝各三壯

○治小兒帳中鳴噤乳不利者法

灸璇璣一穴三壯在天突下一寸陥中

○治小兒口有瘡蝕齗臭穢衝人法

灸勞宮二穴各一壯在手心中

○治小兒三五歲兩眼每至春秋忽生目翳遮瞳子疼痛不可忍法

灸九椎上一壯

瘡瘍病

○治瘰癧癰疽惡瘡法　古傳

先令患人正坐將蠟繩量肩髃至中指頭截斷再以其繩子量口兩角從赤白肉際斷去之當結喉向後垂下

縄頭盡處脊骨上假点記之又取所量口両角之短縄横直脊骨假点左右両頭假点更将別縄同身寸二寸竪直左右假点上下頭處此穴也共四穴灸各三五十壯

△一切瘡瘍通用之法也代用瘡瘍八處九曜灸法妙矣

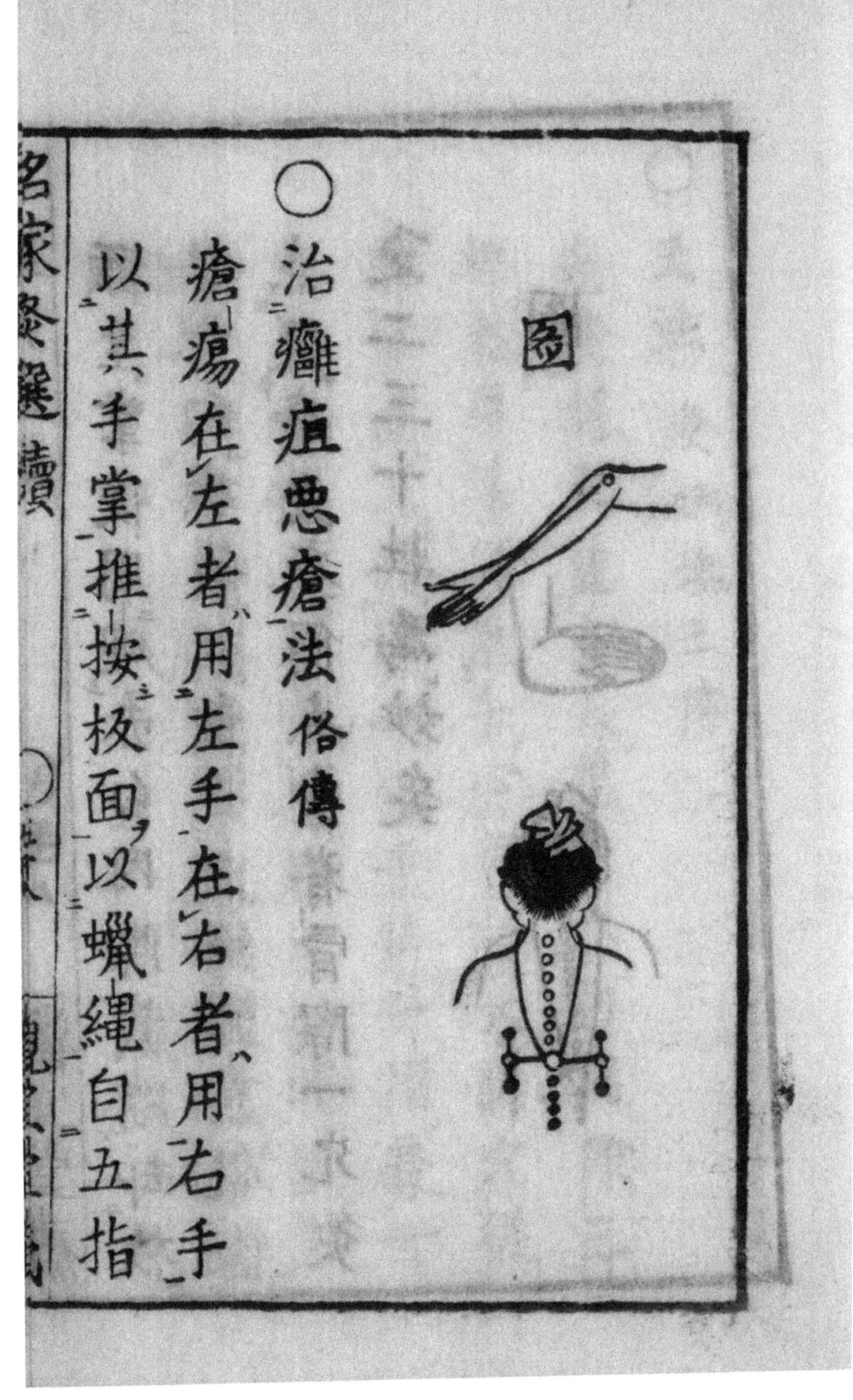

圖

○治癰疽惡瘡法俗傳

瘡瘍在左者用左手在右者用右手以其手掌推按杈面以蠟繩自五指

頭至掌後周迴赤白肉際截斷却放結喉向項後双垂脊中繩頭盡處假点從瘡左右假点旁脊骨際一穴灸之二三十壯為妙矣

圖

○又法　灸柄塩土傳

先將繩子量患人虎口赤白肉際三折之用其繩直手心包経大陵穴從手背直上行臂中繩子第一摺處一穴第二摺處一穴其第三折則横向外廉如矩據繩頭盡處一穴以上三穴

圖

○治疔瘡法千金
灸掌後橫紋後五指許男左女右七
壯即驗

○又法古傳

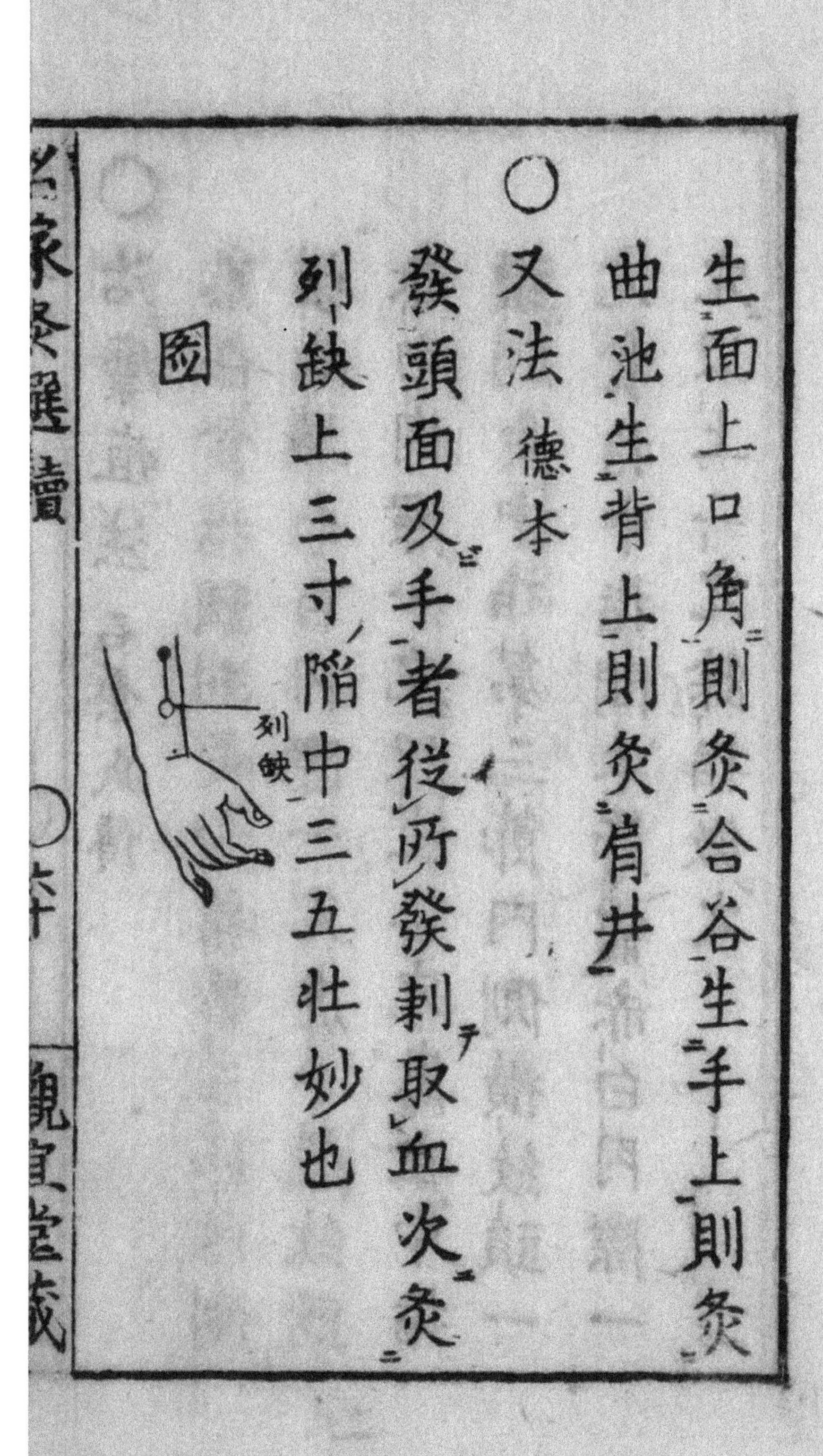

生面上口角則灸合谷生手上則灸曲池生背上則灸肩井

○又法　德本

發頭面及手者從所發刺取血次灸列缺上三寸陥中三五壯妙也

圖

名家灸選續

観宜堂蔵

○治瘭疽法　石原氏傳

患在食指頭則灸食指第三節內側橫紋頭赤白肉際一穴虎口橫紋頭赤白肉際一穴以上二穴患在中指頭則灸中指第三節內側橫紋頭一穴食指中指間本節前赤白肉際一穴以上二穴餘指傚之

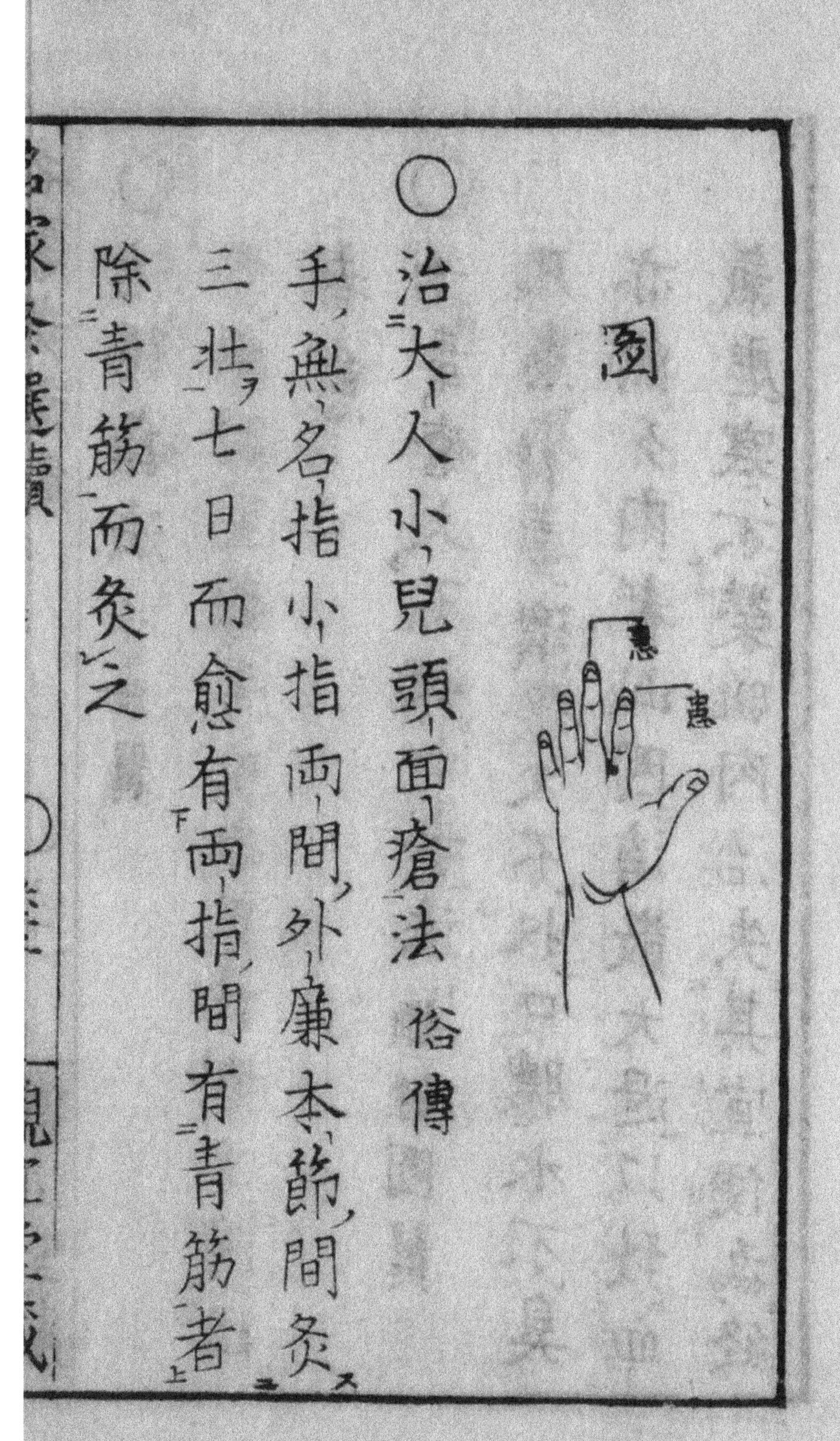

図

○治大人小兒頭面瘡法　俗傳

手無名指小指兩間外廉本節間灸三壯七日而愈有兩指間有青筋者除青筋而灸之

○治腸癰法 千金翼

屈兩肘尖頭骨灸各百壯則下膿血者愈

○治毒瘡久不收口者法 類經圖翼

凡患癰毒潰後久不收口膿水不臭亦無歹肉者此因消散太過以致血氣虛寒不榮肌肉治失其宜便爲終

身之患須內服十全大補等藥外用大附子以溫水泡透切作二三分厚片置漏孔上以艾灸之或以附子為末用唾和作餅灸之亦可隔二三日再灸之不三五次自然肌肉長滿而宿患平矣

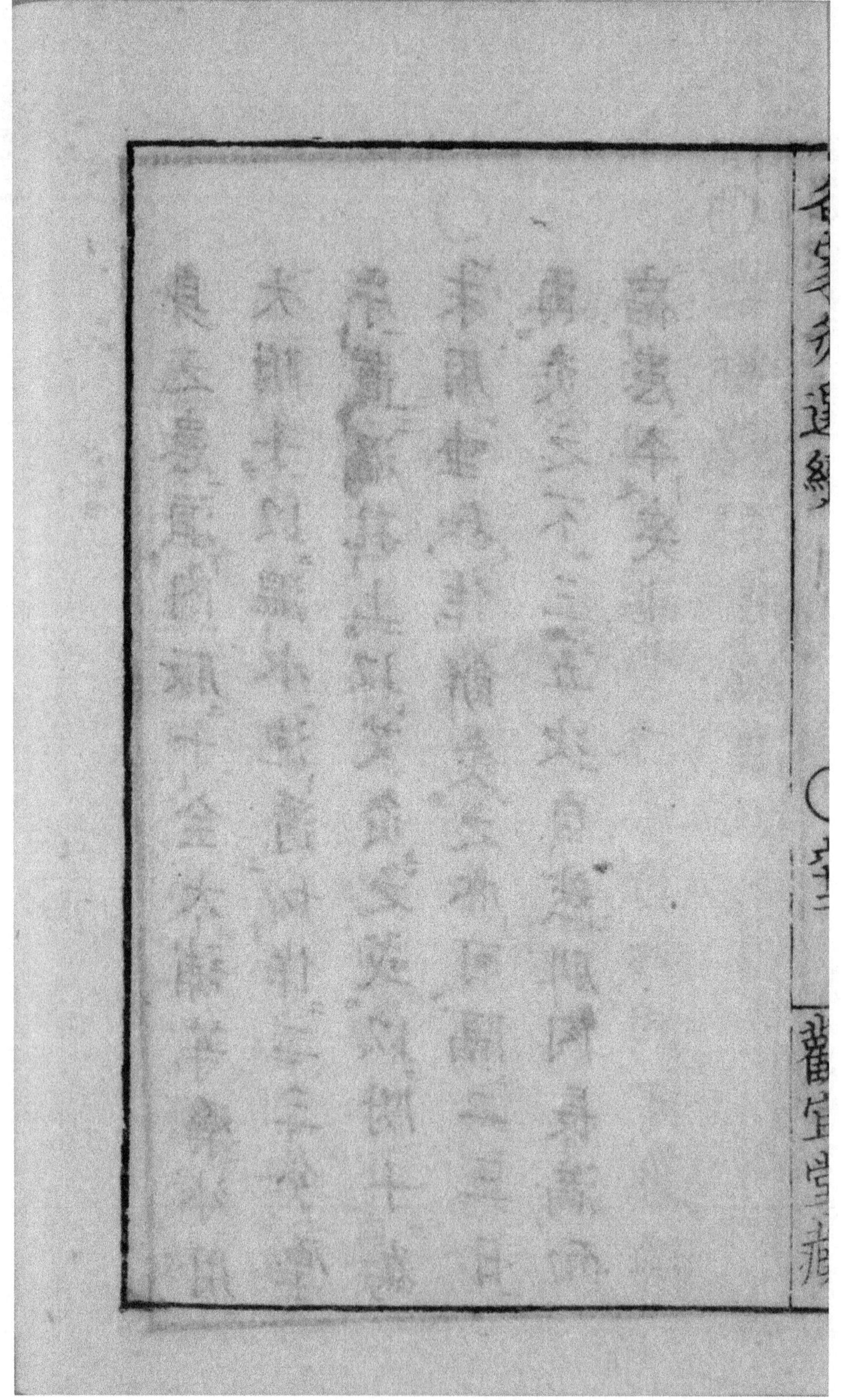

雜症

○治打撲陰囊陰囊而絶氣者法　德本

其陰囊必見青筋從其根唐茴香細末用唾和敷之灸其上三五壯灸關元七七壯

○治狐臭及婦人陰門燥臭法　味岡三伯

患人足拇指与次指岐骨間赤白肉際一穴每月二日早朝灸之三十壯病大半愈而後灸手小指内側爪甲角左右各三壯

〇治癜風及贅疣諸痣奇穴金鑑

左右手中指節宛宛中俗名拳尖是也

○治癬瘡法　俗傳

將蠟繩男左女右足赤白肉際周迴之截斷三折之用其一着跟下貼肉上腨肉繩頭盡處左右灸各九壯

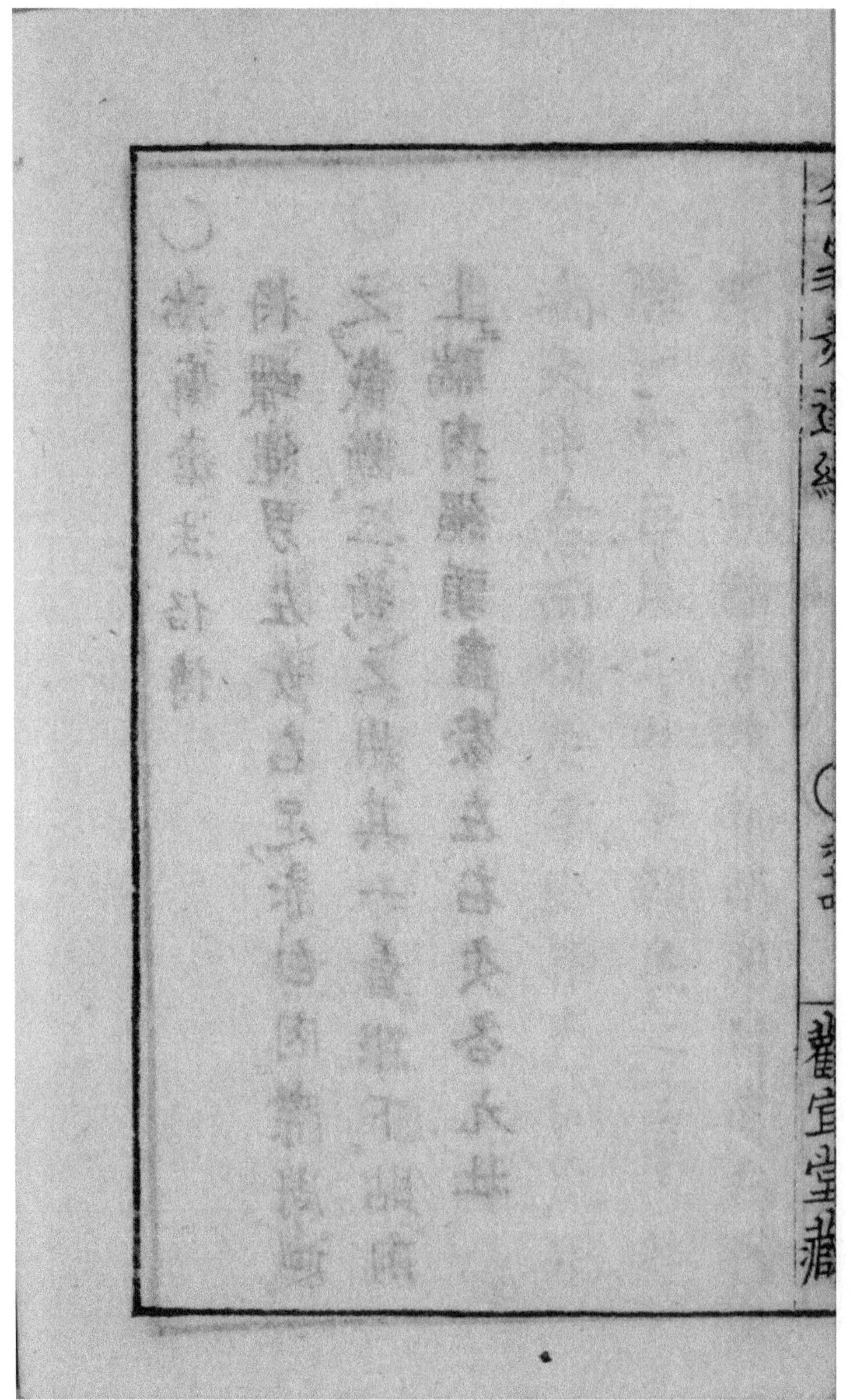
醫宜堂藏

附錄

○雷火神鍼外科正宗

治風寒濕毒襲於經絡為患漫腫無頭皮色不變筋骨疼痛起坐艱難不得安臥者用之針之

蘄艾三錢　丁香五分　麝香二分

藥與蘄艾揉和先將夾紙作筒如指

麁大用艾藥疊實收用臨用以肖山紙七層平放患上將針點着一頭對患向紙捺實待不痛方起針病甚者再復一次七日後火瘡大發自收功効矣

○一方五月五日取東引桃枝去皮両頭削如鷄子尖樣長一二寸許鍼

時以鍼向灯上點着隨用紙三五層或布亦可貼蓋患處將熱鍼按於紙上隨念咒三遍病深者再燃再刺之立愈○咒曰天火地火三昧真火鍼天天開鍼地地裂鍼鬼鬼滅鍼人人得長生百病消除萬病消滅吾奉太上老君急々如律令

○又景岳全書有雷火鍼新方用藥數品又諸方書所載各不同當參考

○予惟用熟艾丁香亦能奏効凡風寒濕毒及黴瘡結毒之氣留滯經絡而為痛者試驗頗多矣

○

温臍種子方入門

五靈脂　白芷　青塩各二錢　麝香一分

為末另用蕎麦粉水和成條圈於臍上以前藥實於臍中又尋常只用炒塩及小便不通如虛冷甚治霍乱欲死者加硫黄入麝香為引用艾灸之婦人尤宜但覺臍中温煖即止過數日再灸大過則生熱也

△按此方陰虛遺精白濁陽事不舉精神倦怠痰火等症婦人赤白帶

下子宮冷極無子無所不療蓋方書称薰臍或練臍者皆樂品多種不便用惟此方簡而良矣

〇發背癰疽初起未破灸法 壽世保元

用雞卵半截蓋瘡上四圍用麵餅敷住上用艾灸卵殼尖上以病人覺痒成泡為度臭汁出即愈

○灸疔瘡法同上

用大蒜爛搗成膏塗疔四圍留瘡頂以艾炷灸之以爆為度如不爆難愈宜多灸百餘壯無不愈者又灸蛇蝎蜈蚣犬咬瘭瘰痙瘡疔皆効

○治破傷風及風犬咬傷此方最易而効同上

用胡桃壳半个填稠人糞滿仍用槐白皮襯扣傷處用艾灸之若遍身汗出其人大困則愈遠年者將傷處如前灸之亦愈

△庸信受此方異人先以熱小便洗傷處而後行灸法殼焦則代之灸至百壯尚存口訣

續灸選終

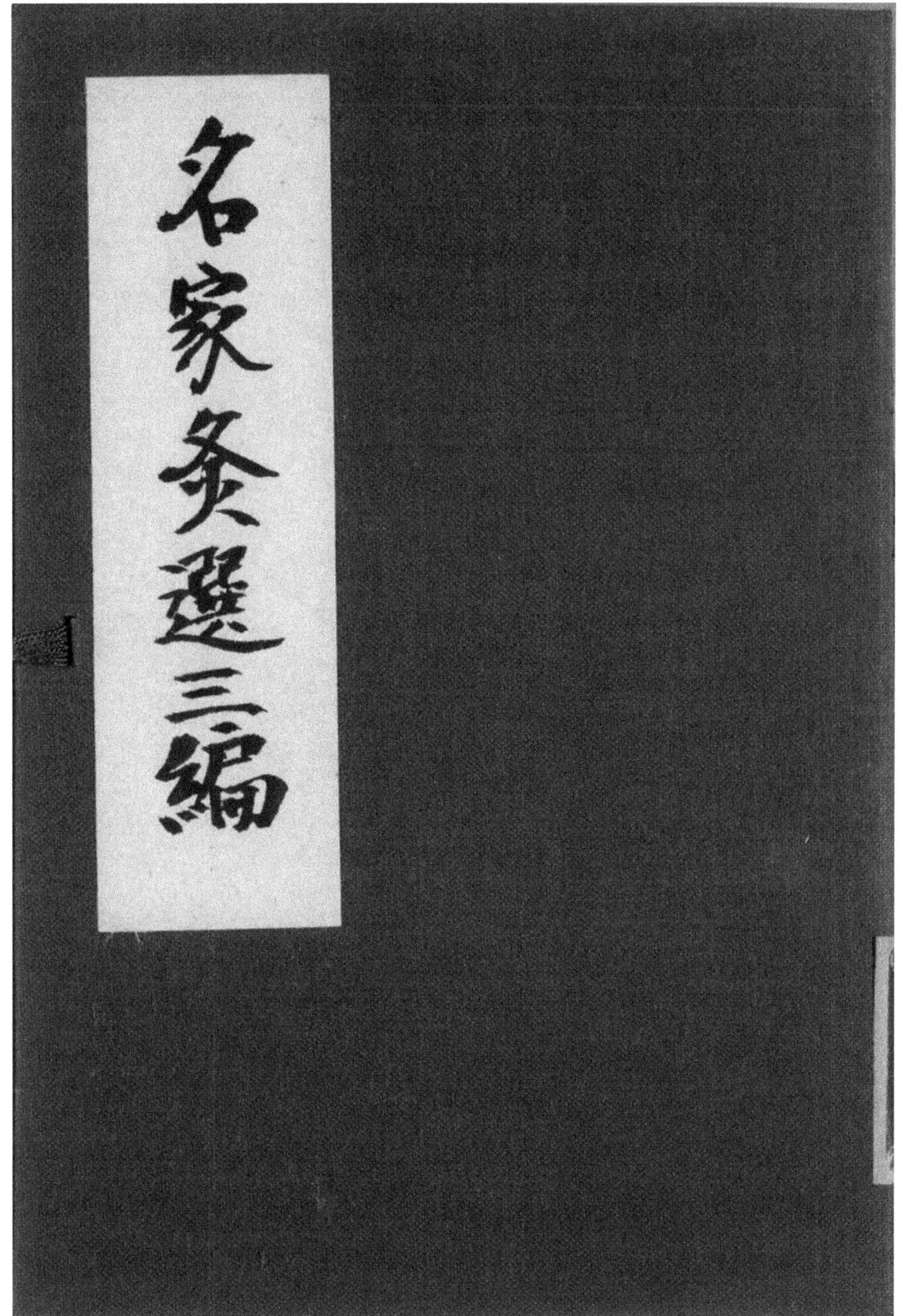
名家灸選三編

名家灸選三編 完

名家灸選三編　完
富士川
メ
5

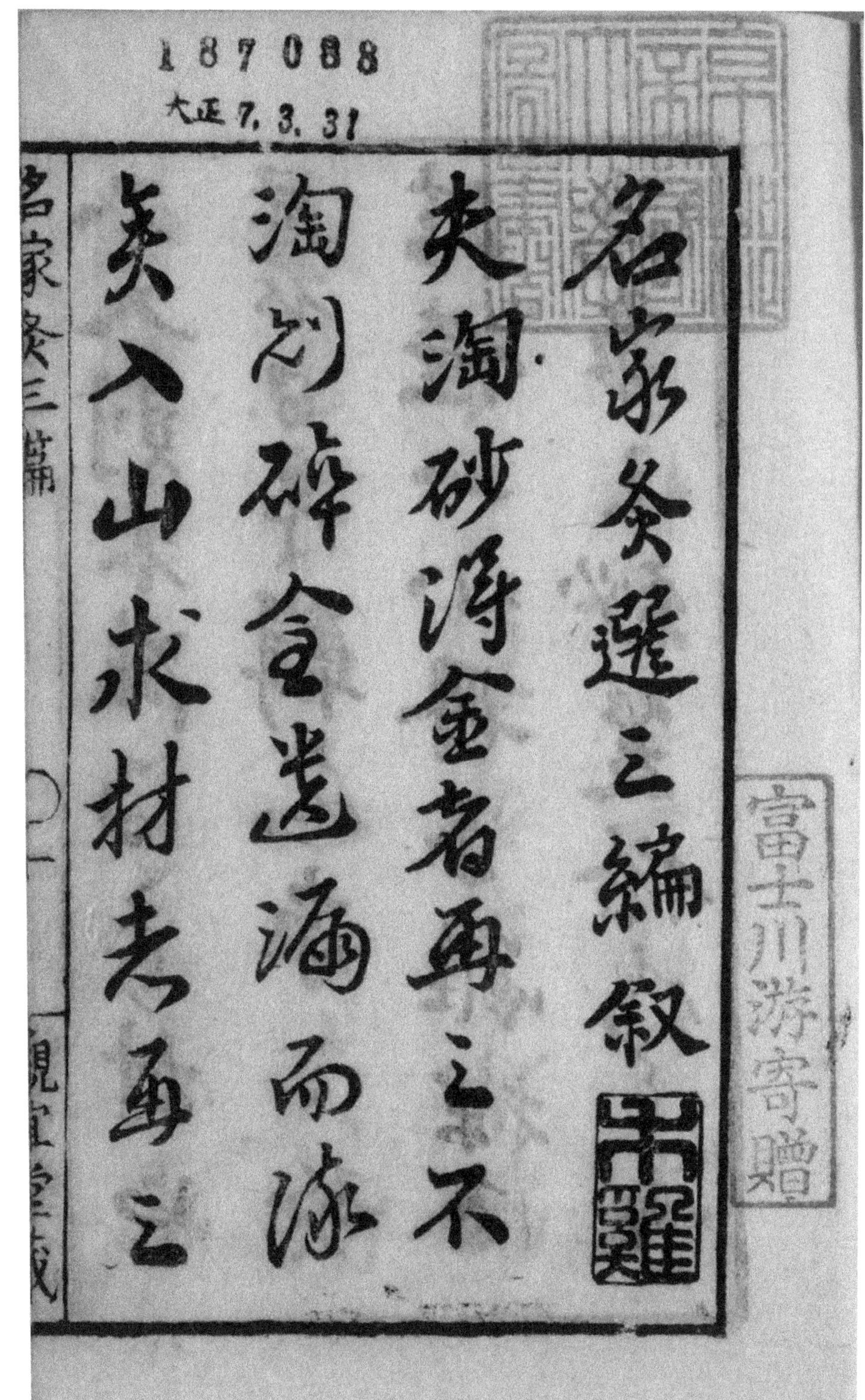

名家灸選三編叙

夫淘砂得金者再之不淘則碎金遺漏而流矣入山求材者再之

名家灸三編　〇一　觀宜堂藏

不入則不能得言材也曩日予輯各家之叅詳僅一小冊子雖撰得諸家之秘笈俗傳之奇

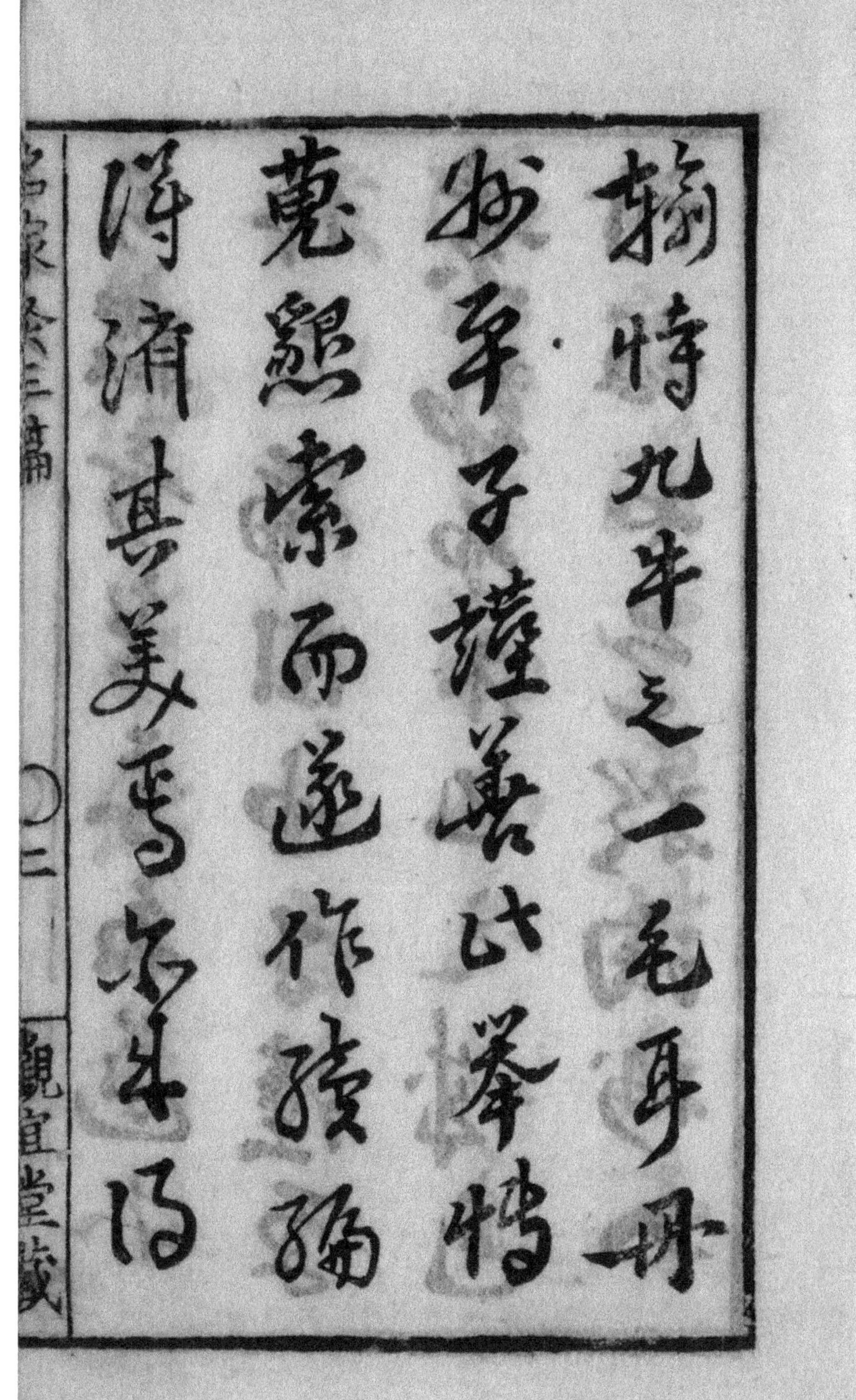

輸特九牛之一毛耳耶
牧羊子謹蓋以擧特
竟聽索而遂作踐踊
得濟其美焉不得已

言掇壽世秦多遂亦作之彌圓由子謹學素勤而不已之謀遠祈該也是猶淘砂入

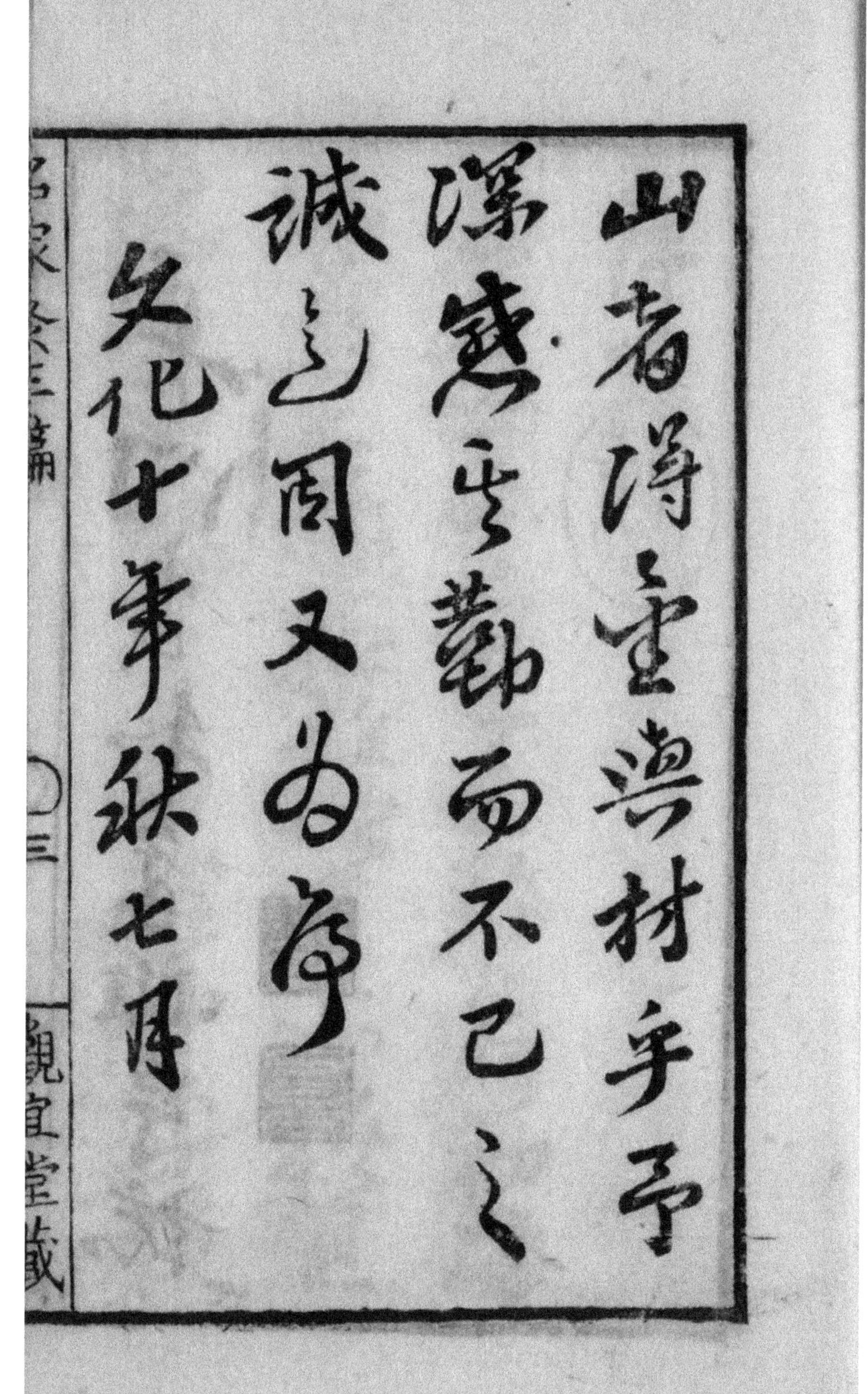
山君得重興材乎予深美其勤而不已之誠也因又為序
文化十年秋七月

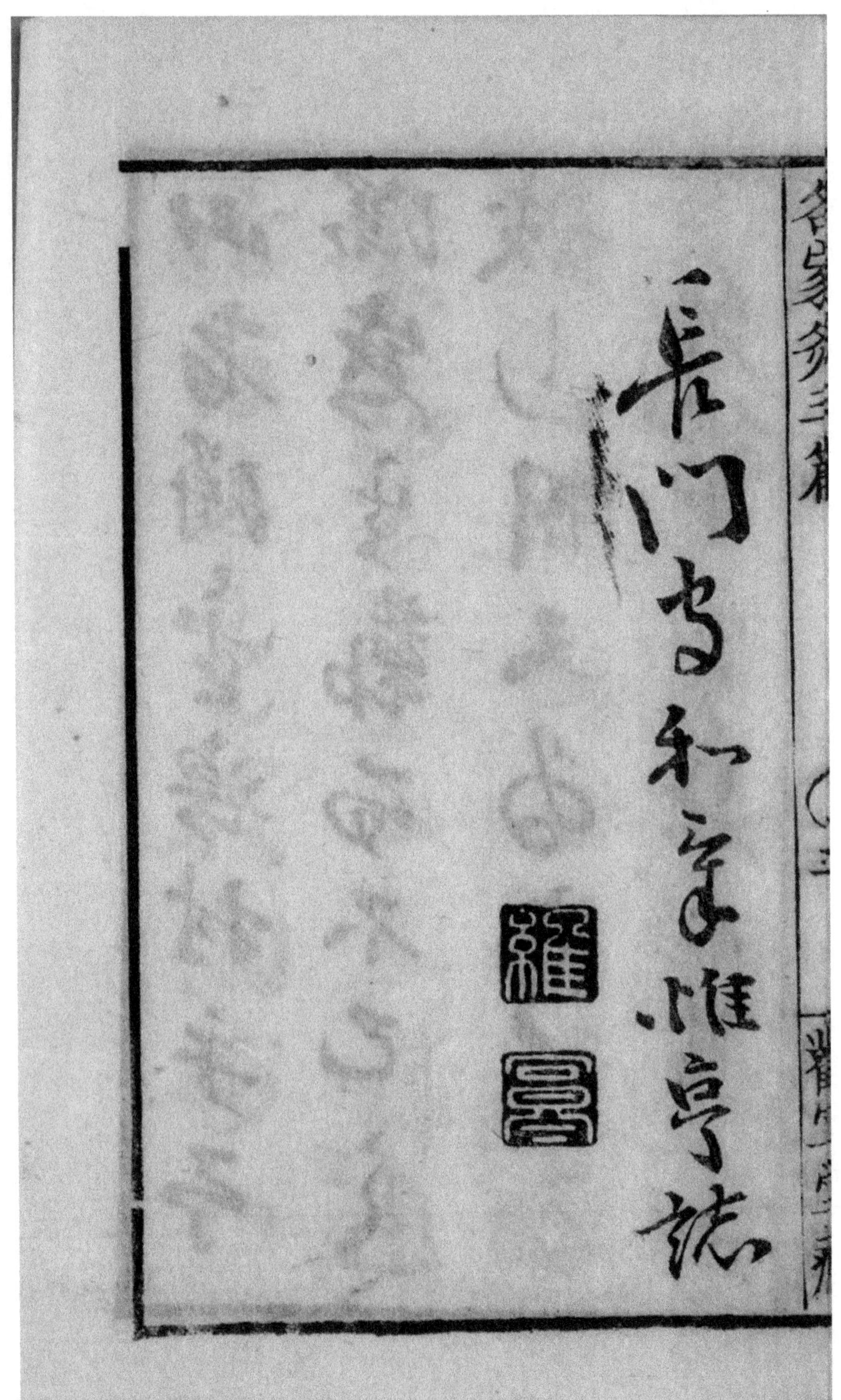

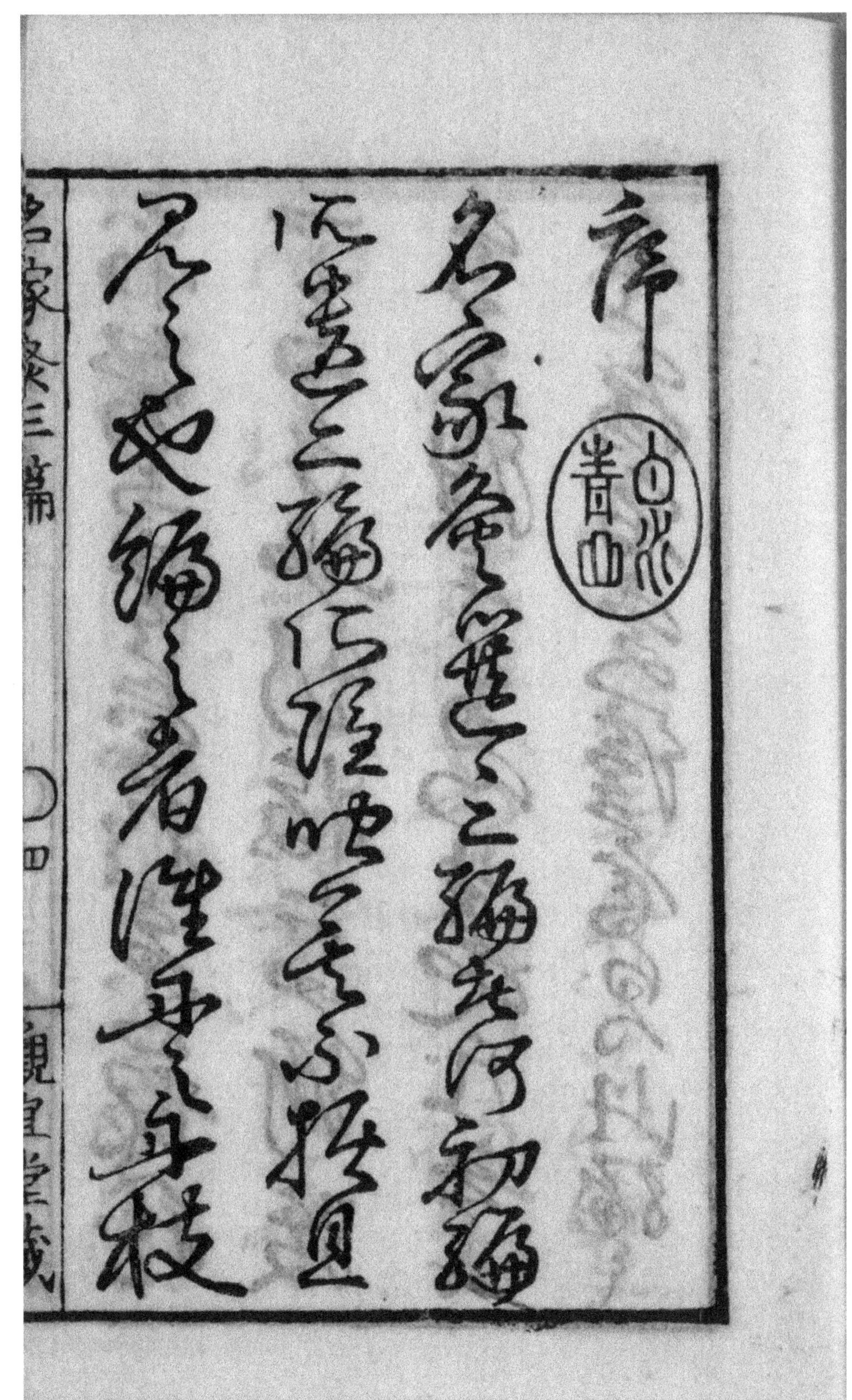

於醫爲業學於東觀於
了爲學者與動校方新發
京師先生南門生起凡者
兼稱君之德處見此編

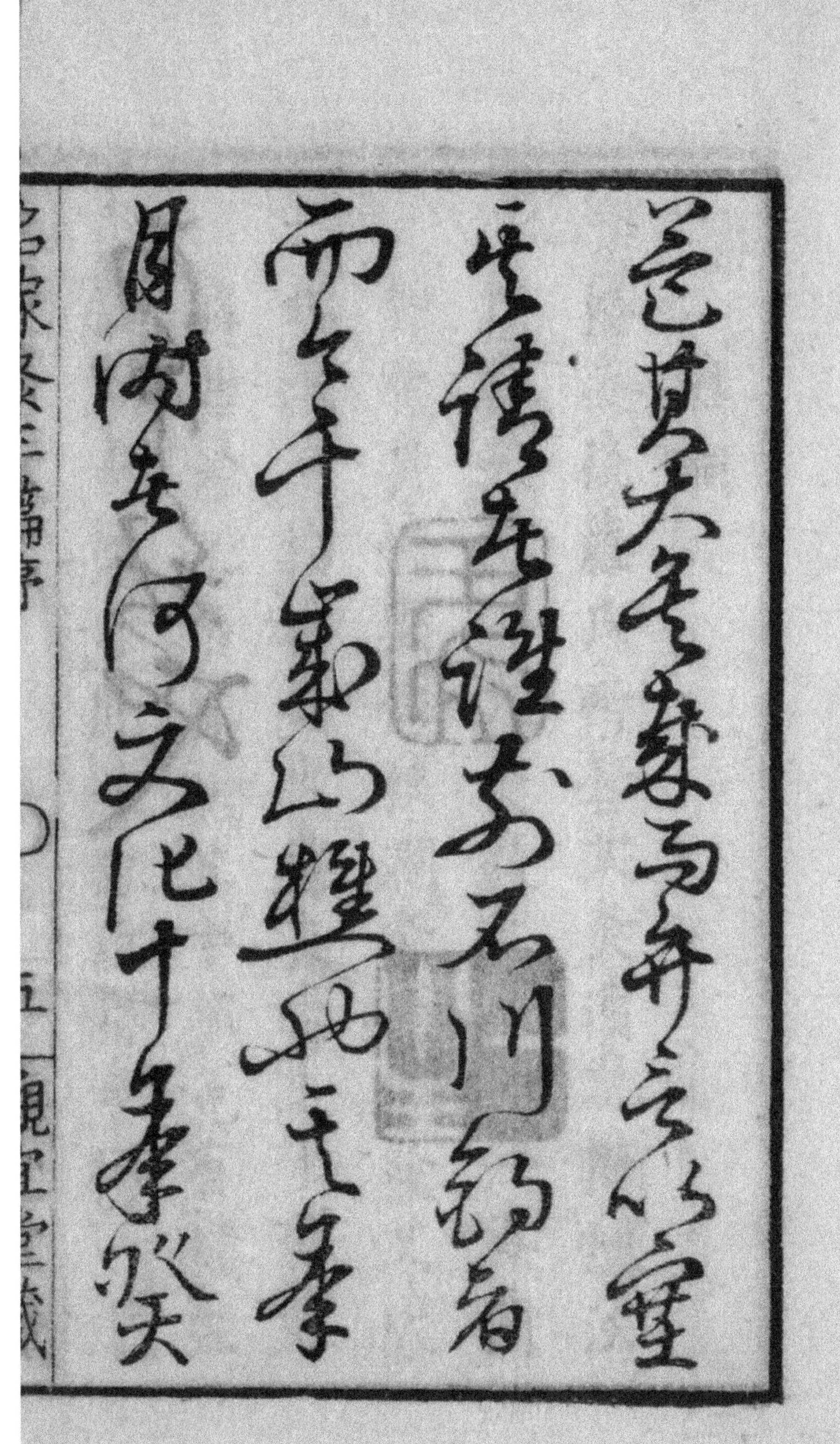

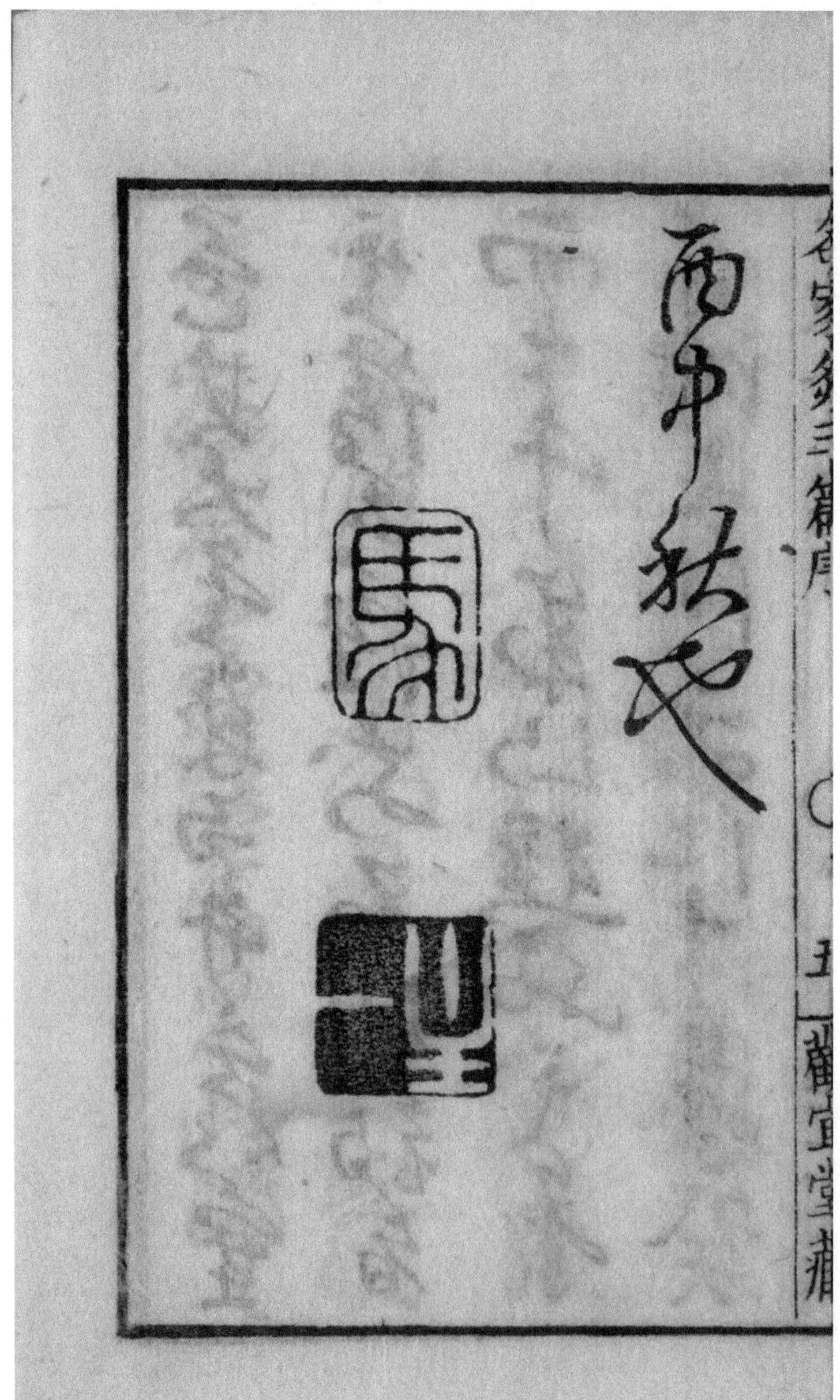

總論

椿菴後藤氏所著艾灸通說辨制法
精粗艾炷小大灸數多少灸法異同
脊骨長短點位狹濶灸瘡要發艾火
非燥不拘時日火無良毒之十條頗
解世醫之鹵莽然其中不免有矯左
枉反右枉者間嘗探故帋中得一小

冊題曰醫事大要亦後藤氏之所著也選述温泉艾灼肉食藥治之大要而其艾灼採摘通説十條為一篇今引括其全文而不能無疑者拆以鄙言換之總論

醫事大要曰吾門灸于灸藥于藥灸于藥于下添可字意義易通下同豈一于灸乎若灸于藥樂

于灸按灸于藥者灸不可灸者也藥于灸者不灸可灸者也辭簡難通曉則輕者必重重者必危危者必死矣可不畏乎

按灸炳之過也如火燎原野不可撲滅其過非輕論云微數之脉愼不可灸因火為邪則為煩逆凡脉諸浮諸數或細或芤或洪大滑實而有衝逆

直遂之象而其證有諸發熱煩渴咽痛陰虛截陽新汗後新產後及金瘡瘡疥者皆忌艾灼宜合色脉參證候審忌宜勿令誤矣

故可灸者背腹及左右手足當其可者取之取之之要以指頭陷没徹底處為是乃灼之用真艾陳久者日日月月漸

致年歲其數自十至百自百至千自千至萬而痼疾沈痾非一二萬之可速治或十萬或二三十萬直以病已為度何以數之少多乎

按扁鵲灸法及小品諸方腹背宜灸五百壯千壯四肢則去風邪不宜多灸七壯至七七壯止夫手足皮薄宜

尪小數少腹背肉厚宜尪大壯多皆當以意推測而行之大率腹宜鍼背宜灸亦宜知之凡小病少灸沈痼多灸當以人之盛衰老少肥瘦為則不可膠柱守株其生熟之法詳于千金方灸例若夫沈痾久痼雖宜灸者二報三報不得其效即俗諺所謂蜂螫

牛角何痛之有多灸至數萬壯收萬全之効者實良山氏之遺恵也然坐之勿割雞用牛刀

而務以艾火活壯之氣直解表裏留滯之氣則血液通融癥瘕奔竄胃元隨輸諸證隨退焉是不大愉快乎而今之庸醫謂以艾乾耗血精者何足語養生之

術哉吾門不取口吻指節乳間寸法何者人形如其面唯恐破其好肉也凡點法須要正直而摸索築之直穴立見按其唯人形如其面故古聖度以指尺即中指為制服之法長短廣狹適宜以柯伐柯其則不遠然深慮人之有長短肥瘦各因其所立骨度法而

尚有骨之大小大過不及宜從其則
斟量方得其當矣九横寸無折法之
處都是用中指節口吻之度豈得不
依寸法乎況腹部之諸穴强摸索之
焉得直穴矣灸選所纂之諸法多用
指尺口吻寸大概四指一扶者當中
指節三寸掌中横寸者當三寸半掌

後横文至中指頭者當九寸古法腕
至中指本節長四寸本節至其末長
四寸半者是手背之骨度也又横口
寸者當三寸也是為有人瘦而指長
人肥指短者設法也然口亦有大小
宜斟量要之皆試驗之良法惟墨記
當骨上者宜推處骨際若夫經絡俞

府融會貫通則寸法屬指月之指哉
然吾未聞其人矣
又婦女坐易傾其點時放直兩脚又脊
骨二十一節大椎三節至尾骶共二十
四節是乃素問擧大綱耳每觀項骨下
脊骶二十三椎或二十八九椎者或則
必以二十一而不可限也

名家灸三編　六　観宜堂蔵

按項骨三脊椎二十一古聖之法言也豈欺人乎然尚有項骨短而不可數者或二者或一者項骨已有異同則背椎亦得無異同乎然今世蘭學家解剖筋骨内景者或曰脊椎二十五或曰自大椎至八膠骨二十五何其相徑庭乎不可以為法今以瘦人

徵之率皆二十一節若或過之者稟受之變也當以權處之男子肥堅婦人骨小而肥胖者推骨不可數乃古法三尺之骨度上下短中長之折法亦不得止之一擧也宜先定七推十四推而後循次商量之則庶乎其不差矣

取之則除肉偏肩尖平齊處以手按之使其面顧俯仰則附頭而轉者為項骨其不轉者為脊骨是第一椎也下以算之諸椎循次可得矣蓋背部諸穴並俛而取之則脊骨隆凸椎穴以明也不但脊中而脊際亦纍然易尋又背骨有左右低昂者或中節有上下曲暢者或

腹底癥癖帖伏不出則有為脊骨中節患者此輙點位不正是乃真穴觀者謂之不正而記墨不可改焉究竟人身必有天然之穴而已又春東坐秋西坐男灸女女灸男之類吾門皆不用又灸後若有寒熱頭疼腹痛緊滿等一二證則皆謂為灸之過嚇然駭人衆口爍金殊

不知其癥瘕畏動實屬瞑眩也何不悟乎

按以診脈徵之多有因火為邪者往予所以懲羮吹虀也為醫者當詳察火邪與瞑眩而勿害人天年矣凡灸後有寒熱耳鳴眩暈頭疼唇口乾燥口苦痞滿不食等證而其脈浮滑緩

洪有陽氣通暢之象者艾火活壯之效為瞋眩也為可喜矣宜停止一二日而復多灸焉若其脈沉緊細數實長結代有火氣炎逆之象者屬火邪必不可再灸急宜以藥解之又灸跡起泡者俗呼脬膚孤列當以鍼刺破出黑水若不然則雖灸其上不行

火氣猶水中投火何益之有又灸瘡者瘀血濁液遂成膿汁浮潰蕩盡則生肌斂口也夫人內傷諸虛日就羸瘦者雖頻灸之熱痛難忍其灸外亦不顯血色三五日間黑蓋乾硬而脫則無可奈之何若灸火徹內開鬱通滯元氣得資再以潤枯添液灸治隨見一一紅暈則當以

釀瘡膿貼紙花而愈也然强發瘡强愈瘡者則載在方册吾門皆所不取唯求其自發自愈也耳凡作艾炷以鼠屎麥粒爲則也而小大存乎其人矣此邦捻成艾炷两頭相尖似鼠屎者俗呼撚艾灸時每一壯以竹筋摘取之用唾粘着點墨上則炷心破相壓易鬆脹其若勢

亦難堪也是以今作艾炷先取艾肉微々焙紙卷壓々轉々至細長如火叉狀為度用時頭斜剪一頭平直去紙入器毛茨不起俗呼切艾其灼之得便燒痕亦不展大令人易忍焮痛又今治積聚沉痼乃炷小而壯數多苦熱易堪者為勝於炷大而壯數少苦熱難堪者又吾

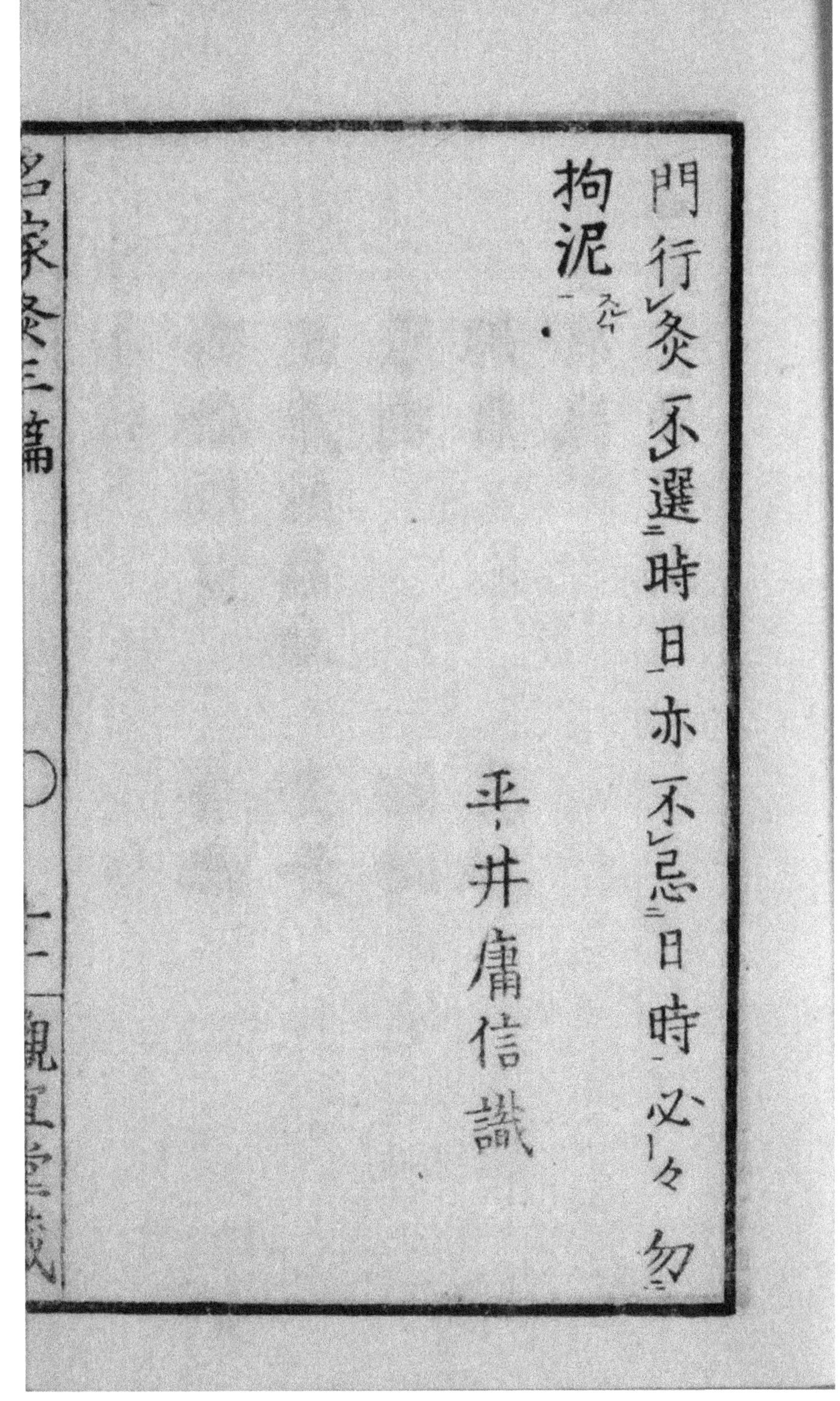

門行灸不選時日亦不忌日時必々勿拘泥

平井庸信識

名家灸三編　十二　觀宜堂藏

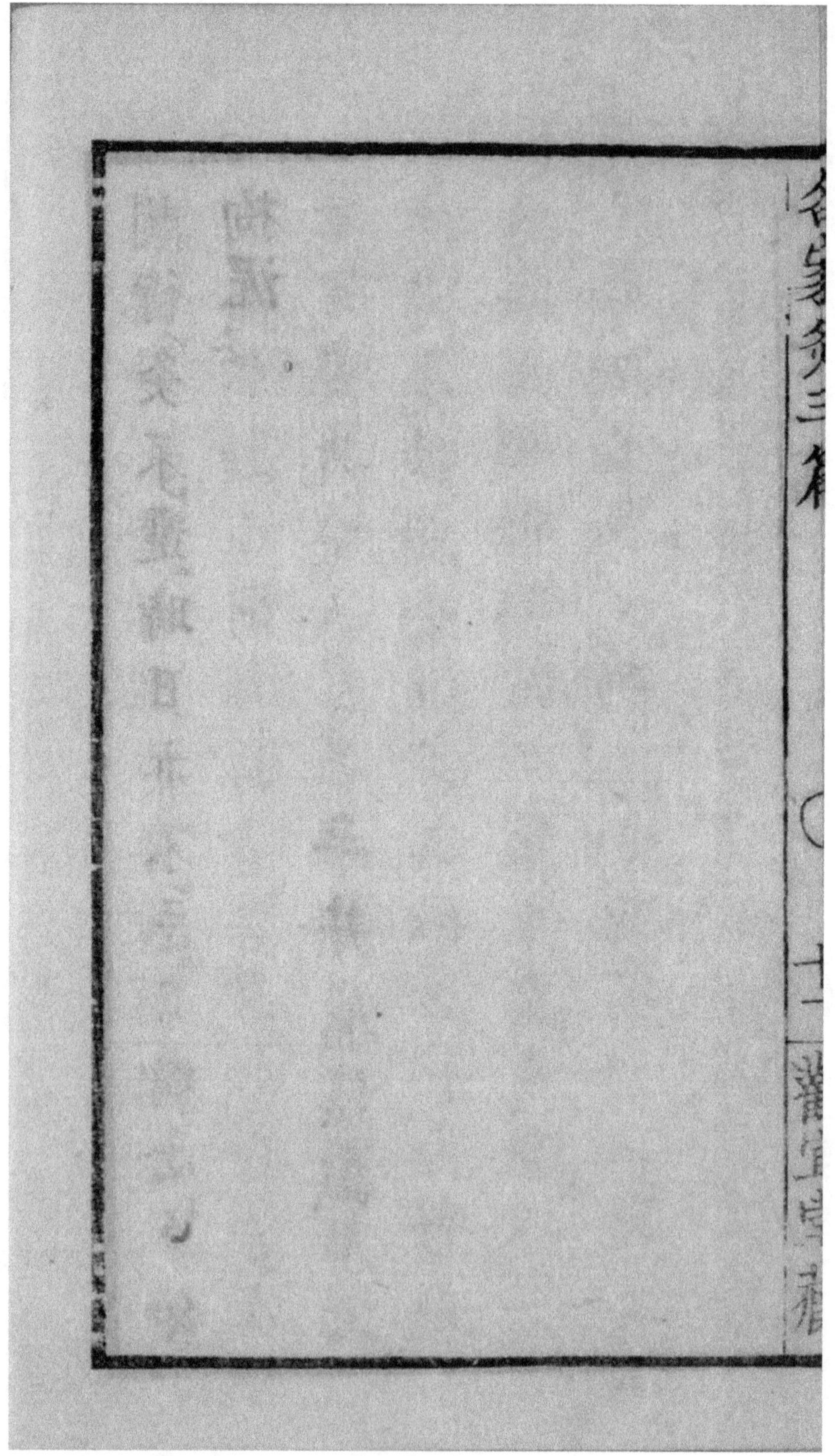

名家灸選三編目次

名家灸三編　一　觀宜堂藏

心腹脹滿痞氣積聚

腰痛　疝氣

下部病

淋疾　轉胞小便閉

遺尿失禁　泄利大便失禁

大便閉　偏墜氣

諸痔下血脫肛　脚氣

續治病

中風　虚勞骨蒸

黄疸　癲狂

急需病

中惡卒死卒中病

霍乱中寒

瘧疾

婦人科

経行不調及帶下病

求嗣　乳病

脹病

小兒科

疳病　驚癇

小兒雜證

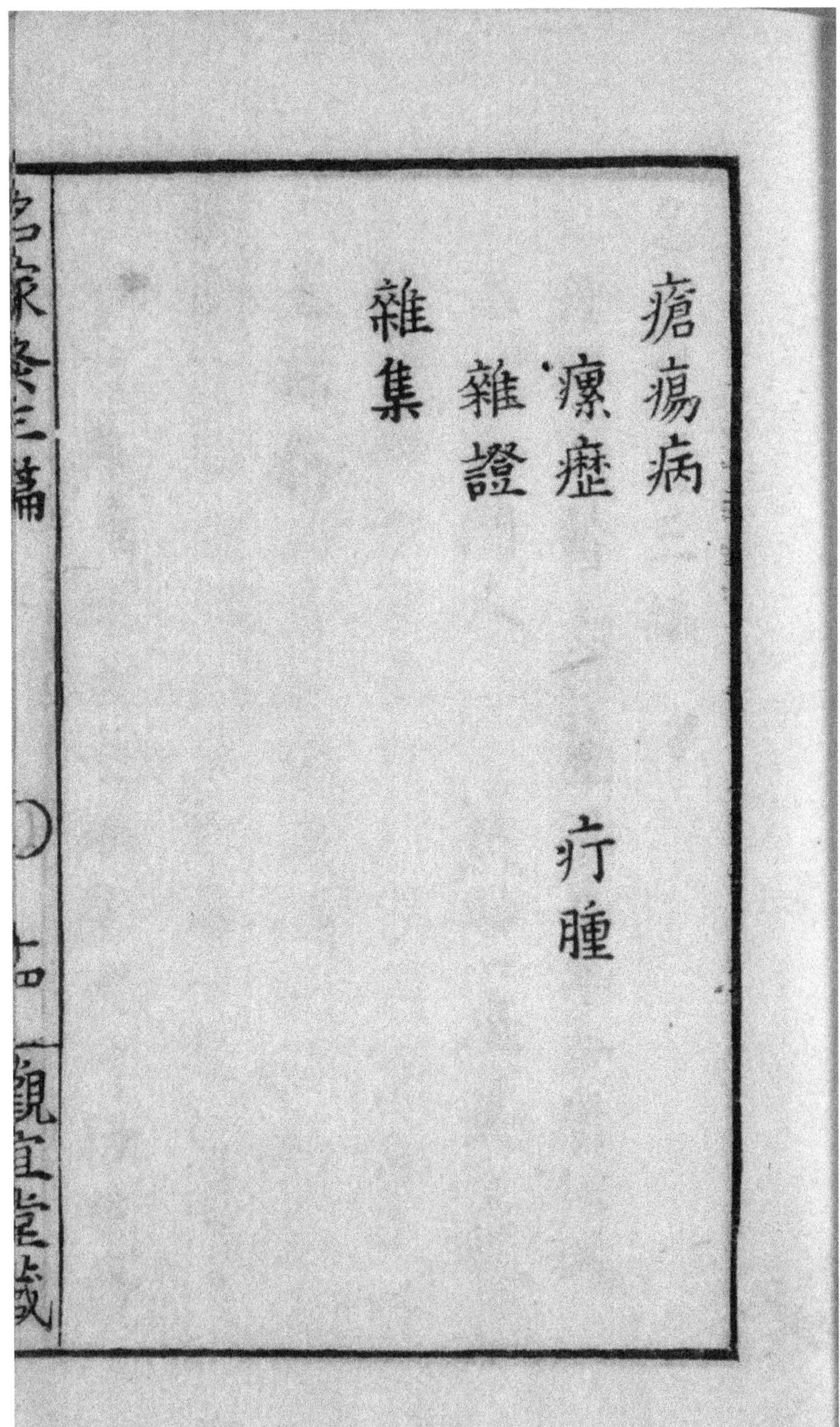

瘡瘍病

瘰癧　疔腫

雜證

雜集

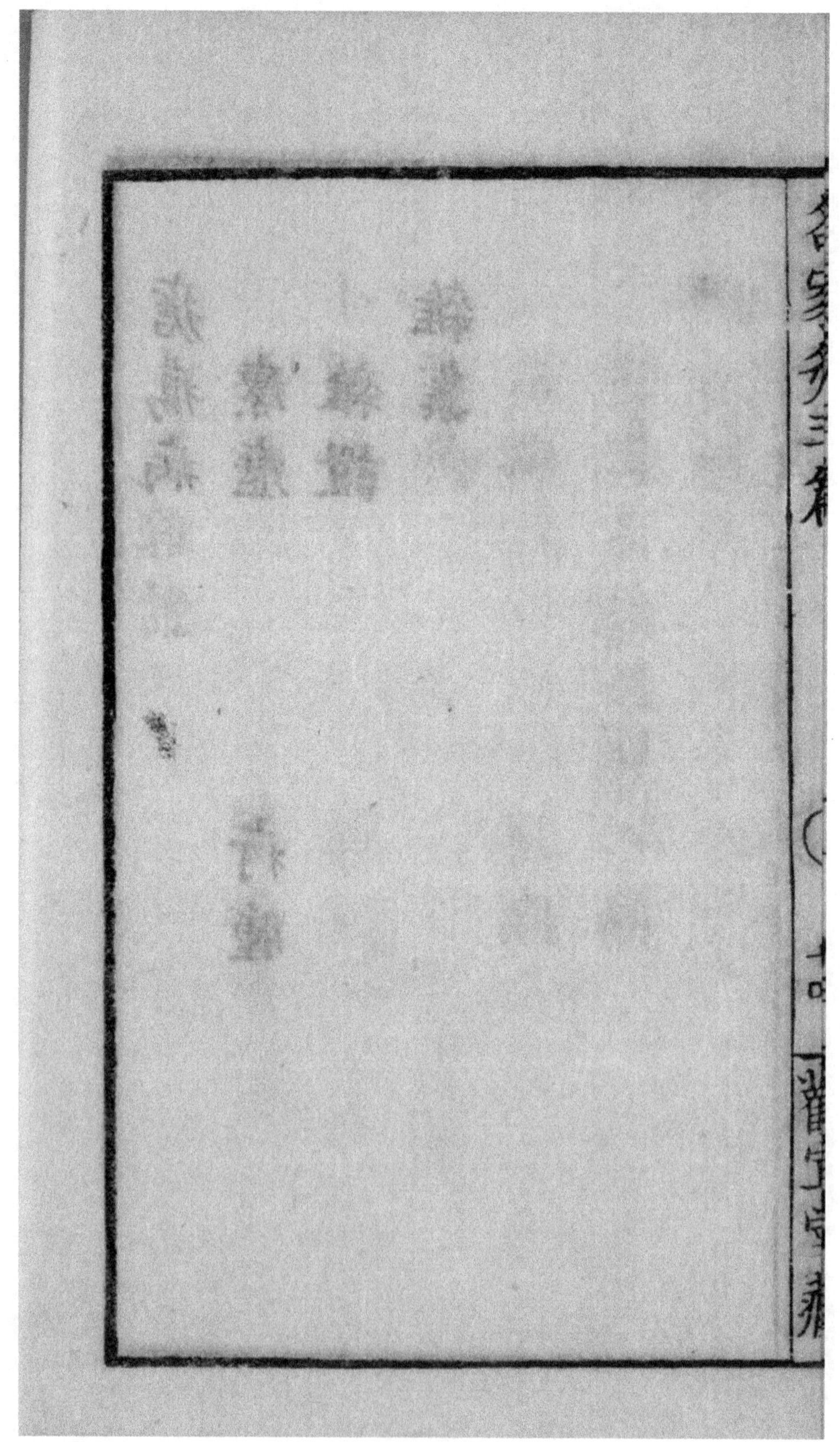

名家灸選三編

丹州　醫王嶺麓平井主善庸信選
門人　足助一庵美文校

上部病

眼目

○治内障虚眼及中寒多涙一切眼翳

或不能遠視者法　眼科古傳

先將蠟繩掛頸大杼骨向前雙垂到兩乳頭截斷却翻繩放結喉向後垂下脊中繩盡處假以墨點記　非是穴

次以同身寸三寸中折之橫放假點上兩頭盡處點記凡二穴

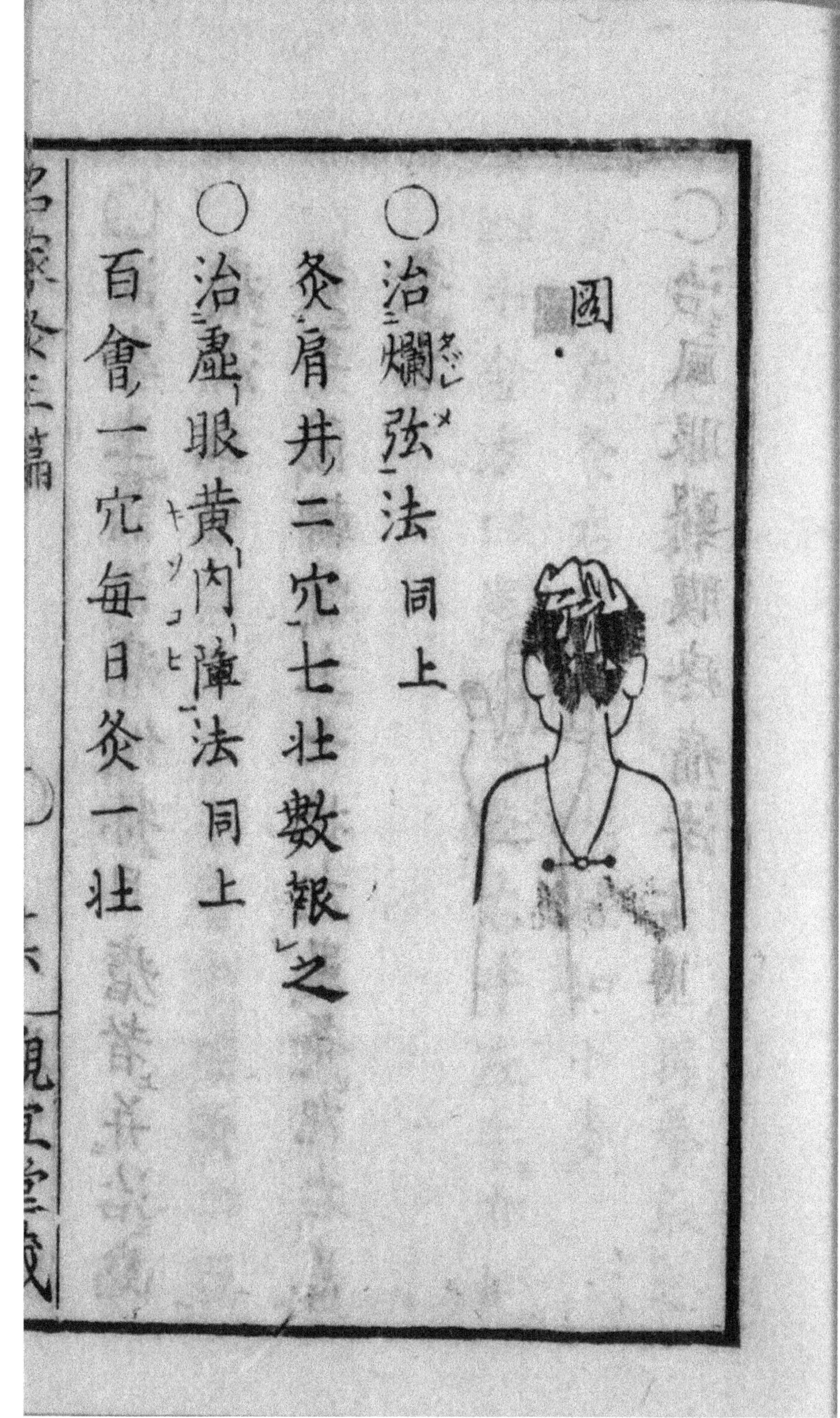

圖

○治爛弦法　同上

灸肩井二穴七壯數報之

○治蟲眼黄内障法　同上

百會一穴每日灸一壯

○治卒生翳澁痛俗称目瘡者并治齒痛法試驗

灸手陽輔骨上七壯左患灸左右患灸右

○圖

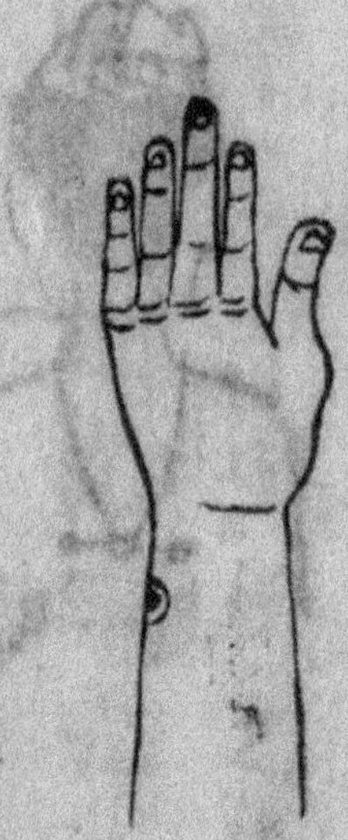

○治風眼翳膜疼痛法古傳

穴在中指本節前骨尖上握拳取之

患左灸右患右灸左灶如小麦

△千金方曰患右目冬右手左手亦如之

○治眼睛法　千金方

灸大椎下數節第十脊中安灸二百壯惟多為佳至驗

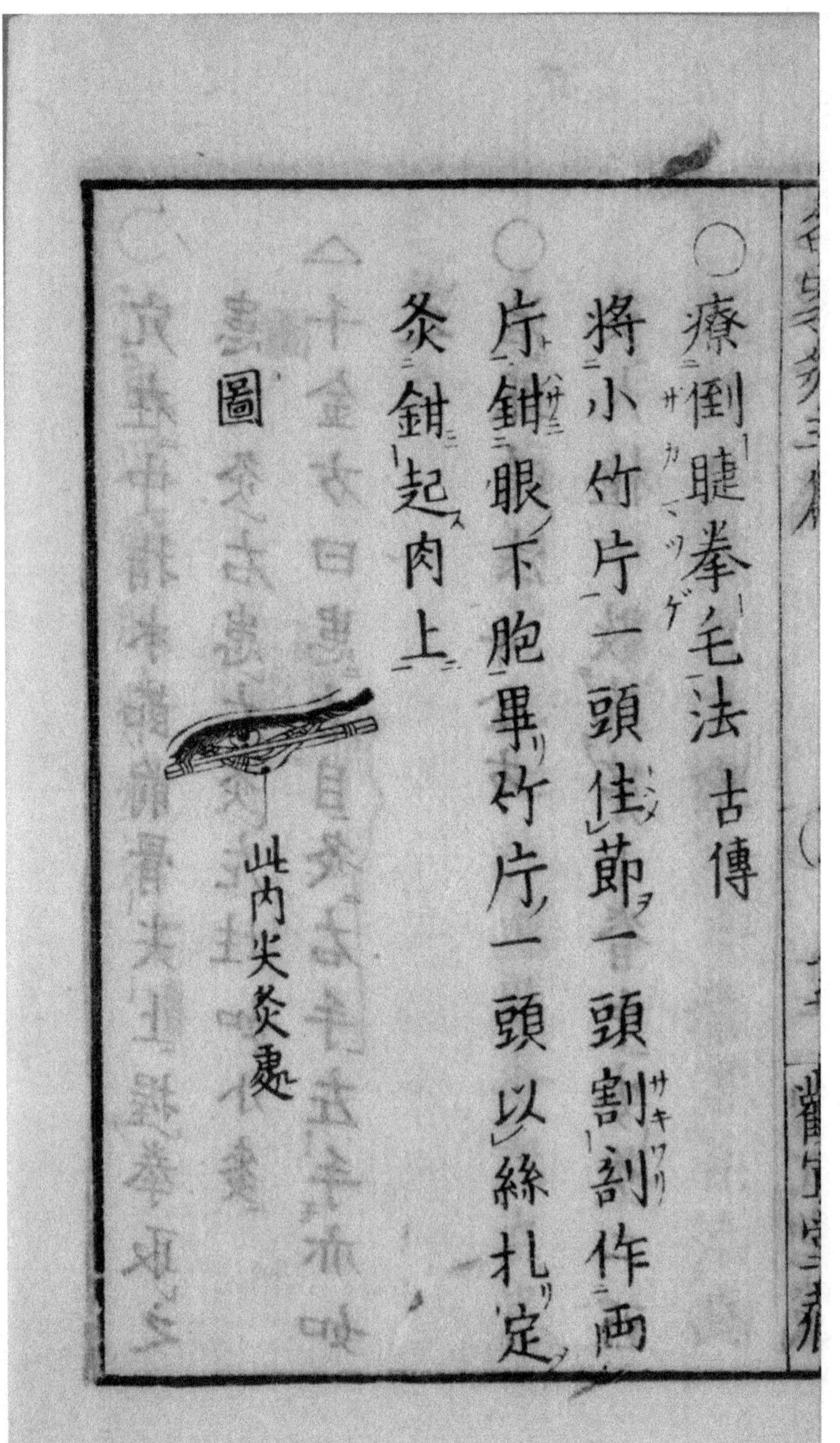

○療倒睫拳毛法　古傳

將小竹片一頭，佳節一頭，割剖作兩片，鉗眼下胞畢，竹片一頭以絲扎定，灸鉗起肉上。

○圖

此内尖灸處

鼻

○治衄秘法　壽世保元

急用線一條纏足小指左孔取左右孔取右俱出則俱聽取於指頭上灸三壯如菉豆大若衄多時不止者屈手大指就骨節尖上灸各三壯左取

右右取尤倶𦢊則倶取

〇治𦢊時癢々便灸足大指節横理三毛中十壯劇者百壯𦢊不止灸之并治陰卵腫又灸風府一穴四壯試効

牙齒

〇治牙齒痛百藥不効法

用艾炷如麥大灸両耳當門尖上三壯立已

○又法試効

灸足次指中指岐叉處赤白肉際三五壯患左灸右患右灸左

○療齲齒作孔痛甚者法試效

着艾炷於齲齒孔中灸之痛劇者着

大炷不覺甚熱

○治風齒疼痛法 千金

以線量手中指至掌後横文折為四分量横文後當臂中灸三壯愈灸之當隨左右 即掌後肘中內廉此法己出初編今改正出焉

咽喉

○治喉痺妙灸　竹田家古傳

灸耳門二穴　穴在耳前起肉尖上

○又法　一医家傳

後髪際陷中灸三五壯有起死之妙

上氣頭痛

○主上氣方　肘后方

灸從大推數下行第五節下第六節上空間即灸一處隨年壯秘方

△千金曰此即神道穴并主咳嗽

○治頭痛腦痛頭痛如腫者法古傳以蠟繩周迴頭直眉之所截斷却以繩放結喉向後垂下脊中繩頭盡處假點記非穴以同身寸二寸横放假

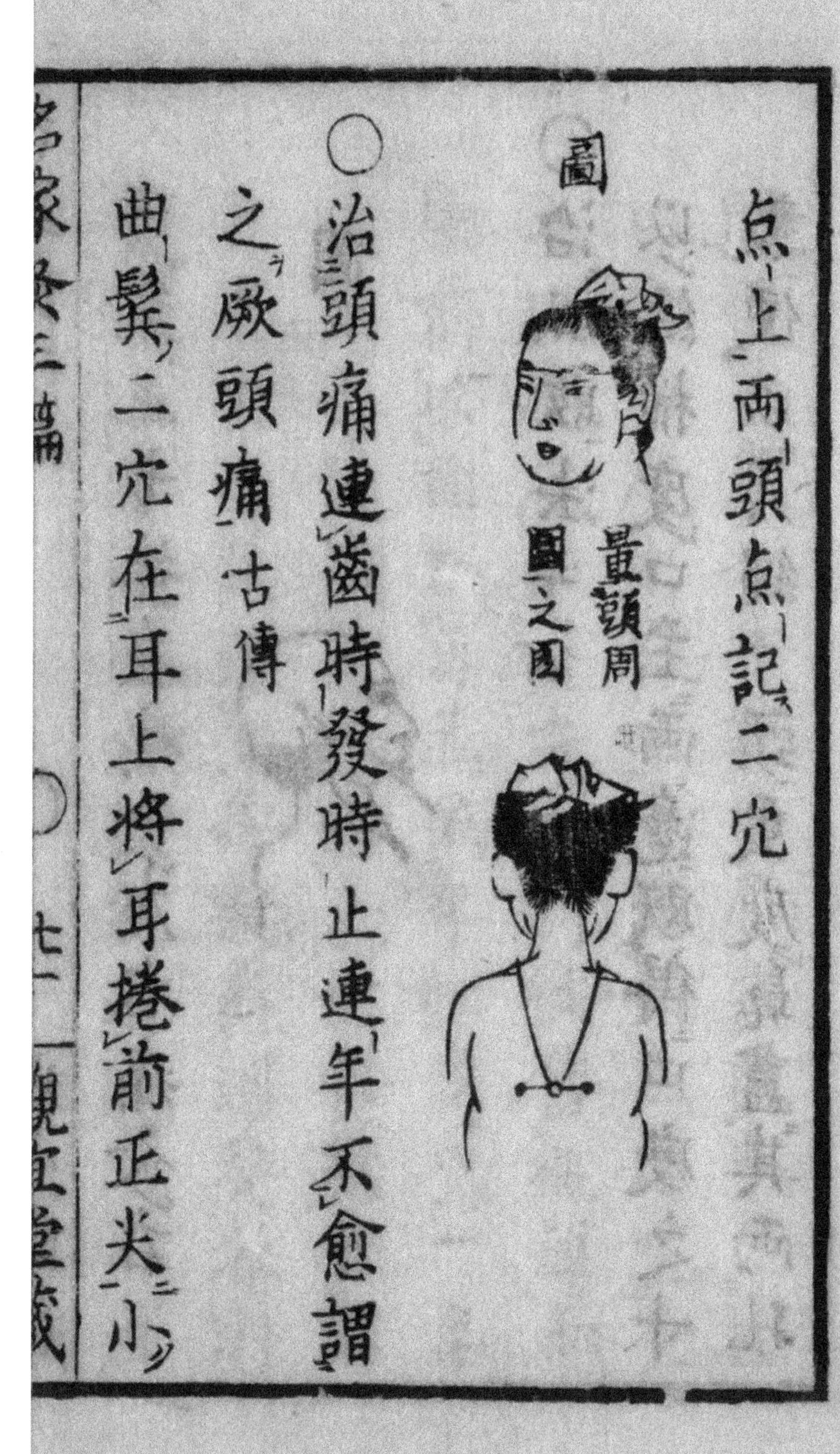

点上両頭点記二穴

圖

○治頭痛連歯時發時止連年不愈謂之厥頭痛古傳

○曲鬢二穴在耳上将耳捲前正尖小

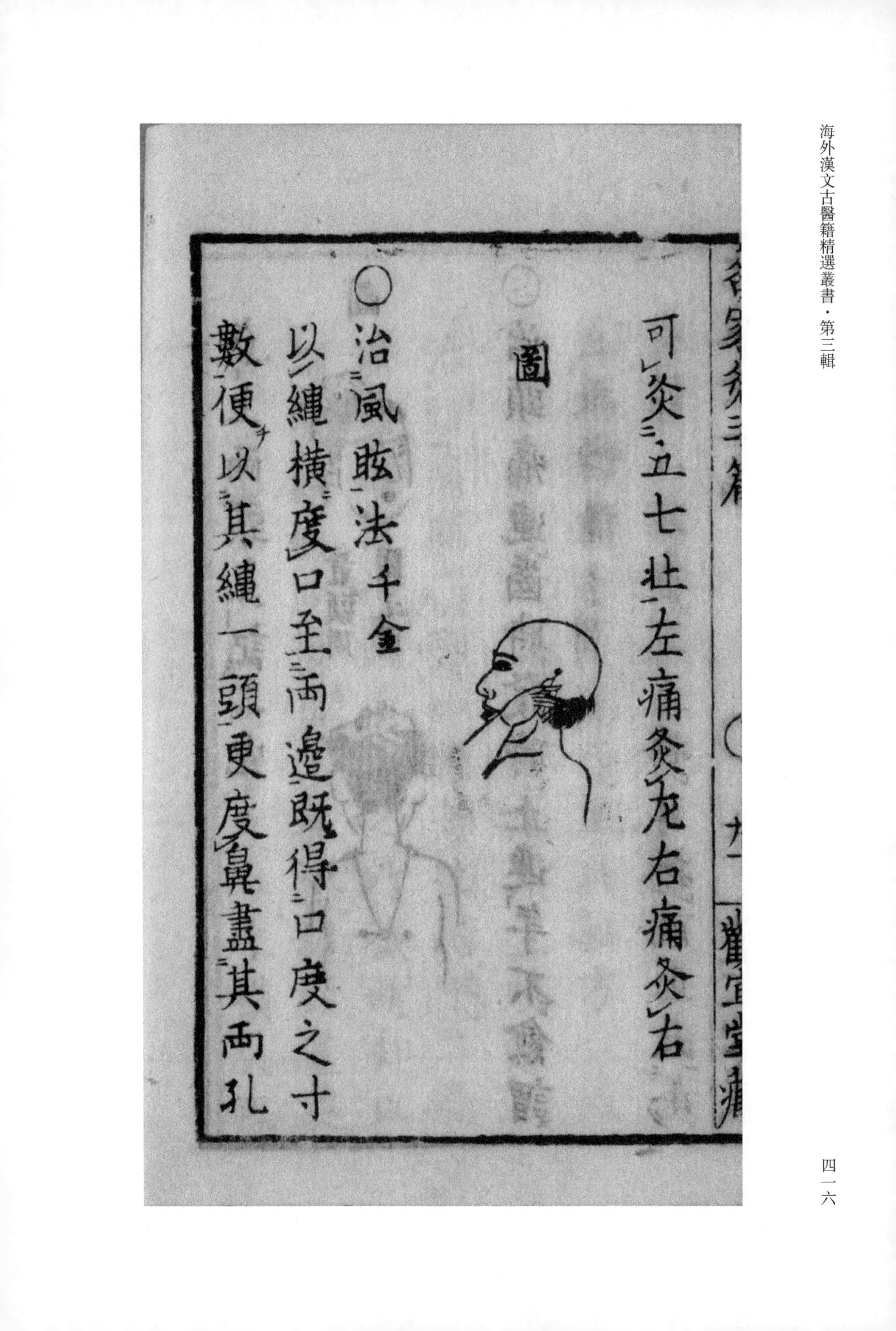

可灸五七壯左痛灸左右痛灸右

圖

○治風眩法 千金

以繩橫度口至兩邊既得口度之寸

數便以其繩一頭更度鼻盡其兩孔

間得鼻度之寸數中屈之取半合於口之全度中屈之先覓頭上迴髮灸之以度度四邊左右前後當繩端而灸前以面為正並依年壯多少一年凢百灸皆須灸瘡瘥又灸壯數如前若連灸火氣引上其數處迴髮者則灸疑近當鼻也若迴髮近額者亦宜

灸若指面為瘢則闕其面處

横口全度

量鼻孔盡兩边之度

中折得半

還中折之用半

圖

欬嗽

○治遠年欬嗽不愈法 千金 試效

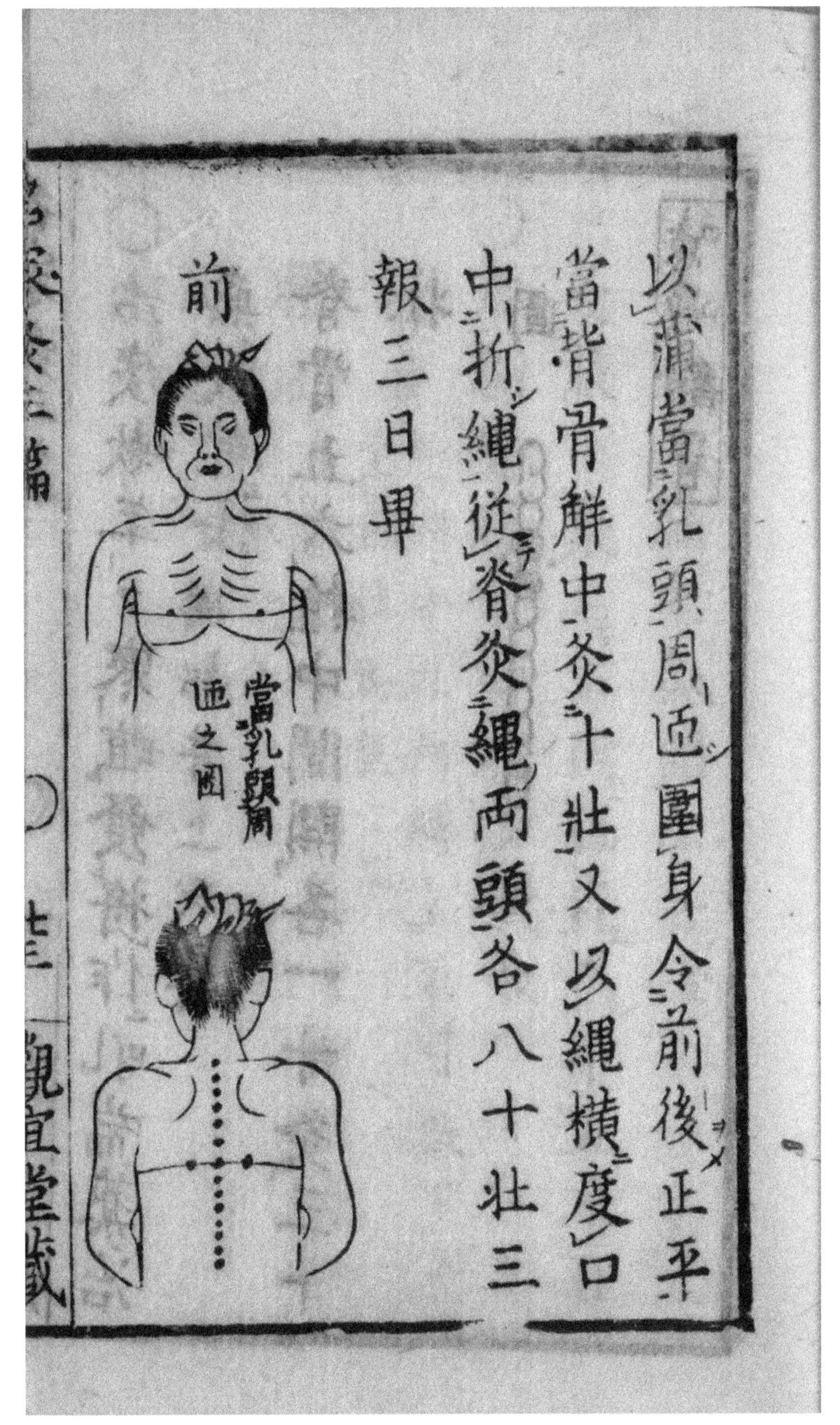

以蒲當乳頭周匝圍身令前後正平當背骨觧中灸十壯又以繩横度口中折繩從脊灸繩兩頭各八十壯三報三日畢

○治痰嗽年々寒暄發將作吼喘藥治無效者法　圖部井上氏傳

脊骨五六椎中間各一寸灸三十壯

圖

五

六

噫噦翻胃

○治噎嗝膈中氣閉法　千金

灸腋下聚毛下附脇宛宛中五十壯

○治翻胃膈噎神效法試效

膏肓至百壯為佳灸時手扎兩膊上不可放下灸

膻中在膺部中行兩乳中間陷中仰臥取之灸七壯

三里灸七壯

臂痛

○治臂痛法 試效

肩髃

曲池

手三里

○類經圖翼云人肩冷臂痛者每遇

風寒肩上多冷或日以熱手撫摩夜

須多被擁蓋處可支持此陽氣不足氣血衰少而然若不預為之治恐中風不隨等證由此而成也須灸肩髃二穴方免此患蓋肩髃係兩手之安否環跳係兩足之安否此不可不灸輊者七壯風寒盛者十四壯為率云云

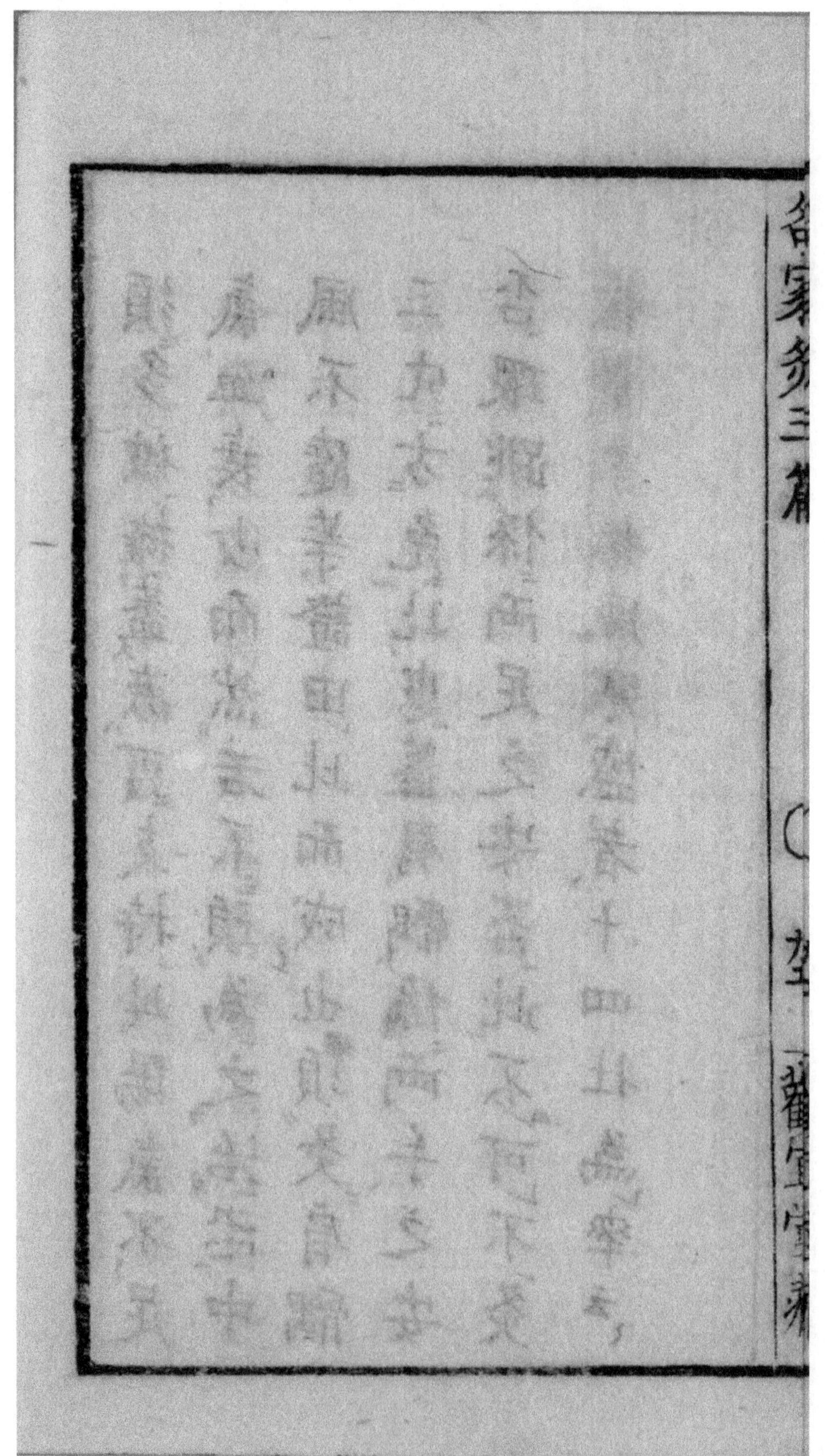

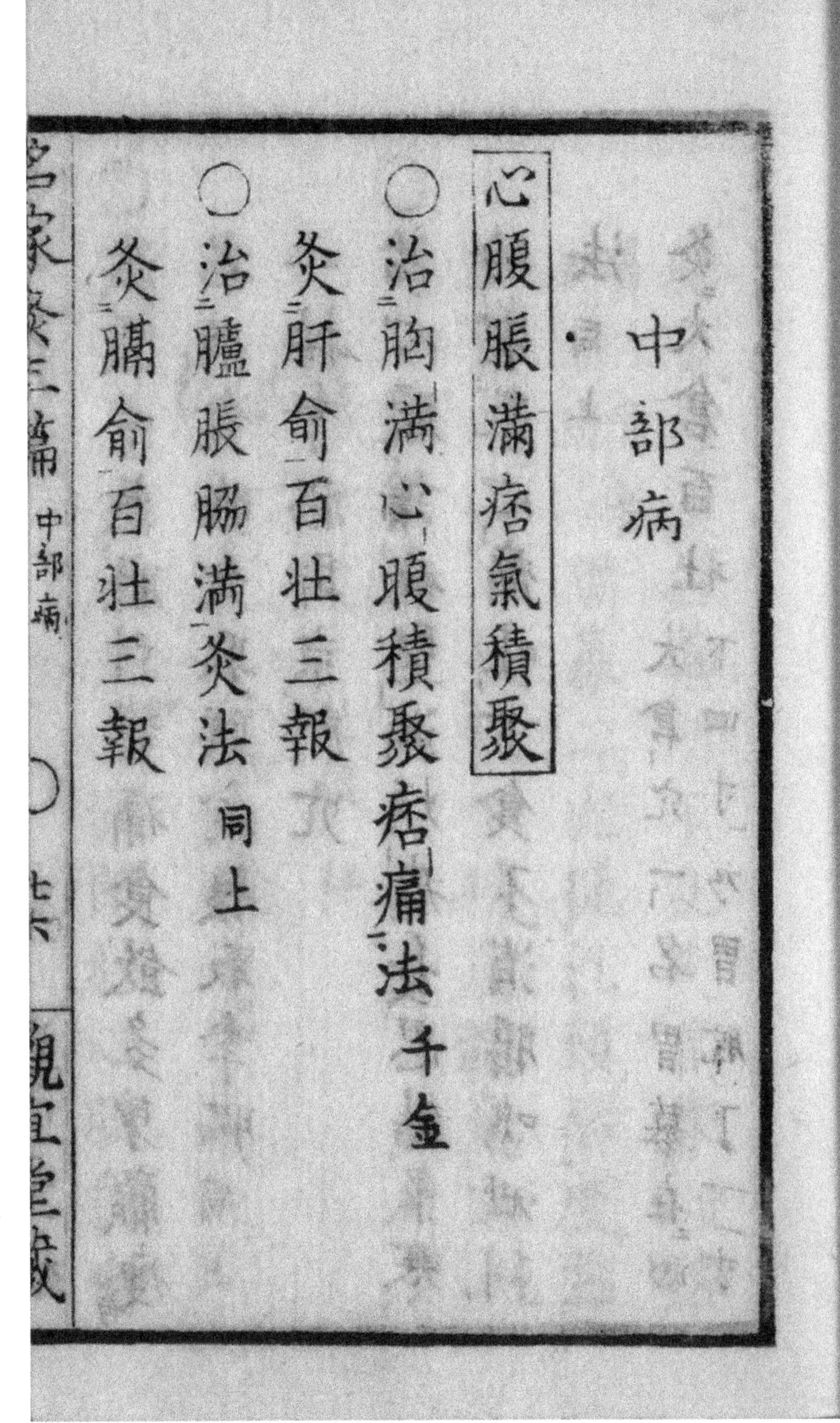

中部病

心腹脹滿痞氣積聚

○治胸滿心腹積聚痞痛法千金

灸肝俞百壯三報

○治臚脹脇滿灸法同上

灸膈俞百壯三報

○治腹中氣脹引背痛食飲多身羸瘦名曰食晦先取脾俞後取季脇 同上

○按季脇即京門穴

○治心腹諸病堅滿煩痛憂思結氣寒冷霍亂心痛吐下食不消腸鳴泄利法 同上

灸大倉百壯 大倉穴一名胃募在心下四寸乃胃脘下一寸

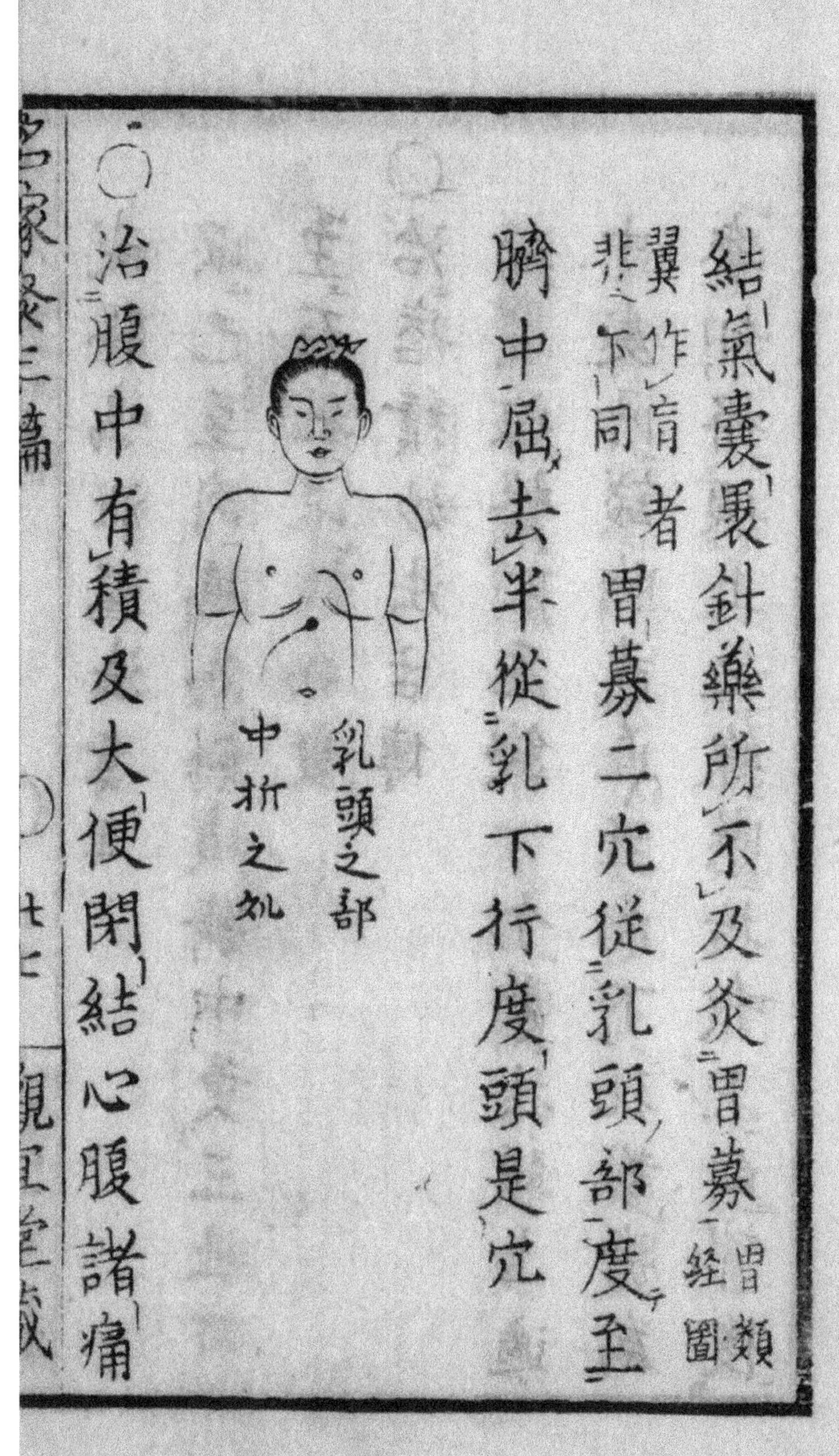

結氣囊裏針藥所不及灸胃募胃類経圖翼作肓者非之下同胃募二穴從乳頭部度至臍中屈去半從乳下行度頭是穴

○治腹中有積及大便閉結心腹諸痛

名家灸三編　七十二　観宜堂蔵

或腸鳴泄瀉法 壽世

以巴豆肉搗為餅填臍中灸三壯可

至百壯以效為度

○治痞積妙法 古傳

以雙線繫開元錢一介懸於頭上適

中處兩錢胸前直垂而下孔對臍為

率却將項上之線懸於喉上向背後

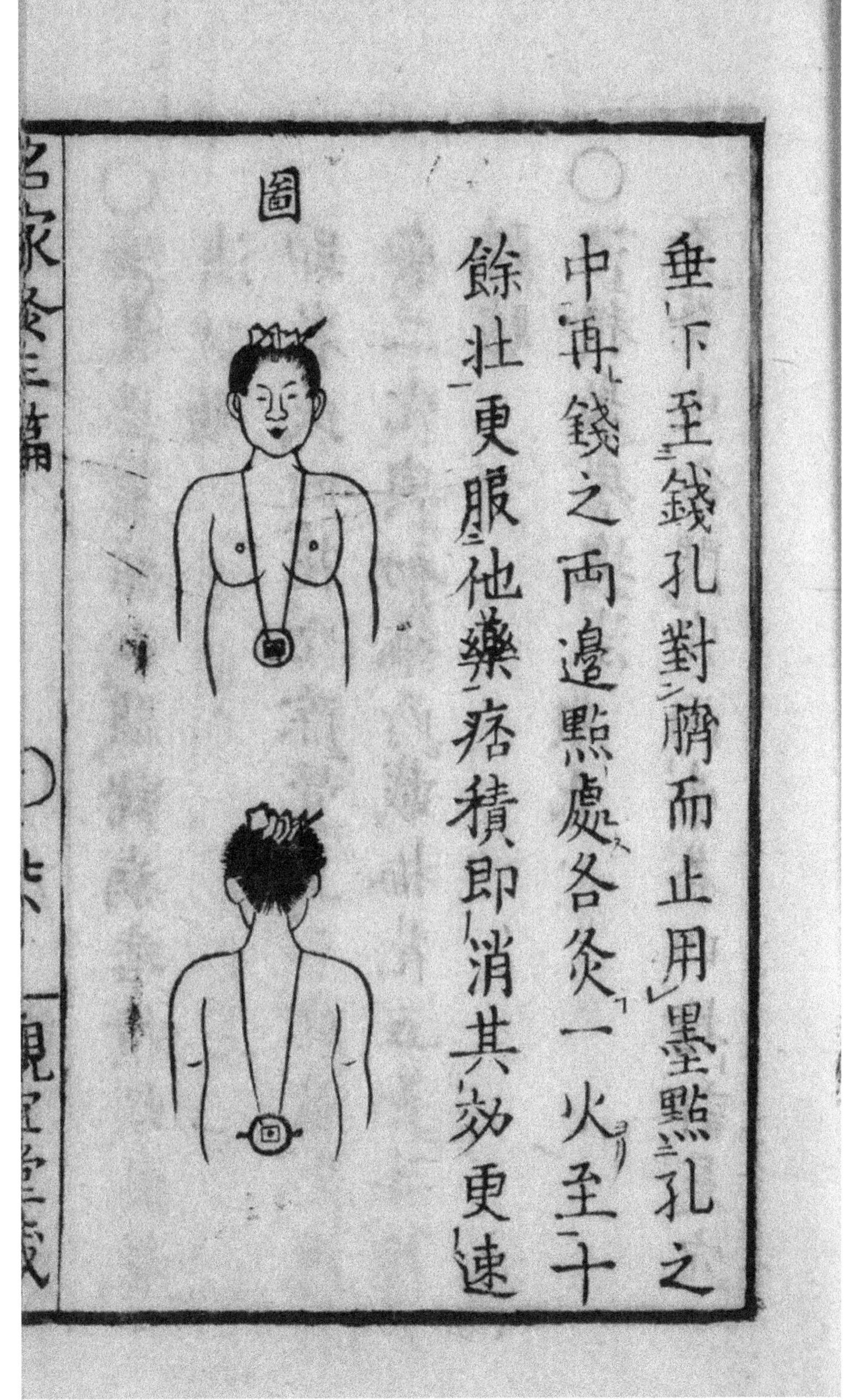
垂下至錢孔對臍而止用墨點孔之
中再錢之兩邊點處各灸一火至二十
餘壯更服他藥痞積即消其効更速

圖

○治憂思鬱結心腹諸病痞積煩痛者法試驗

即崔氏四花穴除骨上二穴惟灸兩旁二穴與初編所載梅花五灸并用殊驗

○治積聚痞塊法　張氏

灸脊中命門穴兩旁各四指許是穴

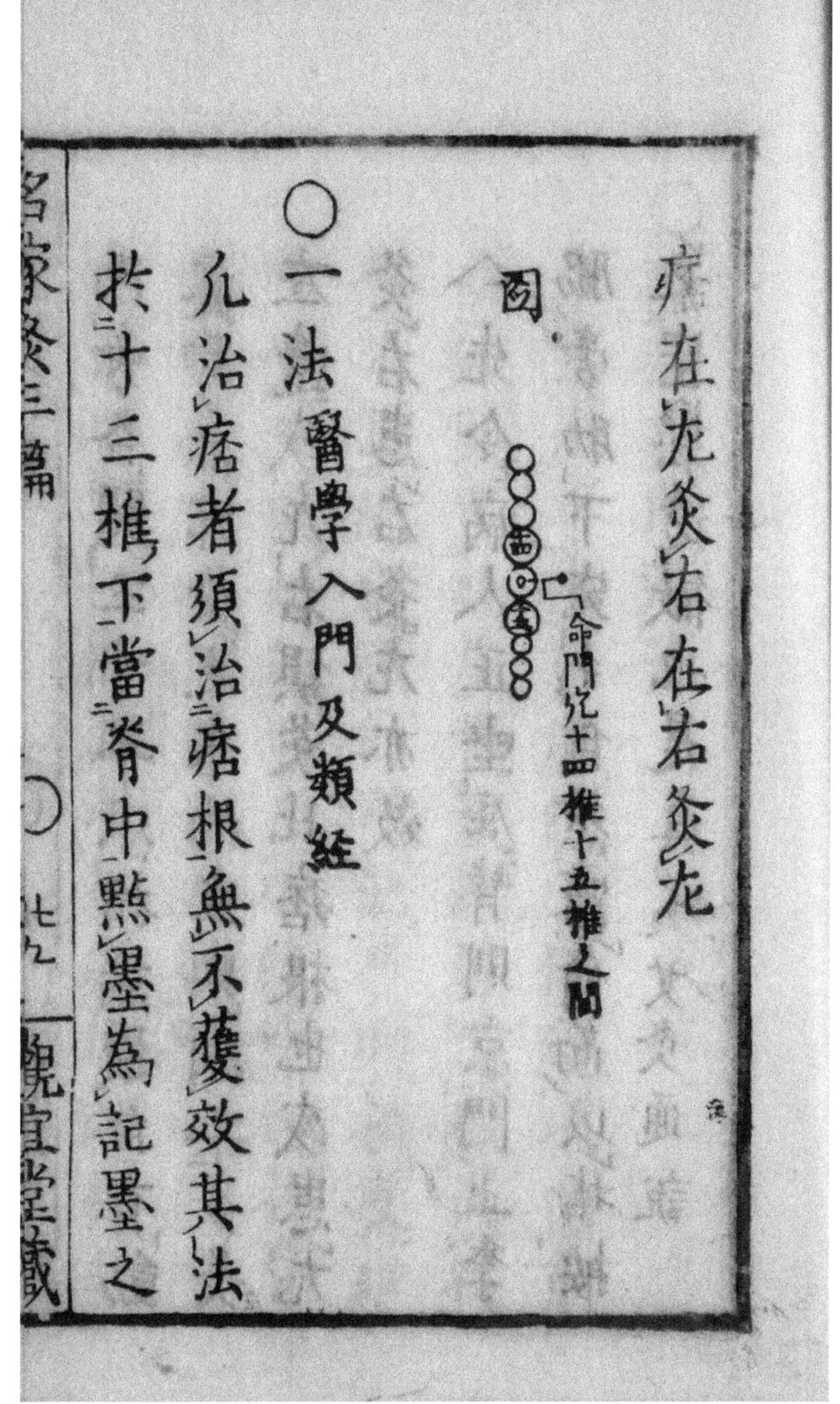

痃在左灸右在右灸左

圖

○一法醫學入門及類經

凡治痞者須治痞根無不獲效其法

於十三椎下當脊中點墨為記墨之

両旁各開三寸半以指揣摸自有動處即点穴灸之大約穴與臍平多灸左邊或左右俱灸此痞根也或患左灸右患右灸左亦效

○先令病人正坐屈背則京門上季脇旁肋下宛宛自然露俞而以指按之空鬆透徹也是真穴　艾灸通說

○療癖癥悶癖法　外臺崔氏

令患人平坐取麻線一條繞項向前垂線頭至鳩尾橫截斷即迴線向後當脊取線窮頭即點記乃別橫度口吻吻外截却即取度吻線中摺於脊骨點處中心上下分之各點小兩頭通前合灸三處其所灸處日別灸七

壯以上十壯以下滿十日即停看患人食稍得味即取線還度口吻於脊中點處橫分灸之其數一準前法仍看脊節穴去線一二分亦可就節穴下火如相去遠者不須就節穴若患人未損可停二十日外還依前灸之仍灸季肋頭二百壯其灸季肋早晚

灸其脊上同時下火

△此法凡如四花灸法而通初記墨上及上下合三穴左右二穴前后進退之法爲異耳

○灸痃氣法 同上

從乳下即數至第三肋下共乳上下相當稍似近肉接腰骨外取穴孔即

是灸處兩相俱灸初下火各灸三壯明日四壯每日加一壯至七壯還從三壯起至三十日即罷

右兩種灸法若點時拳脚點即拳脚灸若點時舒脚還舒脚灸

○治瘕癖法 十全翼方

患左灸左患右灸右弟一屈肋頭近

第二肋下即是灸處第二肋頭近第三肋下向肉翅前亦是灸處初日灸三壯次日五壯後七壯周而復始至千上惟忌大蒜餘不忌

△此即與京門章門兩穴稍相近

○腹脹腸鳴氣上衝胸不能久立腹中痛濯々冬日重感於寒則泄當臍而

痛腸胃間遊氣切痛食不化不嗜食身腫俠臍急天樞主之　千金方歷試

腰痛

○療積年腰痛法　外臺必效方

取一杖令病人端腰立杖以杖頭當臍中分以墨點訖迴杖於背取墨點

處當脊量兩口吻折中分灸兩頭隨年壯妙

△按千金方療腰痛不能俛仰者法惟灸竹上頭処隨年壯予常合二法灸三處殊妙即初編所載瘕聚七穴中之三穴也

疝氣

○治卒疝暴痛法竹家古傳本載外臺集驗方

灸足大敦男左右女三壯立已

○治疝氣木腎偏墜法類經

在陰莖根兩旁各開三寸是穴灸二七壯

○又法同上

於關元両旁相去三寸青脈上灸七壯即愈

○治疝氣睾丸腫痛法　竹田家古傳

随睾丸偏墜左右左痛者灸左踝骨下三壯妙效

○治寸白虫法　同上

随寸白左右灸乳頭頭百壯妙也

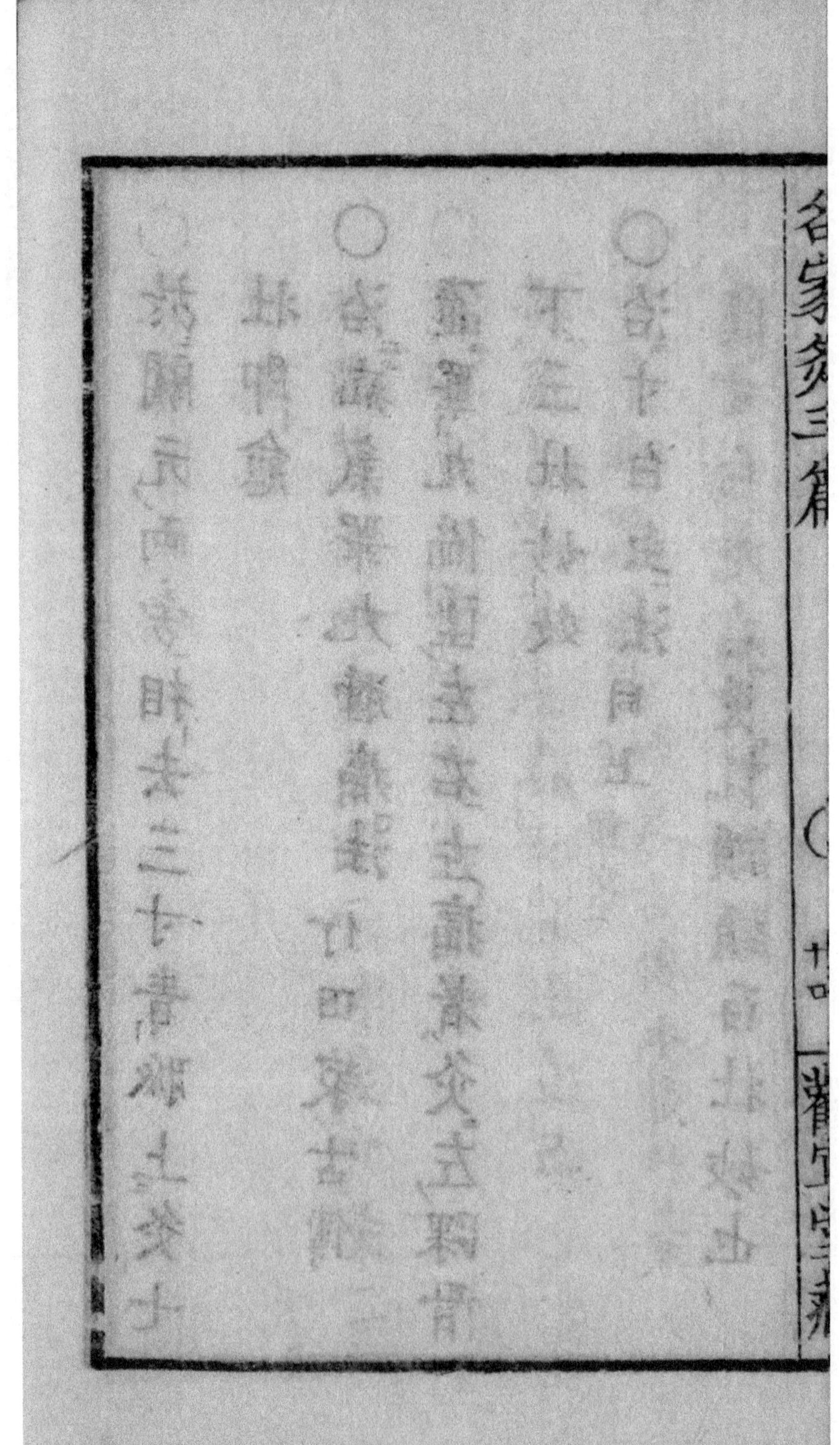
名家灸選三編

下部病

淋疾

○治五淋法 千金翼

灸大敦三十壯 千金方曰又治小便失禁

○又法 俗傳試效

屈足膝膕內廉橫紋頭灸隨年壯男

左女右

圖

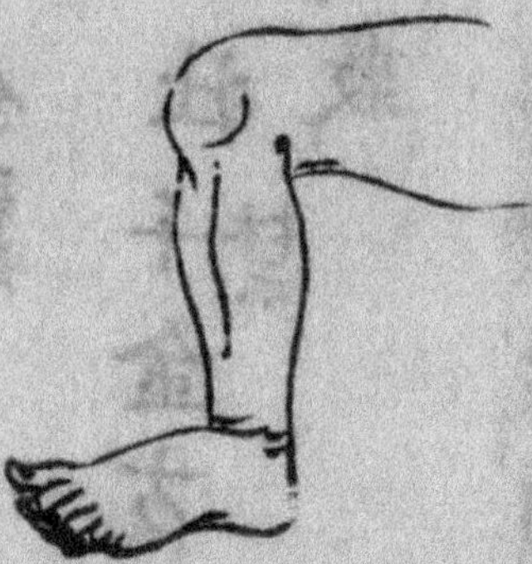

〇治五淋不得小便法　千金

灸懸泉十四壯穴在内踝前一寸斜行小脈上是中封之別名

○治石淋臍下三十六種病即帶下諸症也

不得小便法同上

灸關元三十壯

轉胞小便閉

治腰痛小便不利苦胞轉法千金

灸玉泉七壯穴在關元下一寸大人從心下度取八寸是玉泉穴小

兒斟酌以取之

又灸第十五椎五十壯

又灸臍下一寸又治大小便閉

又灸臍下四寸各隨年壯

○療熱結小便不通利法外臺古今錄驗方肘后千金同

取塩填臍中大作艾炷灸令熱為度

良　亦治痢疾赤白裏急後重者

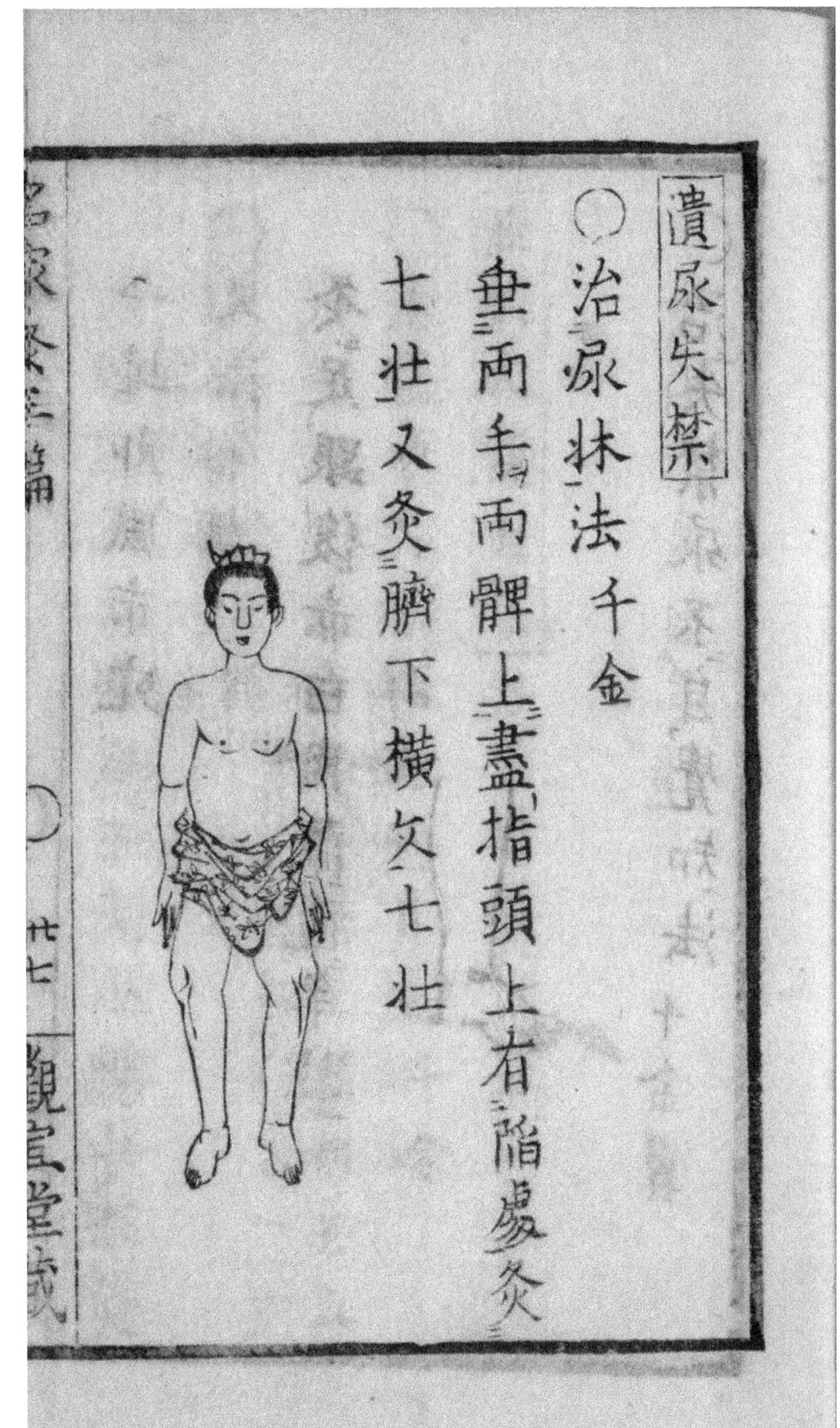

遺尿失禁

○治尿牀法　千金

垂兩手兩髀上盡指頭上有陷處灸七壯又灸臍下橫文七壯

△此即風市穴

〇又法 俗傳

灸足跟後赤白肉際隨年壯

〇治失禁尿不自覺知法 千金翼

灸陰陵泉隨年壯

泄利大便失禁

○治腹中雷鳴相逐痢下法　千金

灸承滿五十壯挾巨闕相去五寸

灸之者俠巨闕　巨闕在心下一寸

兩邊各二寸半

○治膀胱三焦津液下大小腸中寒熱

赤白泄痢及腰痛小便不利婦人帶下法千金
灸小腸俞五十壯
○治老人小兒大便失禁法同上
灸兩脚大指去甲一寸三壯

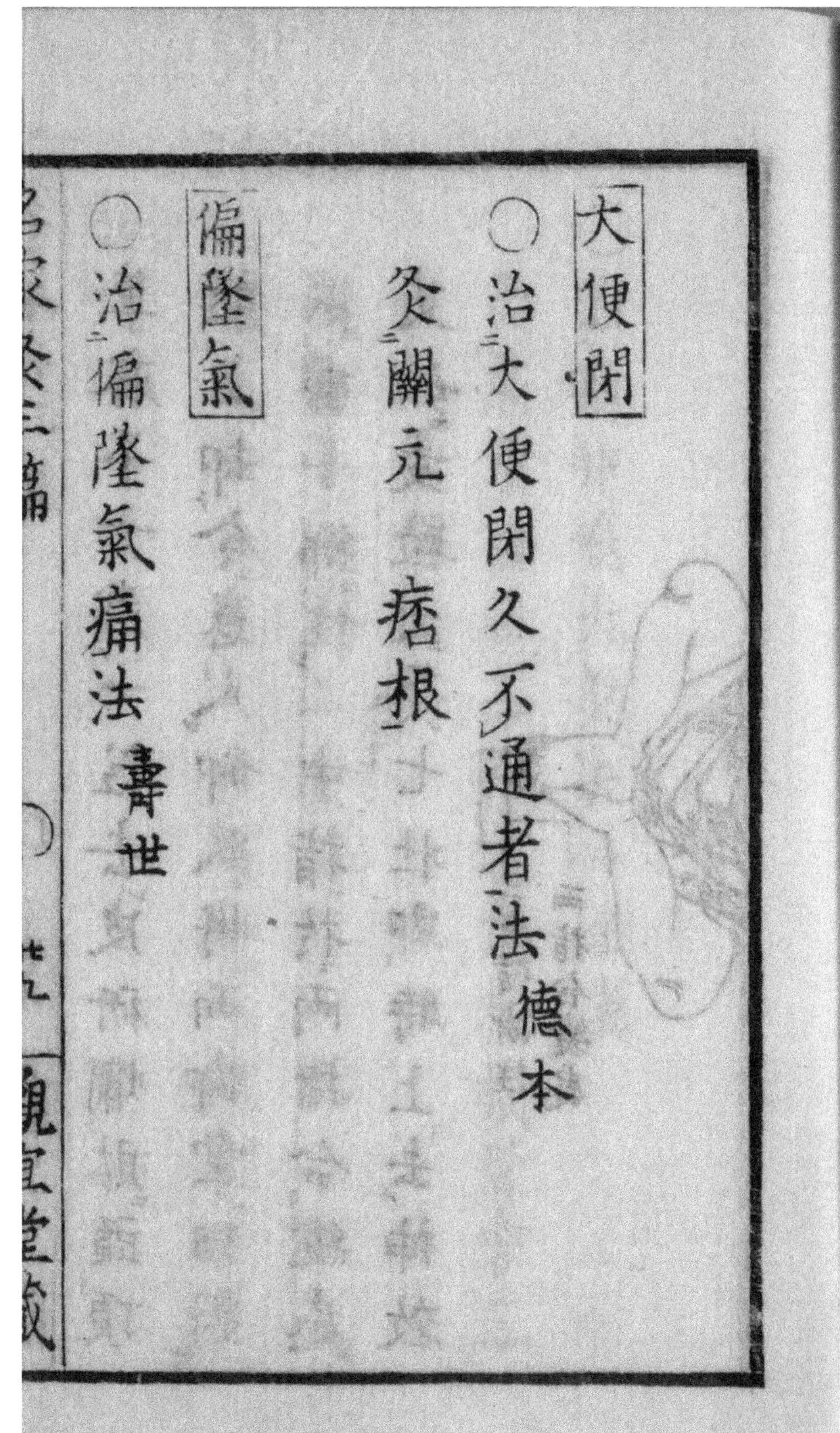

大便閉

○治大便閉久不通者法　德本

灸關元　痔根

偏墜氣

○治偏墜氣痛法　壽世

○

萆麻子一歲一粒去皮研爛貼頭頂顖上却令患人仰臥將兩脚掌相對以帶子綁住二中指於兩指合縫處艾如麥粒大灸七壯即時上去神效

二中指綁住
兩指合縫處

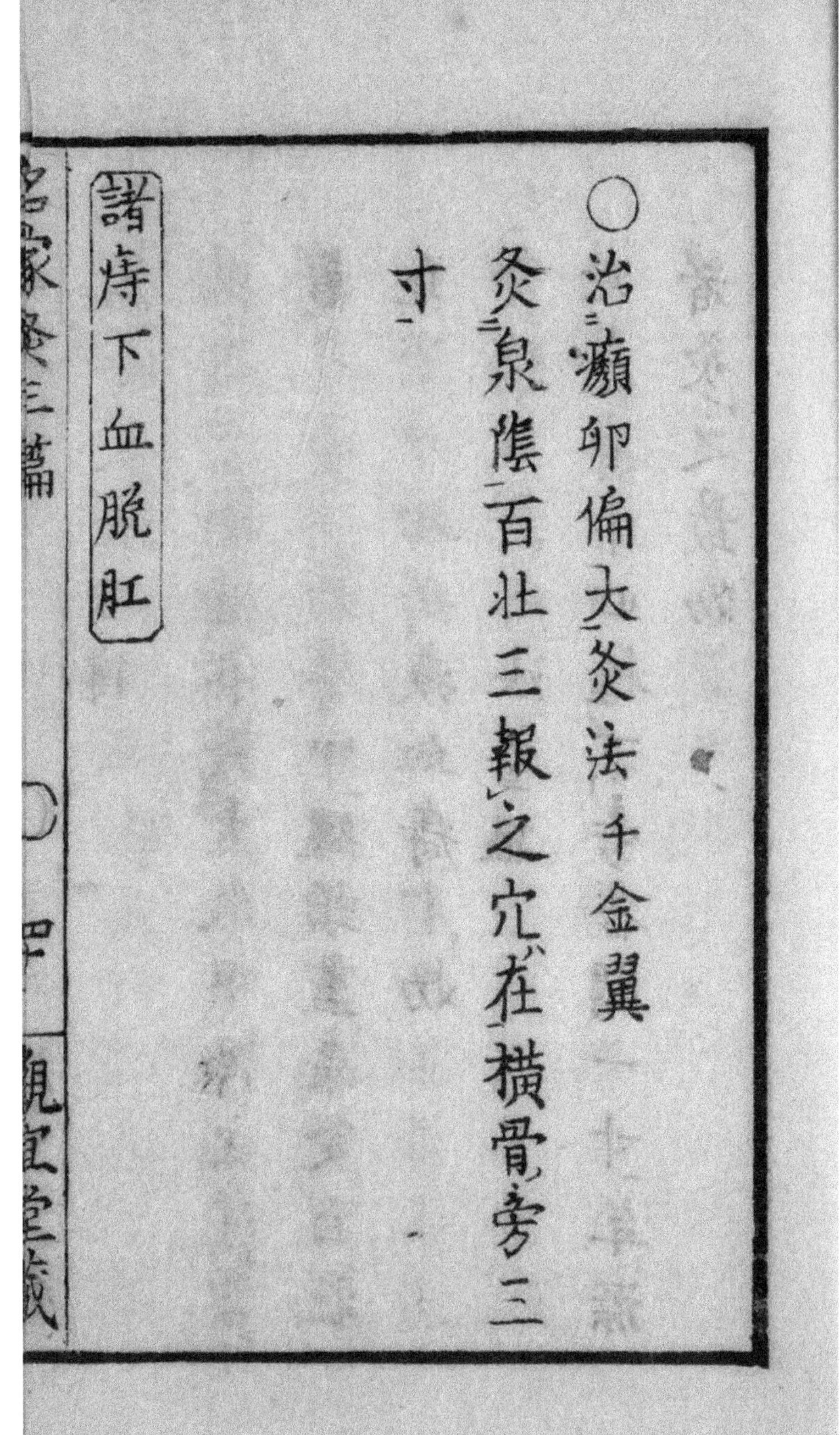

○治二癩卯偏一大灸法千金翼

灸二泉掖一百壯三報ㇾ之穴在一横骨旁三

寸一

名家灸選三編　甲　観宜堂蔵

諸痔下血脫肛

○治痔疾法　古傳

以繩量中指本節至爪甲際之度當龜尾骨上於脊中繩頭盡處灸百壯

凡治一切痔疾血痔尤効

○灸腸風諸痔法　金鑑

穴在脊中四椎下旁各開一寸年深者灸之最効

○灸痔法 外臺崔氏

令患人平坐解衣以繩当脊大椎骨中向下量至尾株骨尖頭訖再折繩更從尾株尖頭向上量當繩頭正下即點之高識別灸之一百壯後差後三年復發又灸之便斷兼療腰痛

○治下血不止秘法 壽世

命門一穴用蔥一條自地至臍心截斷令患人平正取之即向後自地比至脊盡處是穴又須按其突處痠疼方可灸不痛則不灸也灸可七壯永斷根不發又治腸風臟毒便血久不止者或年深者更於椎上兩旁各一寸灸七壯無不除根

△類経云至於吐血衂血一切血病百治不效者経灸永不再發

○治便血色白脉濡弱手足冷飲食少思強食即嘔宜灸之其效如神 類経

中脘 氣海 二穴

○治大便下血諸治不效者法 同上

於脊中第二十椎下隨年壯灸之

脚氣

○治脚気入腹或左脇有塊衝心腹痞絶法 柳々州纂救方

○用附子末津調作餅貼湧泉穴餅上多艾灸泄引下勢

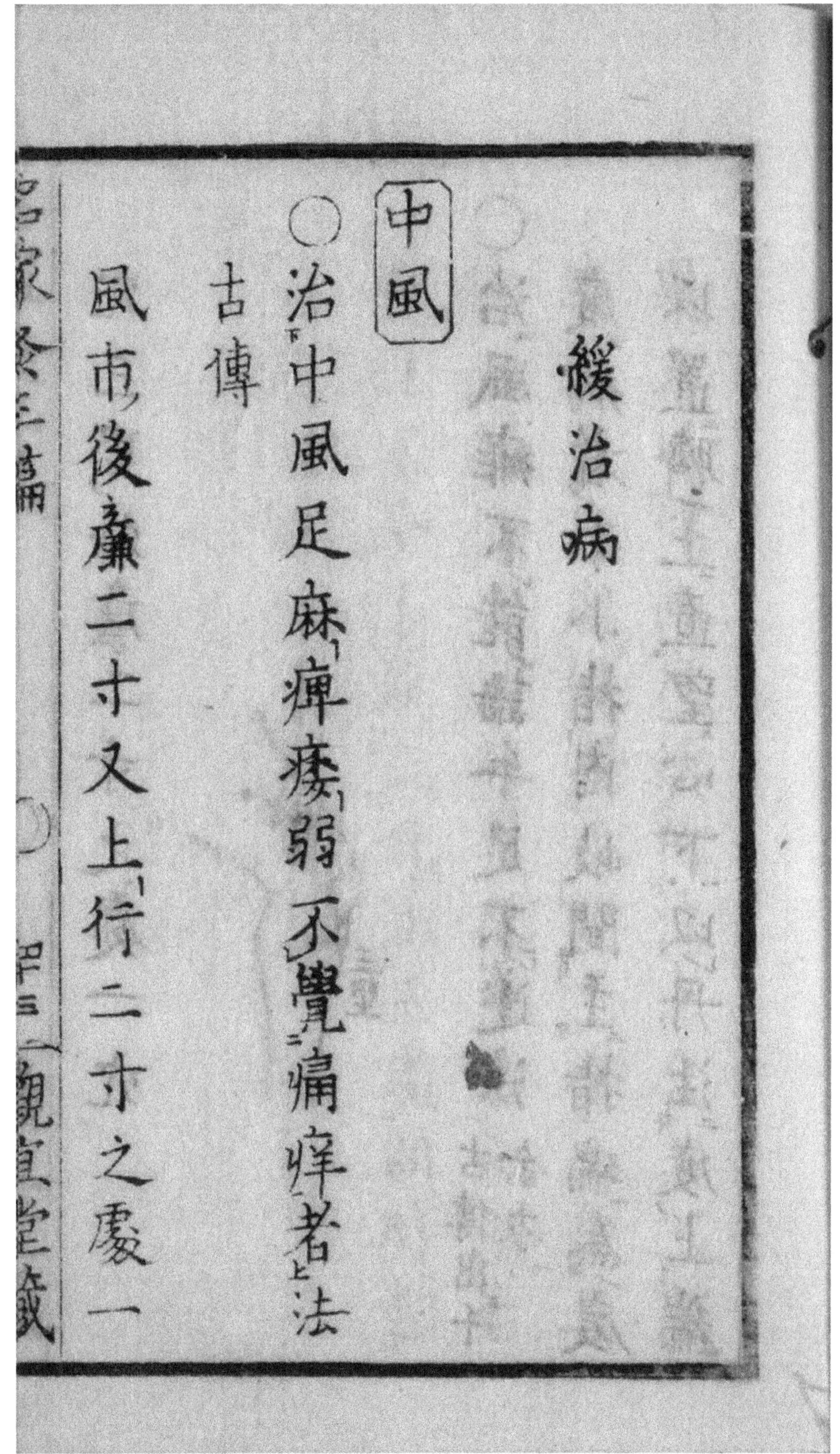

緩治病

中風

○治中風足麻痺痿弱不覺痛痒者法

古傳

風市後廉二寸又上行二寸之處一

穴三里外廉二寸之處一穴

三里

中風

○治風痱不能語手足不遂法古傳出千金方

度病者手小指內歧間至指端為度

以置臍上直望心下以丹注度上端

畢又以作両度續所注上合其下開其上取其度横置其開上令三合其狀如到作某字形男度左手女度右手嬿不分了故上丹注三處同時起火灸之各一百壯愈

○治中風要穴試驗

風中血脈口眼喎斜凡喎向右者爲左邊脈中風而緩也宜灸左邊左亦

灸之

聽會二穴在耳前陥中張口有動脈
應手

頰車二穴在耳下二韭葉許陥者宛
宛中開口得之

地倉二穴在挟口吻傍四分外近下
有脈微動者是也

治風中腑手足不遂等証在左則灸
右在右則灸左

百會一穴在頂中央

肩髃二穴在肩端兩骨間陷者宛宛中舉臂取之
曲池二穴肘外屈肘紋頭陷中是也
風市二穴　三里二穴
絶骨二穴在足外踝上三寸動脈中
治風中臟氣塞涎上不語昏危者下火立效
百會　風池二穴在顳顬後髮際陷中

大推　肩井

曲池　間使二穴在掌後三寸兩筋間

足三里

以上七穴凡覺心中憒乱神思不怡或手足麻痺此將中臟之候不問是風與氣可速灸

○治中風口喎法　本草綱目

以葦筒長五寸一頭刺入耳門四面以麪密封不透風一頭以艾灸之七壯患右灸左患左灸右

虛勞骨蒸

○治骨蒸勞瘵治　醫家傳

先以蠟繩度男左女右足大拇指端比齊令其順脚心至後跟踏定却引繩向後從足跟足肚貼肉直上比至膝彎曲膕中大橫紋截斷次令病者平身正坐解髮分頂中露頭縫取所比蠟繩一頭齊鼻端按定引繩向上循頭縫項背貼肉垂下至繩頭盡處

以墨點記是穴次別以一繩比量男左女右從五指本節至指端先以繩頭從大指比次第至小指每指以墨記繩訖當繩頭於脊中初點墨上垂下即當蠟繩每指墨記之處假以墨点脊中非是穴次以同身寸亦當脊中最下假点垂下盡處点記是穴次

當每五指假点各開五分第一指男灸左旁第二指灸右旁以下三穴准之女則反之都七穴点記畢當以所比之蠟繩投棄川流又灸之則當有蟲下亦須投去川流云

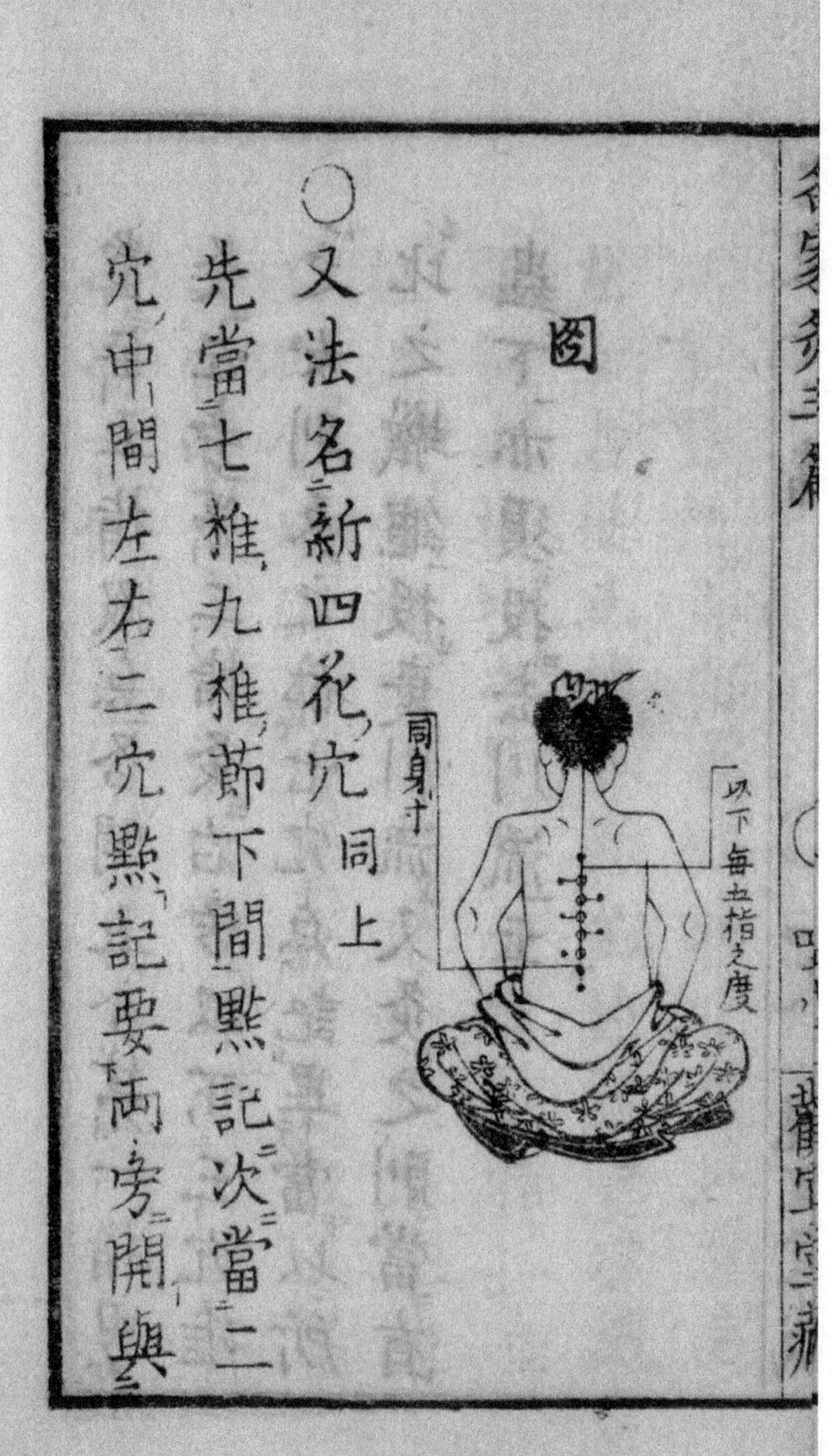

図

○又法名新四花穴 同上

先當七椎九椎節下間點記次當二穴中間左右二穴點記要兩旁開與

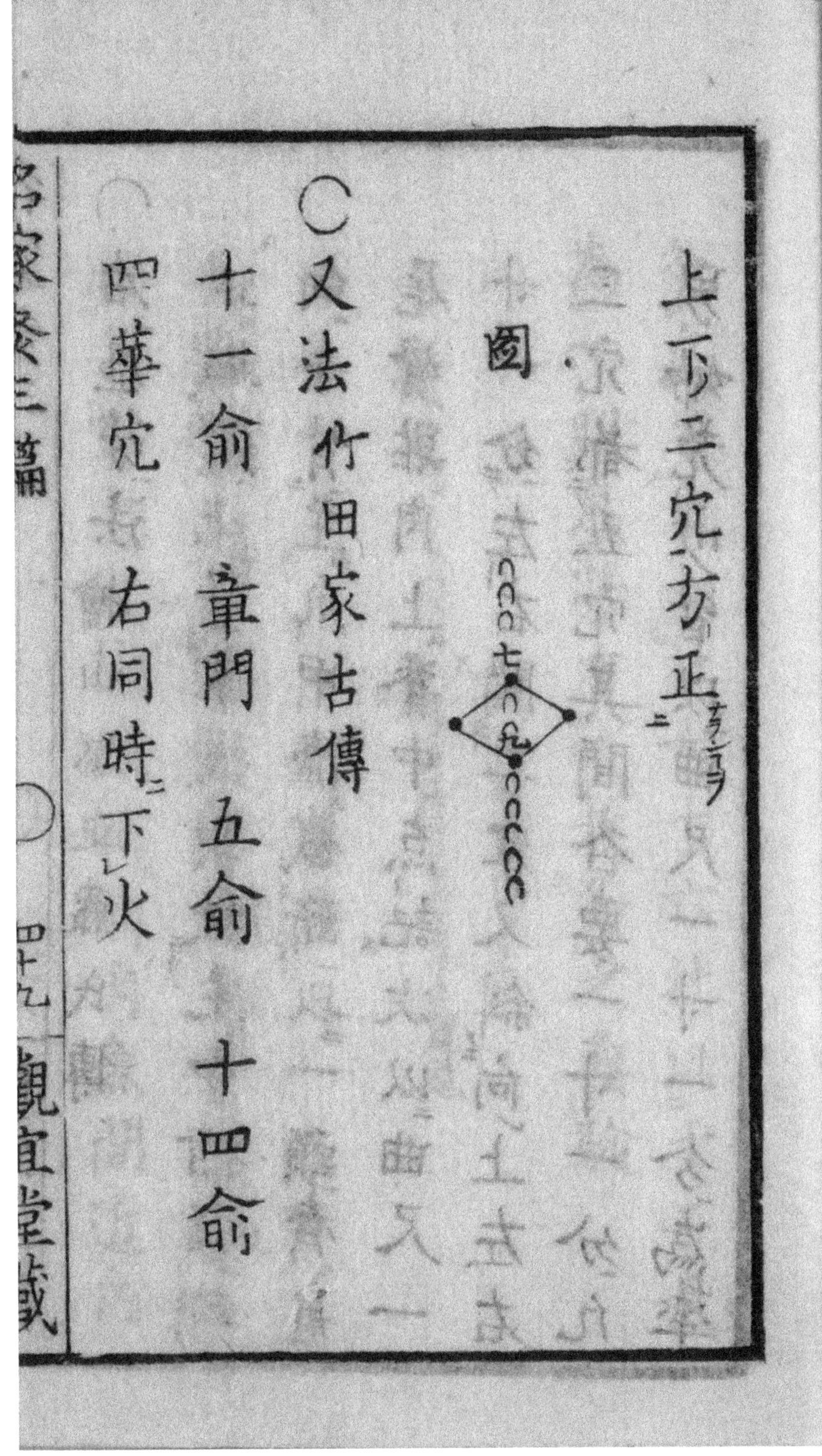

上下二穴方正

圖

○又法竹田家古傳

十一俞　章門　五俞　十四俞

○四華穴　右同時下火

〇治虛勞法　檜山駅近藤氏傳

以蠟繩比量掌後橫紋至中指頭却向手背至爪甲際截斷以一頭齊亀尾骨鼎肉上脊中點記次以曲尺一寸一分左右開二穴又斜向上左右二穴都五穴其間各要一寸一分凡男婦老少皆以曲尺一寸一分為準

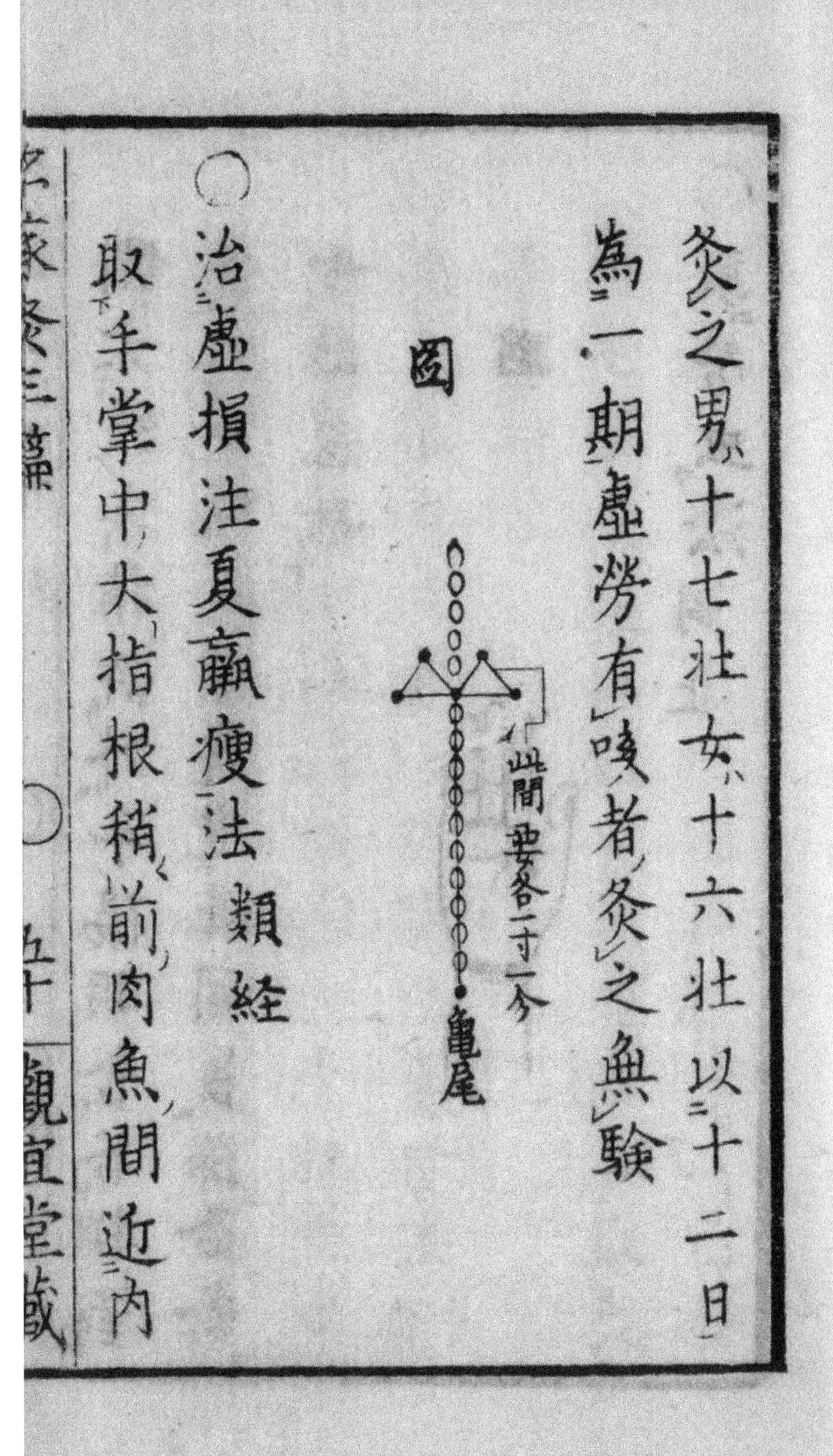
灸之男十七壯女十六壯以十二日爲一期虚勞有咳者灸之無驗

圖

○治虚損注夏羸瘦法　類經

取手掌中大指根稍前肉魚間近内

側大紋半指許外手陽明合谷相對處按之極瘦者是穴此同長強各灸七壯甚效

圖

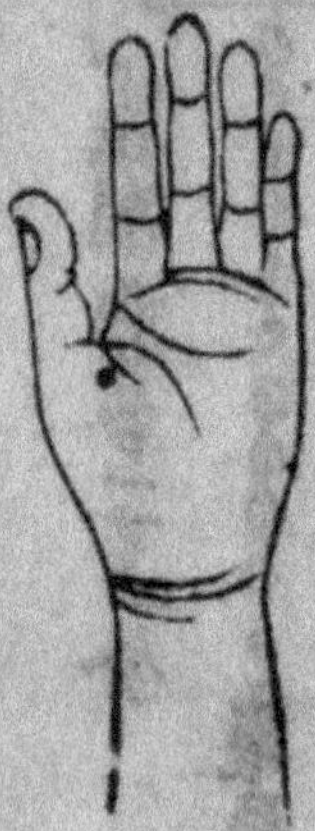

○取勞虫法　同上

灸於三椎骨上一穴并膏肓二穴各
灸七壯然後以飲食調理方下取虫
等藥

○治五臟熱及身体熱脈弦急者法千金
灸第十四椎與臍相當五十壯老少
增損之若虛寒者至百壯橫三間寸
灸

圖

四寸 十寸

黄疸

○治黄疸法一醫家傳出於龔氏病人脊骨自上數至下第十三椎下兩旁各量一寸灸三七壯效

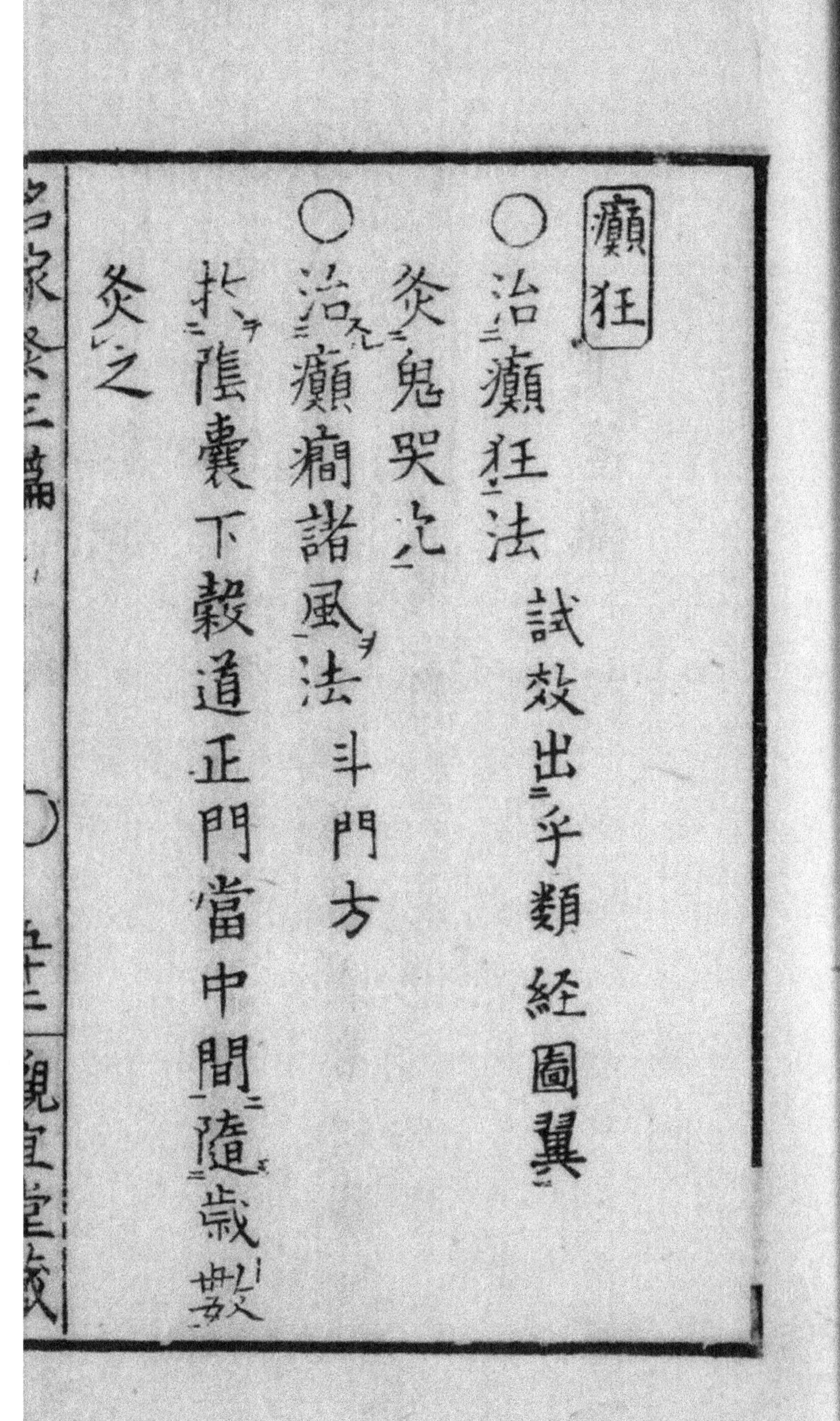

癲狂

○治癲狂法　試效出乎類經圖翼

灸鬼哭穴

○治癲癇諸風法　斗門方

於陰囊下穀道正門當中間隨歲數

灸之

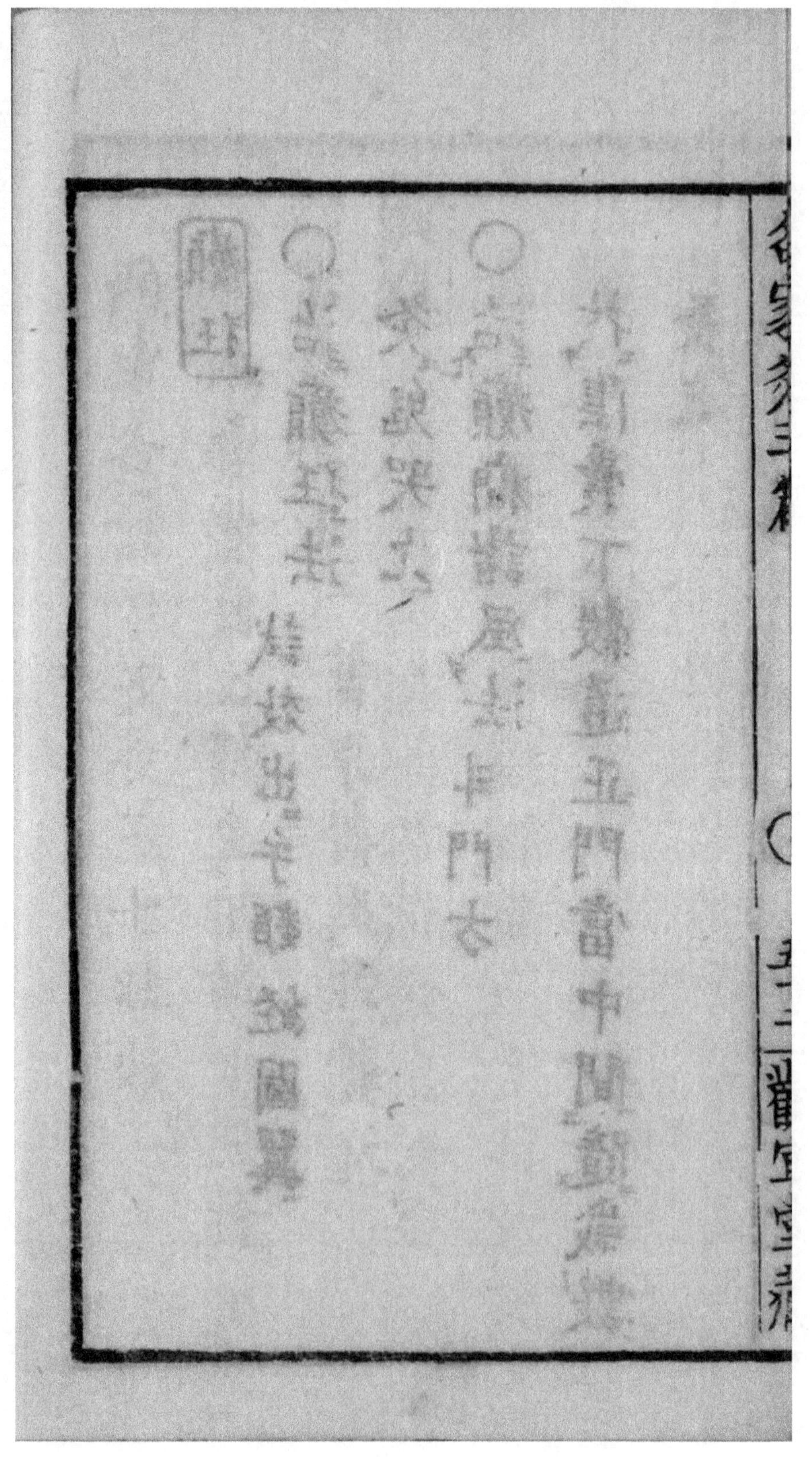

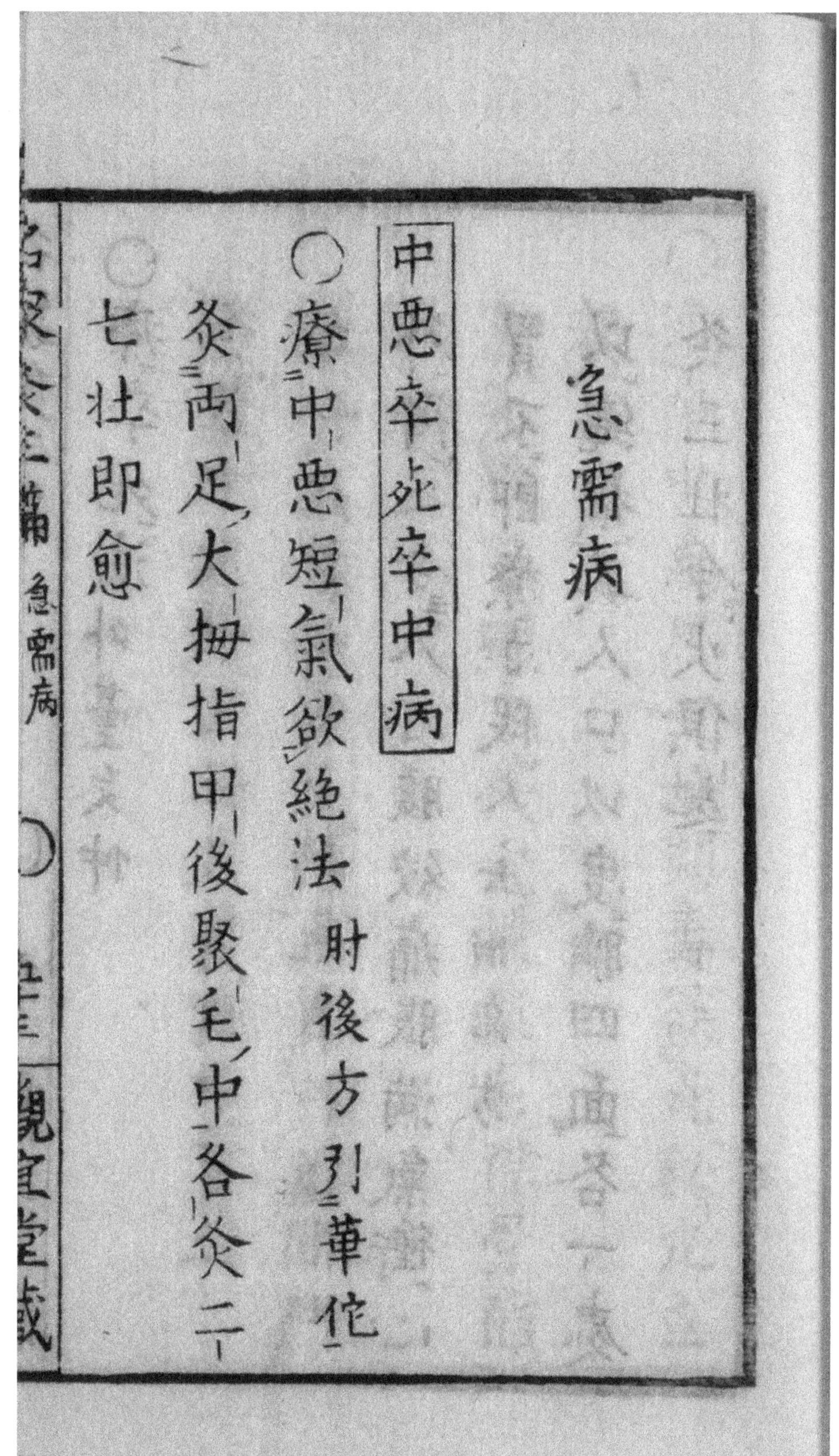

急需病

中悪卒死卒中病

○療中悪短氣欲絶法　肘後方引華佗

灸両足大拇指甲後聚毛中各灸二十

七壮即愈

○療卒死法 外臺文仲

灸鼻下人中三壯又灸臍中一百壯

○客忤死者中惡之類也喜於道間門外得之令人心腹絞痛脹滿氣衝心胷不即療亦殺人法 肘后方

以繩横其人口以度臍四面各一處灸三壯令火俱起

○治卒中悪風心煩悶毒欲死秋穴立効同上

速灸臍下四寸并小便陰毛際骨陷中

○治人被人打死或踢死法寿世保元

急灸百會穴

霍乱

○療霍乱神秘起死法古傳

以物横度病人口中屈之從心鳩尾

度以下灸度下頭五壯横度左右復

灸五壯此三處併當先灸中央畢更

○横左右也又灸背上以物圍令正當

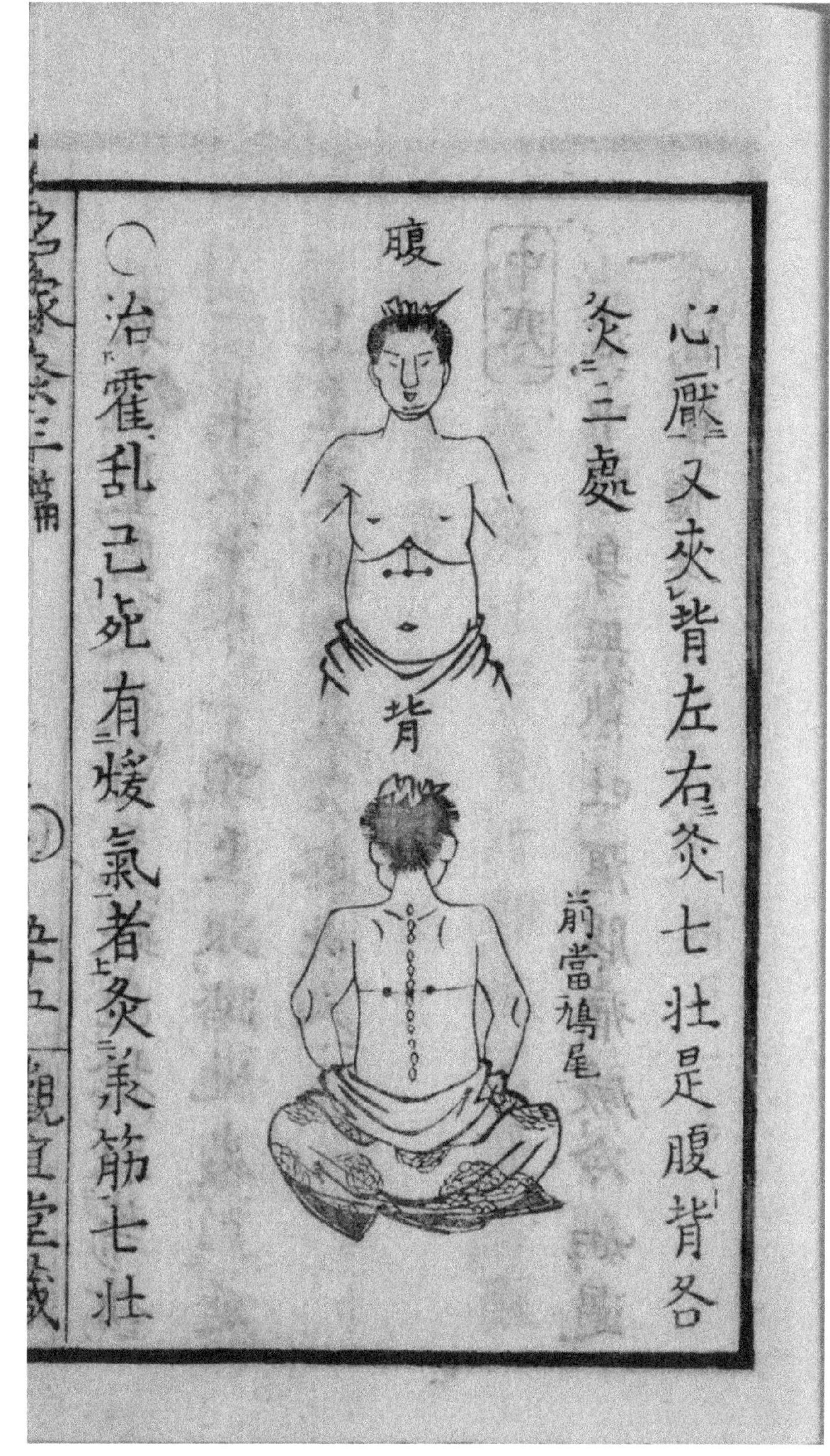
心厭又灸背左右灸七壯是腹背各
灸二處
腹
背
前當鳩尾
治霍乱已死有煖氣者灸幷筋七壯
名家灸選三編
觀宜堂藏

取繩量圍足從趾至跟匝捻取等折一半以度令一頭至跟踏地處引延上至度頭即是穴起死人

中寒

治中寒身無熱吐瀉腹痛厥冷如過肘者　德本

灸陰交　氣海臍下一寸

○治中寒陰症神法但手足温暖脉至知人事無汗要有汗即生不暖不醒者死壽世

氣海　丹田臍下二寸　關元臍下三寸

艾灸二七壯

○治眞陰症四肢厥冷腹痛如錐脹急

服太附姜桂如氷此中焦寒冷之甚宜急灸臍上一寸穴臍下一寸穴左右兩穴每七壯即效 壽世

○治陰毒腹痛脈欲絶者法 壽世

先以男左女右手足中指頭盡處各灸三壯又灸氣海關元穴各七壯極效 同上

○治厥逆法 類經

以繩圍男左女右臂腕為則將繩從大椎向下度至脊中繩頭盡處是穴灸二十壯

瘧疾

○療瘧病醫不能救者法 千金翼

以縄量病人脚圍繞足跟及五指一
匝訖截斷縄取所量得縄置項上著
及向背上當縄頭中脊骨上灸三十
壯則定候看復悪寒急灸三十壯則
定此全過一炊久候雖飢勿與食盡
日此神驗男左足女右足

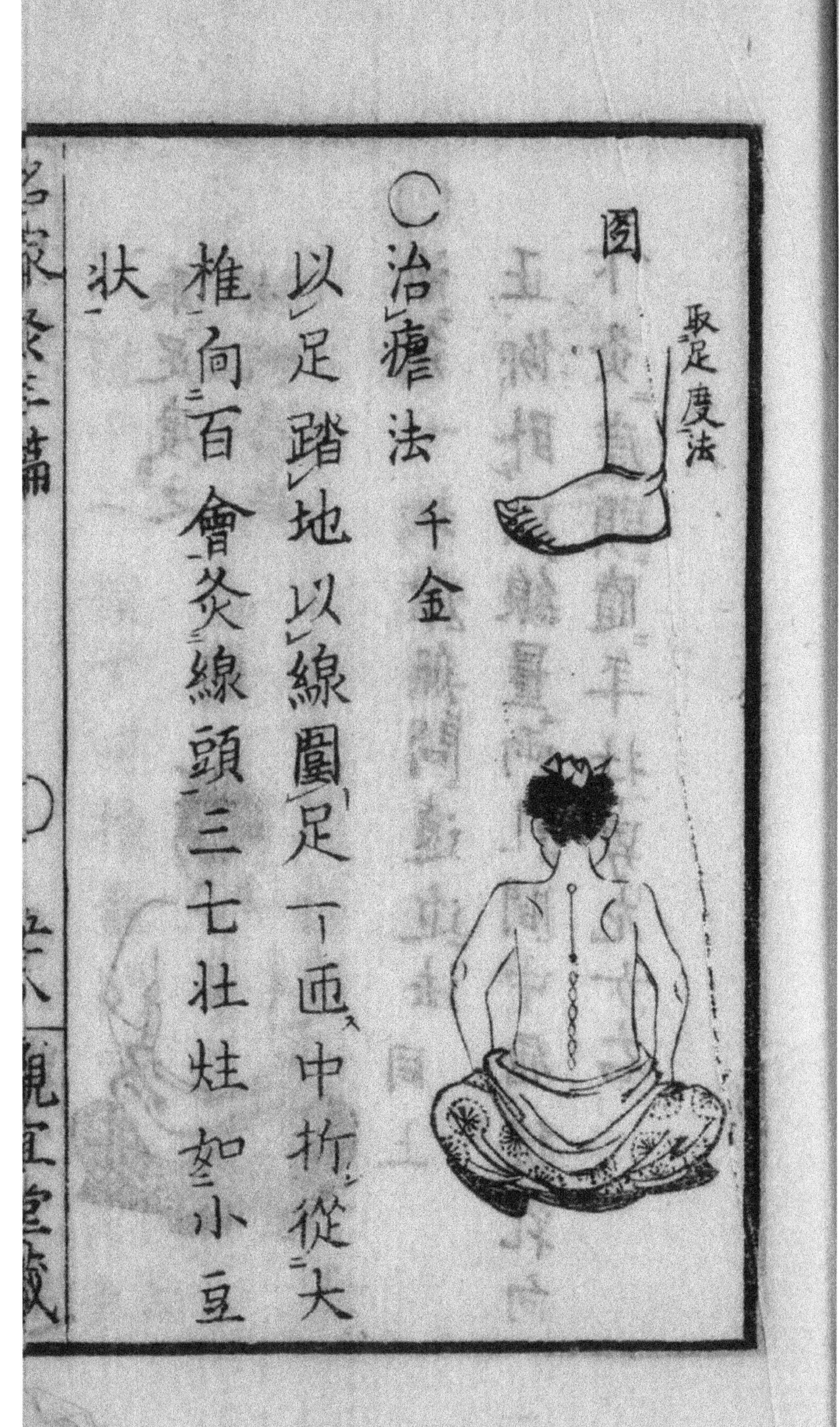

圖

〇治瘧法　千金

以足踏地以線圍足一匝中折從大椎向百會灸線頭三七壯炷如小豆狀

觀宜堂藏

取足度之
法如前法

圖

○治凡一切瘧無問遠近法　同上
正仰卧以線量両乳間中屈從乳向
下灸度頭隨年壯男左女右

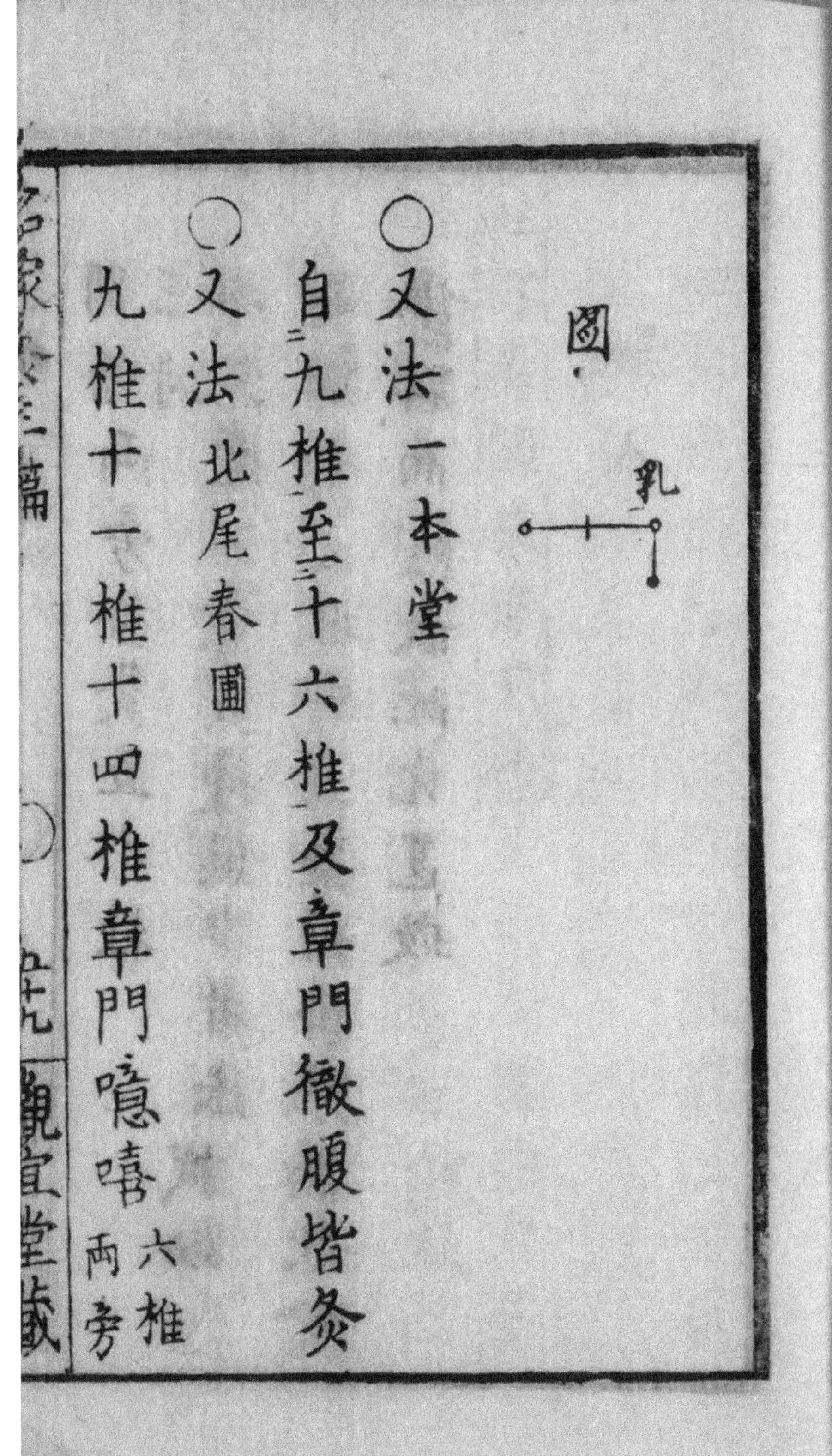

圖。

○又法一本堂

自九椎至十六椎及章門徹腹皆灸

○又法北尾春圃

九椎十一椎十四椎章門噫嘻六椎兩旁

開各兩旁各灸五十壯三寸

○灸久瘧不愈黄瘦無力者法試効

灸脾俞七壯即止蓋瘧由寒濕飲食傷脾而然故此穴甚効

婦人

経行不調及帯下病

○治帯下腰冷及経行不調法　試効

取手中指第一横文至指頭之寸均亀尾上脊骨度頭點記又以前度左右開二一穴都三穴

○治赤白帶下妙灸古傳

先將度取同身寸五寸將患人乘竹馬取度度從竹杠上貼肉上脊中点記度頭又左右開一寸五分又下前点一寸一穴又左右開二穴都六穴灸十四壯体虛者減半之

△此法與初編治帶下腰痛之法有

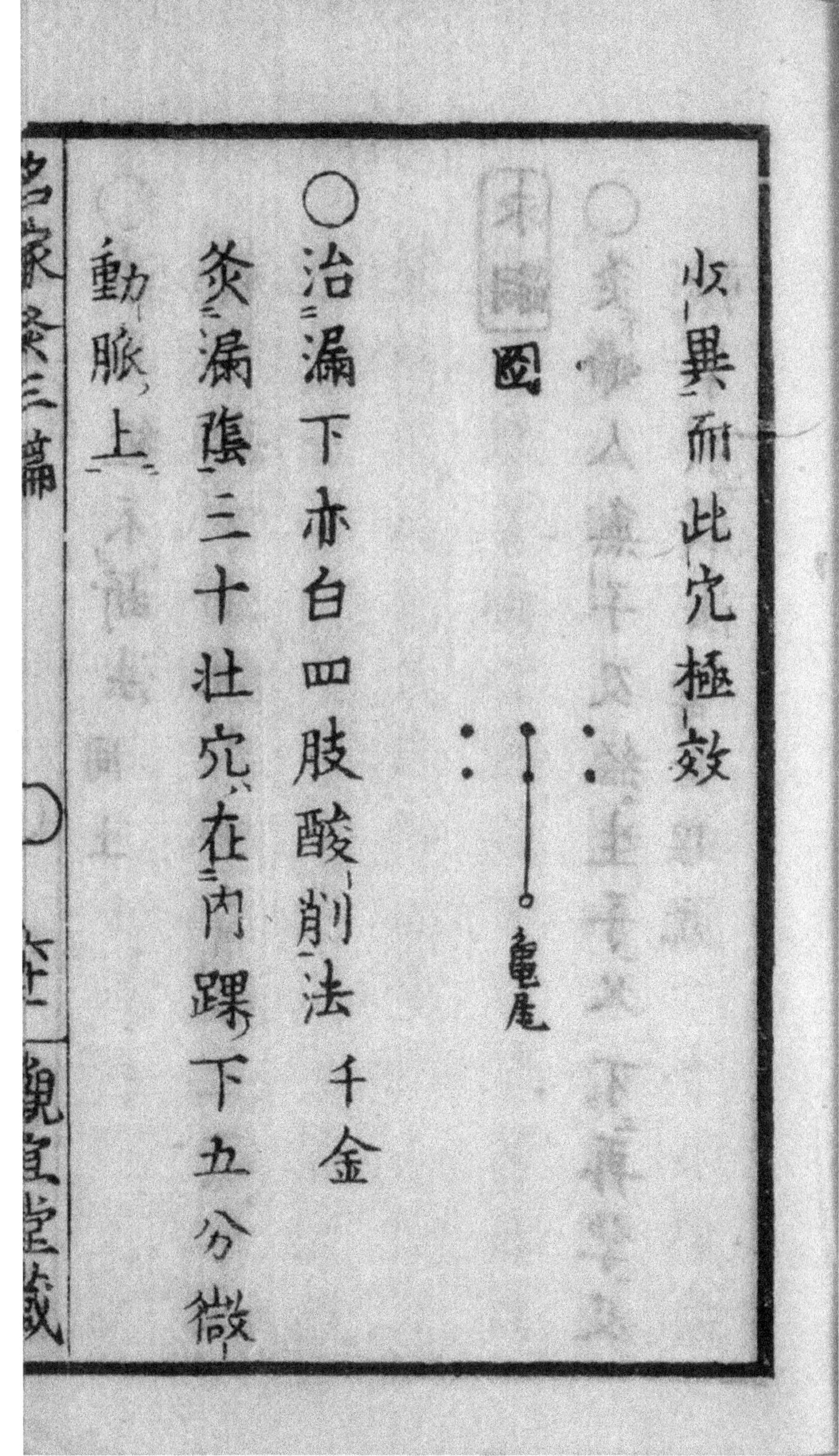

收異而此穴極效

圖

○治漏下赤白四肢酸削法 千金

灸漏陰三十壯穴在內踝下五分微動脈上

○治月経不断法　同上

灸内踝下赤白肉際青脈上随年壮

求嗣

○灸婦人無子及経生子久不再孕及

懐孕不成法　壽世保元

以女人右手中指節紋一寸又指向
上量之用草一條量四寸舒足仰臥
所量草自臍心直垂下至草盡處以
筆點定此不是穴却以原草平摺以
摺處横安前點處其草兩頭是穴按
之有動脉各灸三壯如筋拔大神驗
○灸婦人絶子不生及子藏閉塞不受

精少腹疼ヲ法試效

關元 胞門 關元旁二寸 氣門 同旁三寸

各灸五十壯素千金方中三法相合也

△千金翼云子藏閉塞不受精妊娠不成若墮胎腹痛時見赤灸胞門五十壯關元左邊二寸是也右邊ヲ名子

尸

○一法壽世保元

灸神闕穴先以淨乾塩填臍中灸七壯後去鹽換川椒二十一粒上以姜片蓋定又灸十四壯灸畢即用膏貼之艾炷須如指大長五六分許

乳病

○治婦人乳急痛手不得近成妬乳千金
急灸手魚際灸二十七壯斷癰脈也
不復惡手近乳汁自出

○治乳核乳岩未潰者法 試效
灸足三里初七壯續每日灸三壯

○治妬乳乳核乳癰乳岩一切乳病法

石原氏傳

先假点記膏肓穴斜向内下一寸餘指頭陥没極痠疼者是穴左患者灸左右患者灸右

圖

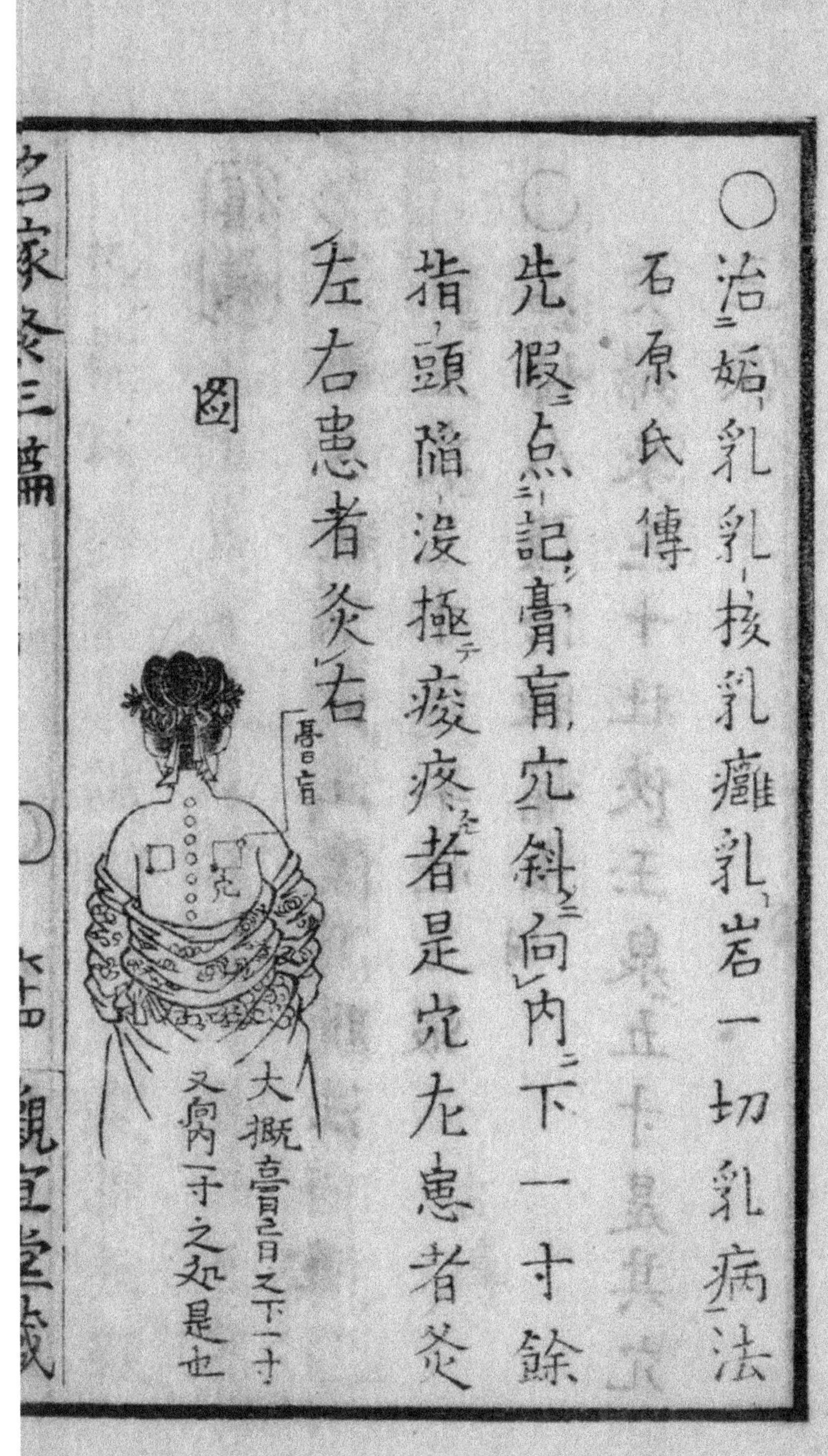

脹病

○治婦人胞下垂注陰下脫法　千金

俠玉泉三寸隨年壯三報

○治婦人脹冷腫痛法　同

灸歸來三十壯俠玉泉五寸是其穴

三報

小兒病

疳病　古傳

○治小兒疳症下利及虫積法

將繩度手食指本節至爪甲中間訖坐竹杠上以度從竹杠上脊中度盡頭處假以墨点記却以前度横放假

点上両旁盡頭處是穴凡二穴

○治小兒疳瘦脫肛體瘦渴飲形容瘦悴諸方不瘥者法準繩

取尾翠骨上三寸骨陷中灸三壯

○治疳瘦下利者法古傳

第二脇頭假以墨点記當記墨上以繩周匝腹背点記於脊中非是穴却

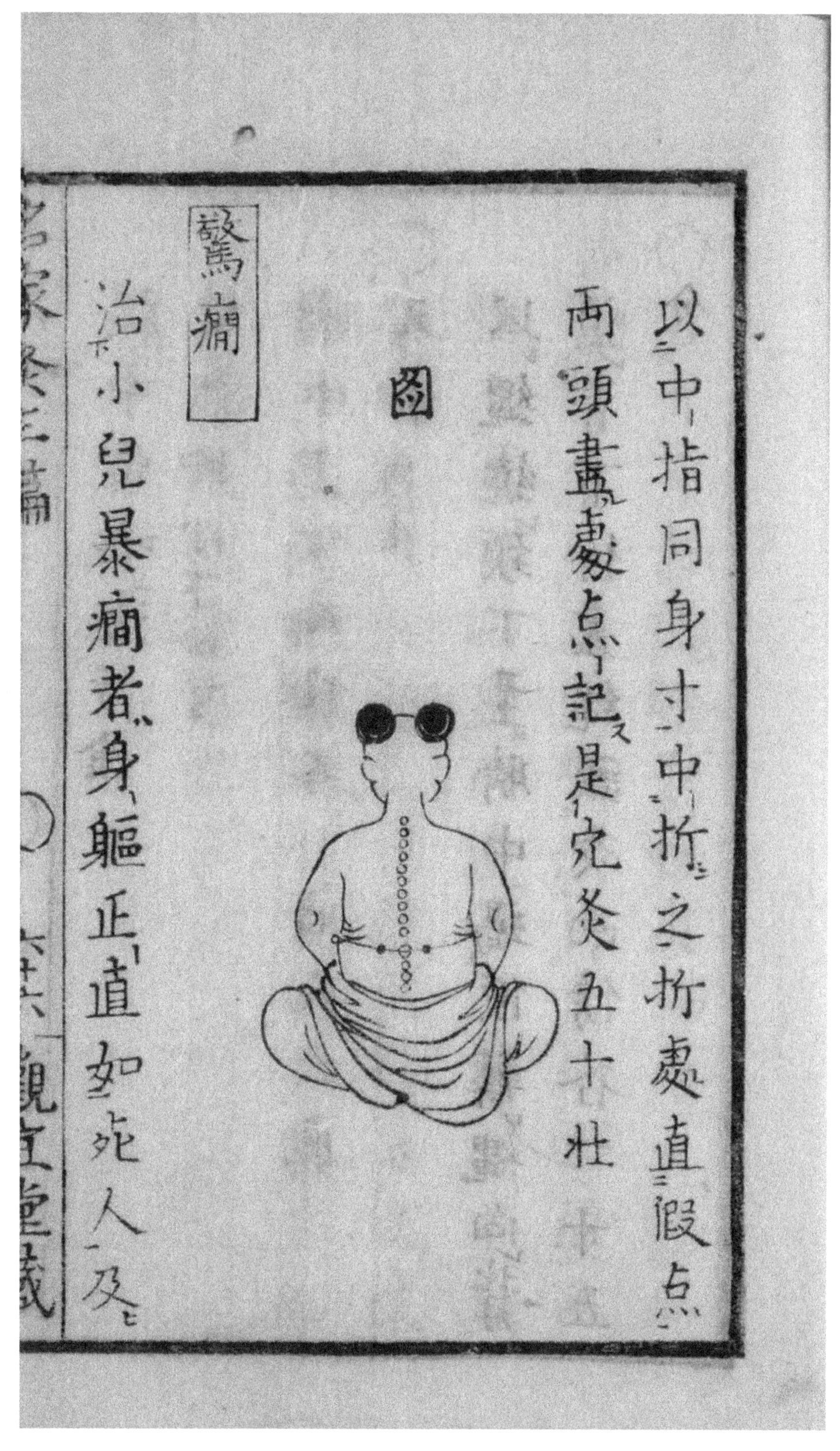

以中指同身寸中折之折處直假点兩頭畫處点記是穴灸五十壯

圖

驚癇

治小兒暴癇者身軀正直如死人及

腹中雷鳴法 千金

大倉 即心下四寸

臍中上下兩傍各一寸凡六處

○又法 同上

以繩繞頸下至臍中竭便轉繩向背順脊下行盡繩頭灸兩傍各一寸五分

○治目反上下視眸子動法同法

灸顋中取之法横度口盡兩吻際又横度鼻下亦盡兩邊折去鼻度半都合口為度從額上髮際上行度之度頭下處正在顋上未合骨中隨手動者是此最要處也

○治小兒驚風每月發作將成癲癇者法　井上傳

灸兩足照海五壯每日灸之效即古灸張蹻者是穴在內踝下

雜證

○治小兒喘脹俗謂之馬脾風又謂之

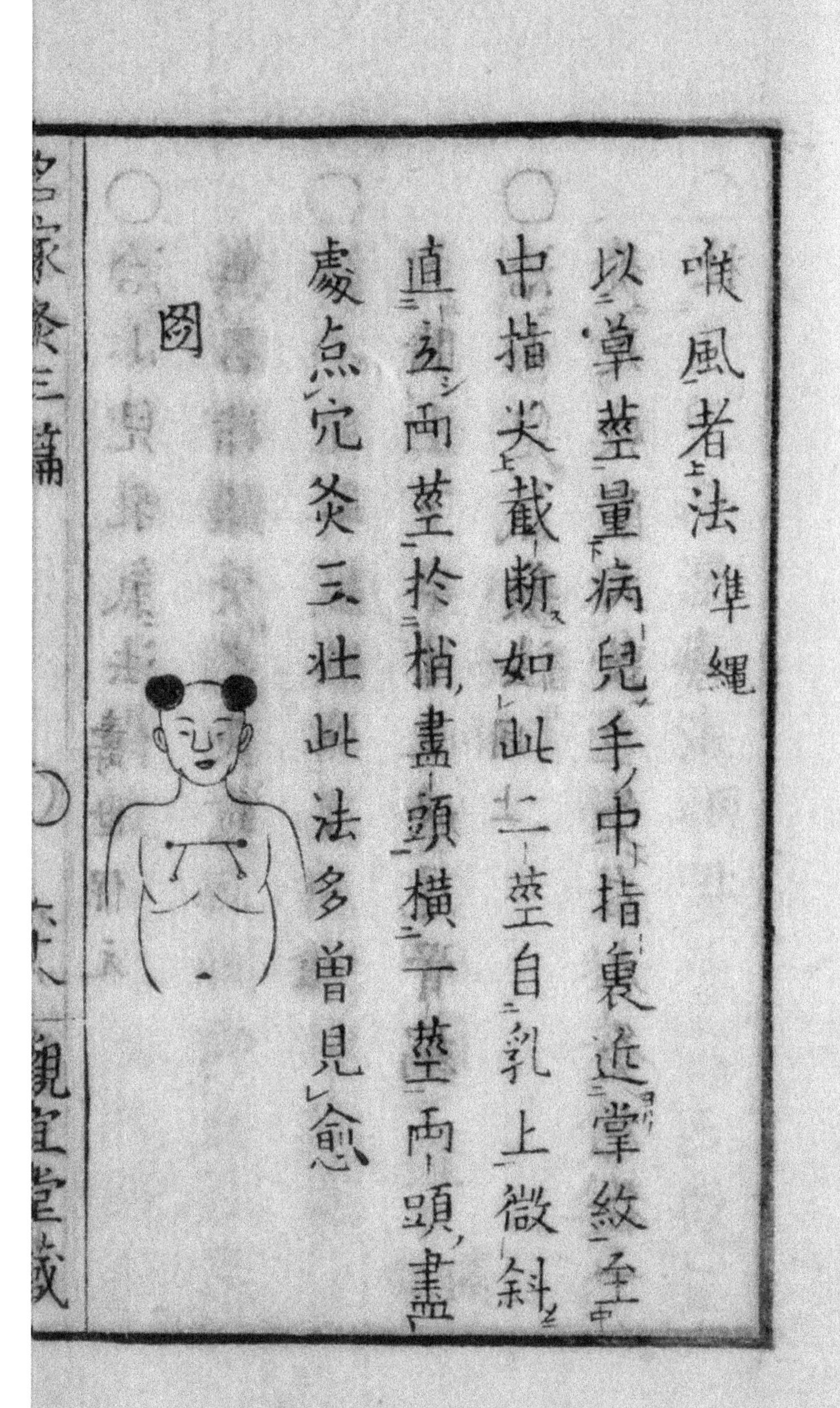

喉風者法　準繩

以草莖量病兒手中指裏近掌紋至中中指尖截斷如此二莖自乳上微斜直立兩莖於梢盡頭横一莖兩頭盡處点穴灸三壯此法多曽見愈

圖

○治小兒吼氣法 壽世保元
無名指頭灸之良愈
○治小兒解顱顖陷法 千金
灸臍上下半寸及鳩尾骨端
○治小兒氣癩法 同上
灸足厥陰大敦左灸右右灸左各一
壯

○治小兒疳濕瘡法 同上

灸十五椎俠骨兩傍七壯未愈加七壯

○治亀背法 準繩惠灸法

第三椎下 肺俞 五椎下 心俞 七椎下 膈俞

灸兩傍一寸半以小兒中指節為一寸艾炷如小麥大三五壯即止法累用十中有一二得效

○治臍風撮口在母腹中氣逆所致或產時不慎受寒而然類經以小艾炷隔蒜灸臍中俟口中覺艾氣亦得生者

○又法同上

○凡臍風若成必有青筋一道自下上行至腹而生兩岔即灸青筋之頭三

壯截住若見兩岔即灸兩處筋頭灸三壯十治五六不則上行必攻心而死矣

○治小兒通睛法　啞科秘傳

灸章門

○治小兒遺尿法　千金

灸臍下一寸半隨年壯又灸大敦三

壯又治尿血

○治小兒尿血法 同上

灸茅七推兩傍各五寸隨年壯

瘡瘍病

○治一切瘡毒大痛或不痛或麻木如痛者灸至不痛不痛者灸至痛其毒隨火而散蓋火以暢達拔引鬱毒此從治之法也有回生之功凡無名腫毒初發著艾瘡腫頭灸之數壯良愈 試效

○治瘰癧法 外臺

擣生商陸根捻作餅子如錢大厚三
分安瘰上以艾灸上餅乾易之灸三
四作艾瘥

○治瘰癧肩尖肘尖二穴即肩髃肘髎
之穴也 進繩
此穴治瘰癧之秘法蓋瘰癧屬肝膽

二經故患在耳前後項腋之間男子多因恚怒虧損肝經之血[illegible]火内作或不慎起居耗損腎水不能生肝血婦女多因恚怒傷肝火動血燥或鬱結傷脾火動血耗或患扵胸孔間亦屬前經此證若因恚怒傷肝氣血壅遏而不愈者宜灸此穴疏通經絡若

因久欝怒元氣虧損而不愈當推其所屬而調補化源如取其穴當以指甲掐兩肘兩肩四所患處覺酸麻方是其穴

圖

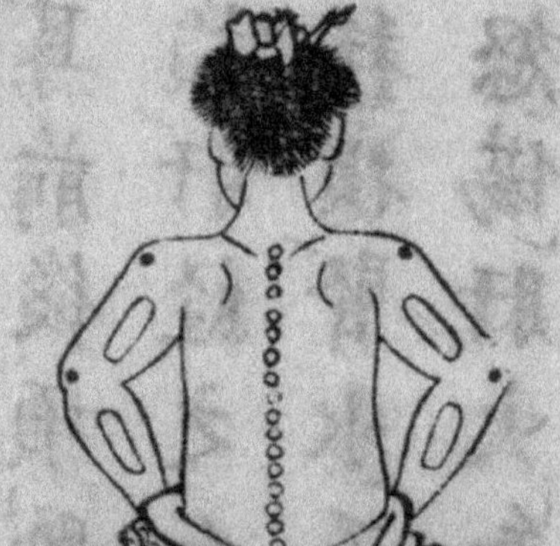

○治瘰癧用益氣養榮湯其癧皆消惟一二个不消者用癩蝦蟆一个剥取皮蓋瘰癧上用艾灸皮上七壯立消

○又法 外臺

七月七日日未出時取麻花五月五日取艾等分合擣作炷用灸瘡上百壯

○治疔腫法　百一方

以針刺四畔用石榴皮末着瘡上調麪圍四畔灸之痛爲度調末傅上急裹經宿連根自出

○治諸漏瘡法　外臺

灸周瘻四畔瘥

○治久漏瘡法　準繩

灸足内踝上一寸六壯如在上者灸
肩井鳩尾
△所載續編附子餅灸法殊妙
○治癭瘤法 一医傳
野蒲萄葉陰乾擣如艾灸之
○又法 俗傳
火麻葉陰乾擣如艾灸上

△凡治瘤輕者以上灸法俱效深者先行灸法次貼腐藥

○治腦項後疽一名天疽俗曰對口 壽世

男左女右脚中指下俯面第三紋正中用好蘄艾灸七壯

○治舉體瘙痛如蟲嚙瘙而搔之皮便脫落作瘡法 千金

灸曲池二穴小兒隨年壯發卽灸之神良

○治赤白汗班神法 壽世

或針刺之出血未已宜灸夾白穴先於兩乳頭上塗墨令兩手直伸夾之染墨處是穴

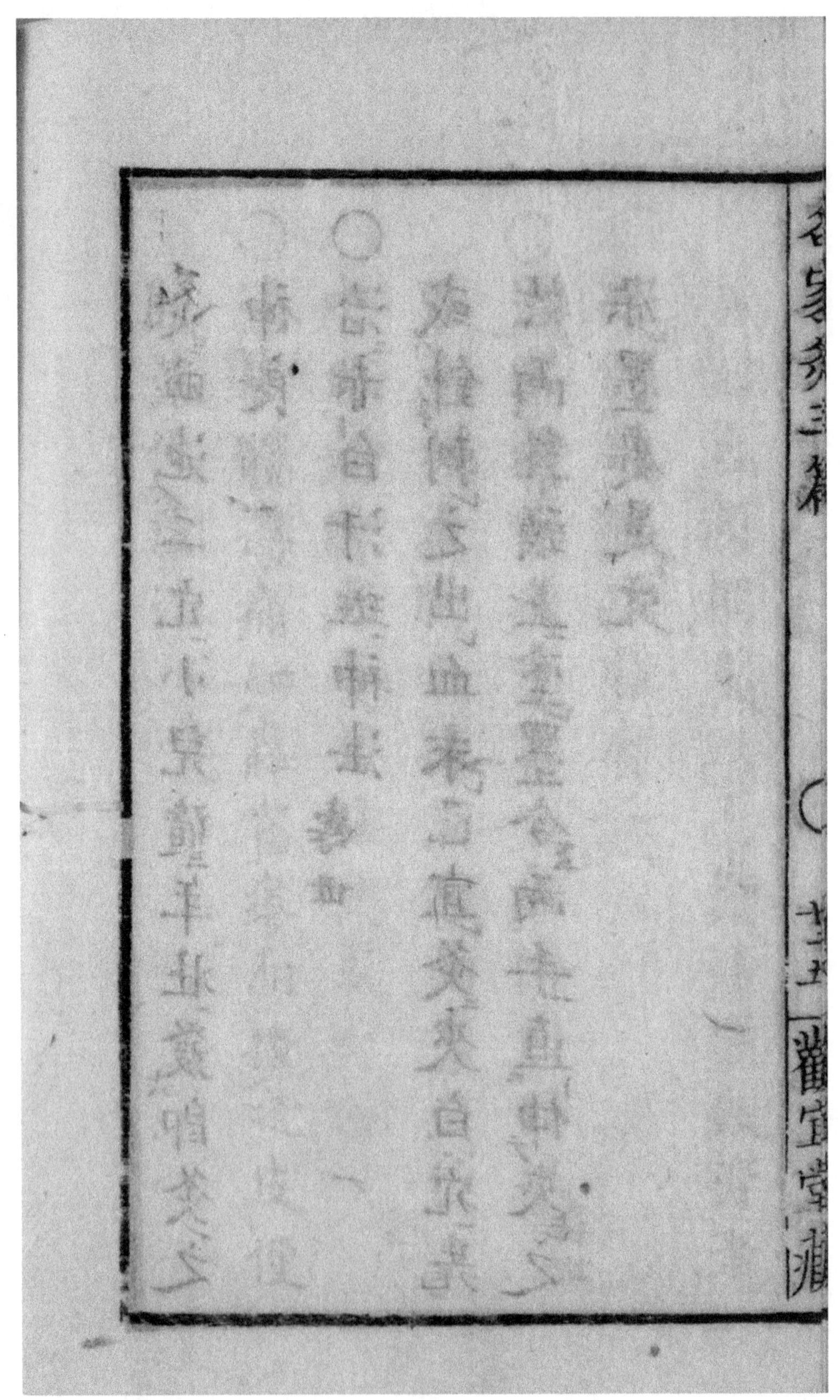

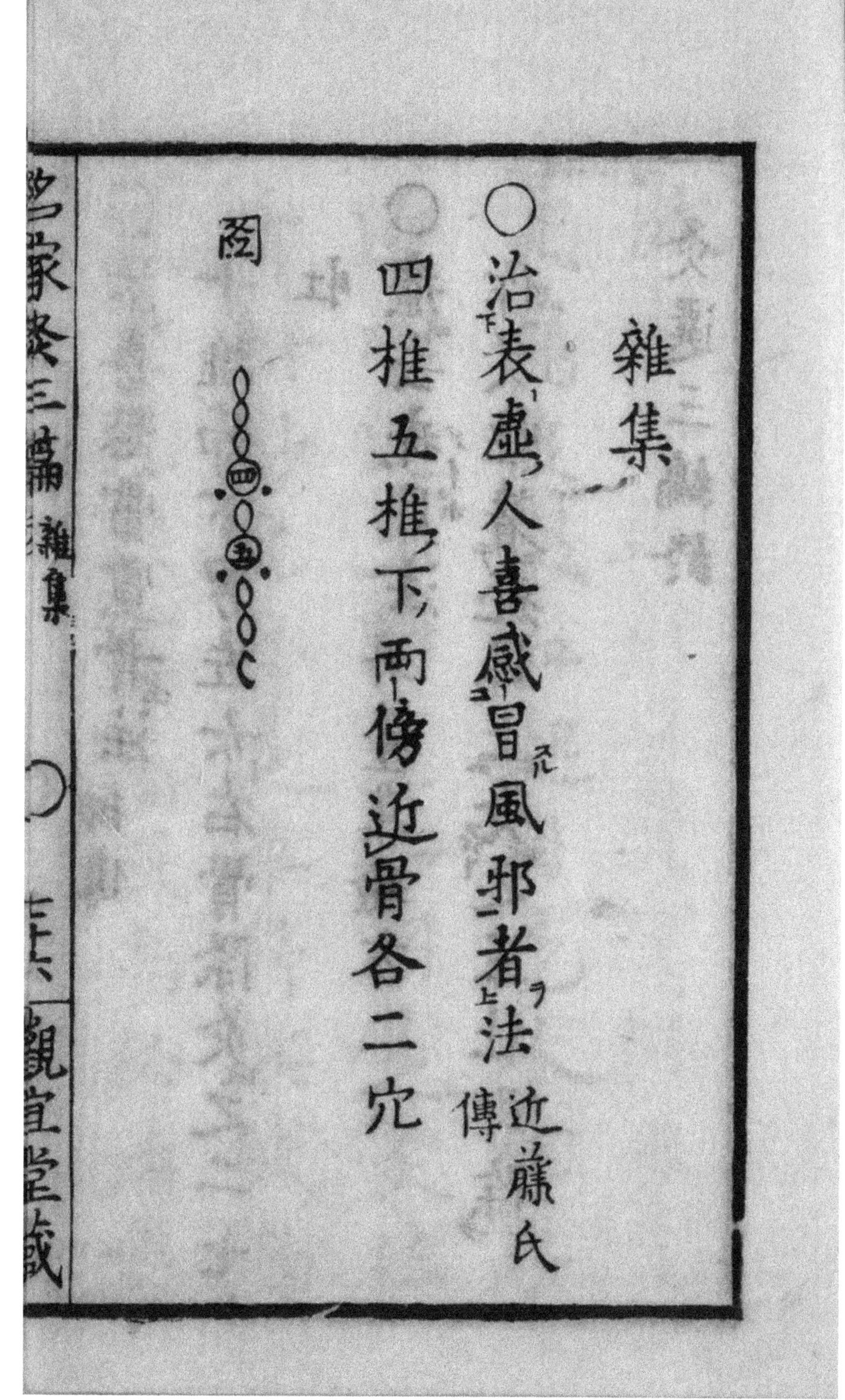

雜集

○治表虛人喜感冒風邪者法　近藤氏傳

四椎五椎下兩傍近骨各二穴

圖

○治喜恐雷電者法　師傳

十推節下男左女右骨際灸之二七壯

○療去疣目法　外臺集驗方

作艾炷著疣目上灸之三壯即除

灸選三編終

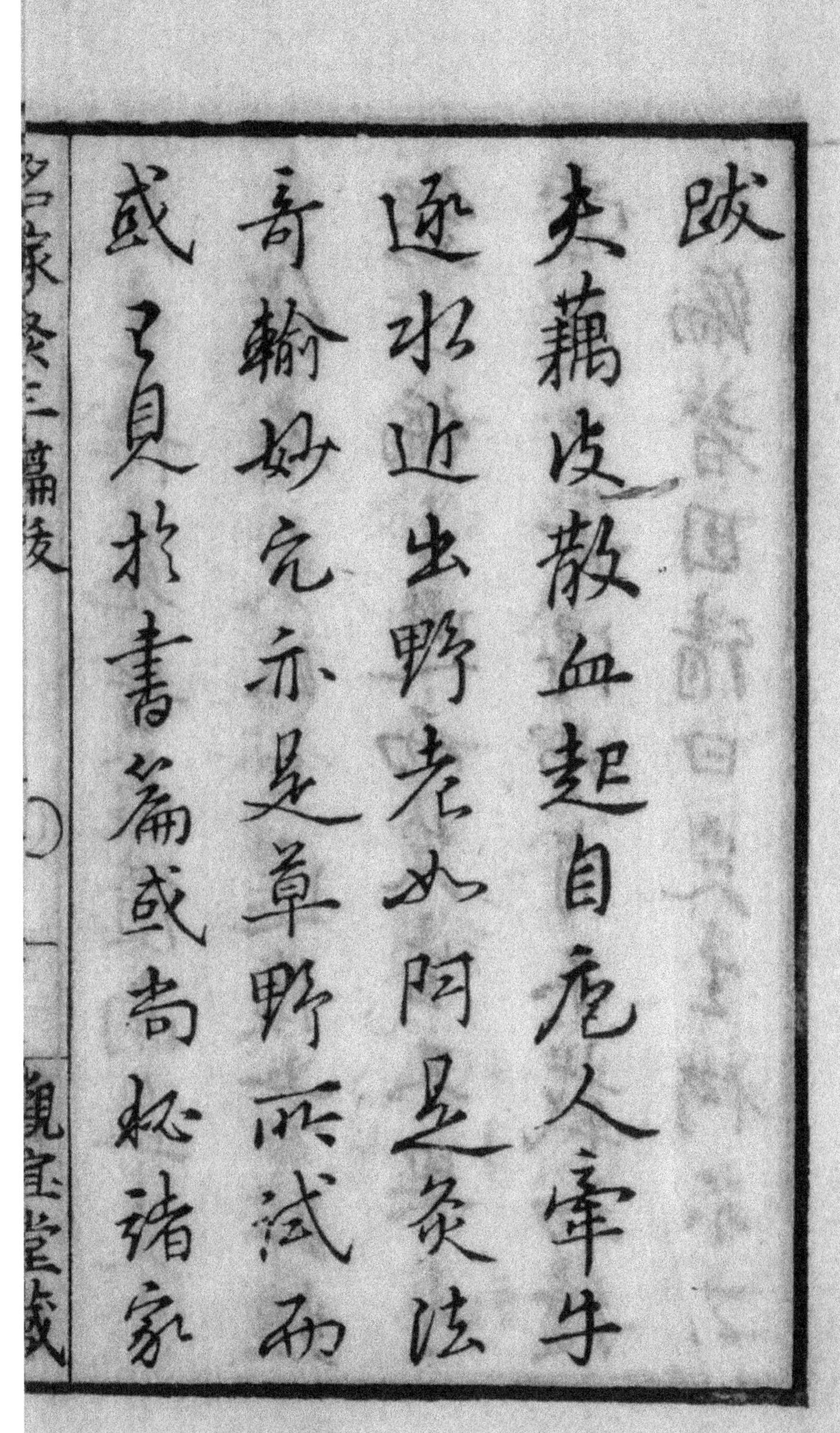

跋

夫藕皮散血起自庖人宰牛逐水近出野老如阿是灸法奇輸妙穴亦是草野所試而或已見於書篇或尚秘諸家

先生博蒐普求遺南阜先生
之緒有灸法之選復書肆頻
請三編之選而先生不果予
嘗見出奇得妙有不載初續
二編者因請曰先生何不公

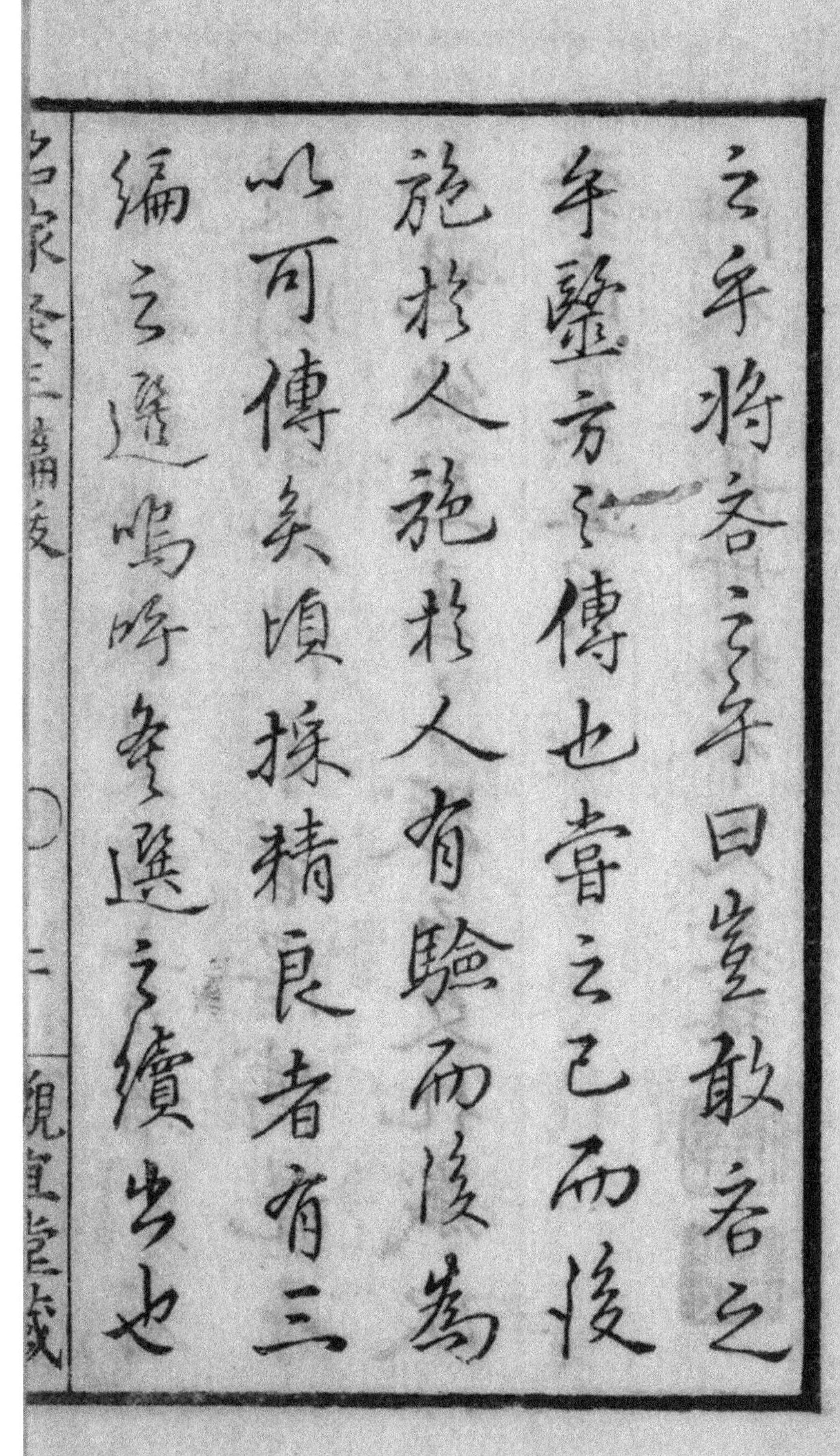

之乎將吝之之乎曰豈敢吝之
乎鑒方之傳也嘗之己而後
施於人施於人有驗而後爲
以可傳矣頃採精良者有三
編之選嗚呼無選之續出也

名家灸三編跋　二　觀宜堂藏

奇輸試驗散見方書者則省

搜閱禁秘諸家者得博施矣

不堪欣然爲之跋云文化歲次

癸酉夏五月

門人　丹州松本克美拜

談藝雜話 五冊　繹文須知 五冊
出定後語 二冊　橘窓茶話 三冊
小學紺珠 五冊　醫書字引 一冊
雲根志 十五冊　繪本故事談 九冊
小笠原百箇條 一冊　同諸禮大全 一冊 三冊
新井流生花流易書類製本所
浪華書肆 心斎橋安土町南へ入東側 河内屋和助梓

蘐園雜話 五冊 譯文須知

出定後語 二冊 橋窓茶

小学紺珠 五冊 醫

雲根志 十五

小笠原百箇條 一冊

浪華書肆 心齋橋安土町南へ入東側

（注：五三二葉展示五三一葉紙下信息，特此加葉。）